DOLCE AGONIA

DU MÊME AUTEUR

Romans

LES VARIATIONS GOLDBERG, ROMANCE, Seuil, 1981 ; Babel n° 101.
HISTOIRE D'OMAYA, Seuil, 1985 ; Babel n° 338.
TROIS FOIS SEPTEMBRE, Seuil, 1989 ; Babel n° 388.
CANTIQUE DES PLAINES, Actes Sud / Leméac, 1993 ; Babel n° 142.
LA VIREVOLTE, Actes Sud / Leméac, 1994 ; Babel n° 212.
INSTRUMENTS DES TÉNÈBRES, Actes Sud / Leméac, 1996 ; Babel n° 304.
L'EMPREINTE DE L'ANGE, Actes Sud / Leméac, 1998 ; Babel n° 431.
PRODIGE, Actes Sud / Leméac, 1999.
VISAGES DE L'AUBE, Actes Sud / Leméac, 2001.

Livres pour enfants

VÉRA VEUT LA VÉRITÉ, Ecole des Loisirs, 1992 (avec Léa).
DORA DEMANDE DES DÉTAILS, Ecole des Loisirs, 1993 (avec Léa).
LES SOULIERS D'OR, Gallimard, "Page blanche", 1998.

Essais

JOUER AU PAPA ET A L'AMANT, Ramsay, 1979.
DIRE ET INTERDIRE : ÉLÉMENTS DE JUROLOGIE, Payot, 1980.
MOSAÏQUE DE LA PORNOGRAPHIE, Denoël, 1982.
A L'AMOUR COMME A LA GUERRE, CORRESPONDANCE, Seuil, 1984 (en collaboration avec Samuel Kinser).
LETTRES PARISIENNES : AUTOPSIE DE L'EXIL, Bernard Barrault, 1986 (en collaboration avec Leïla Sebbar).
JOURNAL DE LA CRÉATION, Seuil, 1990 ; Babel n° 470.
TOMBEAU DE ROMAIN GARY, Actes Sud / Leméac, 1995 ; Babel n° 363.
DÉSIRS ET RÉALITÉS, Leméac / Actes Sud, 1996.
NORD PERDU suivi de *DOUZE FRANCE*, Actes Sud / Leméac, 1999.
LIMBES / LIMBO, Actes Sud / Leméac, 2000.

Illustration de la jaquette :
© Ralph Petty, *Breaking the News*, 1997

NANCY HUSTON

Dolce agonia

ROMAN

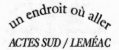

un endroit où aller
ACTES SUD / LEMÉAC

à mes amis,
les vivants et les morts

à toi, G., qui viens de
chevaucher l'abîme

Ceci est l'air commun où baigne le monde.

WALT WHITMAN

Que l'agonie te soit douce, ô mon pote !
Le signe fatal est sur toi !

GREG

"Une dernière fois, dit Dieu. Allez,
AMOUR."
Corbeau se convulsa, bâilla, rota et
La prodigieuse tête sans corps de l'Homme
S'épanouit sur terre, bulbeuse, roulant
les yeux,
Jacassant son désaccord.

TED HUGHES

I

PROLOGUE AU CIEL

QUAND JE RENCONTRE les créateurs des autres univers, je m'efforce toujours d'être modeste. Plutôt que de me vanter de l'excellence de mon œuvre, je les félicite pour la beauté et la complexité de la leur... Mais, à part moi, je ne puis m'empêcher de trouver que la mienne est supérieure, car je suis le seul à avoir inventé une chose aussi imprévisible que l'homme.

Quelle espèce ! Souvent, à regarder les êtres humains accomplir leur destinée sur Terre, je me laisse emporter presque au point de croire en eux. Ils me donnent l'impression singulière d'être dotés de libre arbitre, d'autonomie, d'une volonté propre... Je sais bien que c'est une illusion, une notion saugrenue. Moi seul suis libre ! Chaque tour et détour de leur destin a été planifié d'avance par mes soins ; je connais

le but vers lequel ils se dirigent et le
chemin qu'ils emprunteront pour y par-
venir ; je connais leurs effrois et leurs
espoirs les plus secrets, leur constitution
génétique, les rouages les plus intimes de
leur conscience... Et pourtant, et pour-
tant... ils ne cessent de m'étonner.

Ah, mes chers humains... Comme
cela m'enchante de les voir patiner et
patauger ! Aveugles, aveugles... toujours
là à espérer, à tâtonner...Voulant à
tout prix croire en ma bonté, com-
prendre leur destin, deviner quels sont
mes projets pour eux.... Oui, les pauvres,
ils ne peuvent s'empêcher de chercher
le sens de tout cela ! Il suffit que je leur
ménage une petite rencontre avec la
naissance ou la mort et, aussitôt, ils sont
convaincus d'avoir saisi quelque chose.
Bouleversés chaque fois. Secoués jusqu'à
la moelle.

Prenons ce petit groupe d'hommes et
de femmes venus passer la soirée de
Thanksgiving dans la maison de Sean
Farrell. Ils n'ont rien de bien spécial,
même si chacun se considère (c'est là
une des spécificités touchantes de l'es-
pèce) comme le centre de l'univers. Ils
ne sont pas particulièrement sympa-
thiques, ni bizarres, ni cinglés. Pres-
que tous ont la peau blanche, presque
tous ont dépassé la jeunesse, presque tous

sont d'origine judéo-chrétienne et balancent entre agnosticisme et athéisme. Plusieurs d'entre eux ont vu le jour dans une autre partie du monde, mais ils sont rassemblés pour la soirée près de la limite orientale de cette motte de terre qui s'appelle, depuis deux ou trois petits siècles, les Etats-Unis d'Amérique.

Pourquoi cette histoire-là, précisément ? Pourquoi ces individus, à cette époque et en cet endroit ? Eh ! ce n'est pas parce que j'ai lu ma propre œuvre dans tous les sens que je n'ai pas mes événements de choix, mes épisodes préférés dans l'histoire des hommes sur la Terre. La guerre de Cent Ans, par exemple. La mort de Cléopâtre. Le repas de Thanksgiving chez Sean Farrell, circa 2000... Il ne faut pas en chercher la raison.Tout ce que je peux dire, c'est qu'une foule de menues coïncidences et de convergences inattendues ont fait de cette soirée un poème. Brusquement la beauté. Brusquement le drame. Des cœurs qui prennent feu, des rires qui fusent.

Les voici donc et, plutôt que de plonger in medias res *dans un groupe de parfaits inconnus, qu'on me permette de fournir un petit index pour fixer les principaux repères.*

D'abord : Sean Farrell. Né en 1953 dans le comté de Cork, en Irlande. Poète, et professeur de poésie à l'université.

Le premier cercle se constitue de gens qui connaissent et aiment Sean. Deux sont des collègues au département d'anglais : Hal Hetherington, romancier, né en 1945 à Cincinnati, et Charles Jackson, poète et essayiste, né en 1960 à Chicago. Deux sont d'anciennes amantes : Patrizia Mendino, secrétaire, née en 1965 à South Boston, et Rachel, professeur de philosophie, née en 1955 à Manhattan. Trois ont connu Sean pour des raisons professionnelles et sont devenus ses amis plus ou moins proches : son avocat Brian, né en 1953 à Los Angeles, le peintre de sa maison Leonid Korotkov, né en 1933 à Choudiany (Biélorussie) et son boulanger Aron Zabotinsky, né en 1914 à Odessa (Ukraine).

Les autres convives, ceux qui forment le second cercle, sont venus fêter Thanksgiving chez Sean surtout parce que leur conjoint y était invité. C'est le cas de Katie l'épouse de Leonid (qui tient une boutique d'artisanat), née en 1948 en Pennsylvanie ; Derek l'époux de Rachel (également professeur de philosophie), né en 1954 à Metuchen dans le New Jersey ; Beth Raymondson l'épouse de Brian (médecin), née en 1957 près de Huntsville dans l'Alabama ; Chloë la nouvelle épouse de Hal, née en 1977 à Vancouver (dont je dirai la profession le moment venu) et leur fils de onze mois, Hal Junior.

Les voici donc réunis dans cette histoire qu'un romancier raconterait à la manière qu'affectionnent les humains : avec protagonistes et antagonistes, une apogée et un dénouement, une fin tragique ou heureuse. Mais de mon point de vue, rien ne se "produit" jamais, il n'y a ni début ni fin, seulement une sorte de tourbillonnement, une vibration, un entrelacement infini de causes et d'effets... Pour des raisons évidentes, la narration n'est pas dans ma nature. Je ne suis pas doué pour étirer en longueur le récit, révéler tel détail et en receler tel autre, faire durer le suspense. Etant donné que c'est moi qui ai inventé le temps, tous les moments me sont simultanément présents et je peux passer en revue l'éternité d'un bout à l'autre dans l'espace d'un clin d'œil. Epouser la temporalité humaine est pour moi une tâche ardue : je dois ralentir, freiner brutalement et sortir les mots au compte-gouttes, un à un. Outil grotesquement maladroit que le langage...

Tout de même, j'ai envie d'essayer.
Bien.
Un peu de lumière, s'il vous plaît.
Mehr Licht !
Fiat lux !

II

PRÉPARATIFS DU REPAS

LE FUMET se répand telle une douleur dans la maison : Ça m'a toujours été pénible, se dit Sean, l'odeur de la bonne cuisine, pire depuis le départ de Jody mais ça m'a toujours été pénible, dans toutes les maisons où j'ai vécu, la viande surtout, ragoûts de bœuf de mamie à Galway, soupes au poulet de m'man à Somerville, osso buco somptueux de Jody, le fumet de la viande qui cuit une souffrance à chaque fois, un élancement de nostalgie : passe encore d'entrer dans une maison et de consommer un repas de viande, mais en humer l'odeur tout au long de sa cuisson est une torture, pas à cause de la faim mais à cause de l'idée insinuante, désespérante, sans cesse transmise et retransmise aux tripes, de la dinde en train de dorer lentement dans ses jus, faisant perversement miroiter des promesses

de chaleur bonté bonheur, simples plai-
sirs domestiques, toutes choses qu'on
ne peut avoir et qu'on n'a jamais eues,
pas même enfant.

   Ça fait longtemps que personne n'a
fait la cuisine ici. Ce qui s'appelle faire la
cuisine. L'odeur, l'odeur encore, l'odeur.
Ah se concentrer sur autre chose, Jésus,
il n'est que deux heures, encore quatre
heures à patienter, la bête est mons-
trueuse, elle pèse douze kilos : "Autant
qu'un enfant de trois ans !" a dit Patrizia
tout à l'heure en la flanquant fièrement
sur la table et en lui écartant les cuisses
et en y fourrant de pleines poignées de
farce... Ce sont Katie et Patrizia qui s'occupent de la partie nourriture de la soirée et Sean est agité, agité, il n'avait pas
prévu cette suspension interminable
dans l'infernal arôme sublime de la
dinde en train de cuire, en attendant la
tombée de la nuit.

   Revenir au niveau velouté. Juste, trouver la dose juste. Pas en mesurant,
non, il ne veut plus jamais mesurer mais
se maintenir au bon niveau, le niveau
velouté en permanence. Un doigt, deux,
trois, ah voilà. Calme doré liquide. Cigarette bonne et âcre. Bien. Petit soupir.
Petite toux. Puis il se met à feuilleter le
New Yorker. L'un des dessins humoris-
tiques le fait rire tout haut et Patchouli

vient se frotter le museau contre sa jambe et se faire gratter derrière l'oreille. Sean lui-même avait une fois inventé une blague qu'il avait voulu envoyer au magazine : "La moutarde au goût idéal pour vos saucisses : franc, fort" était la blague, jeu de mots sur les saucisses de Francfort, mais Jody l'en avait dissuadé en disant qu'il n'y avait pas d'illustration possible pour un calembour aussi débile. Ça c'était vers la fin : pendant leurs premiers mois ensemble elle n'aurait jamais usé du mot "débile" pour le qualifier, lui ou une chose qu'il aurait pu dire, écrire, concevoir, de jour ou de nuit. Egalement vers la fin il lui avait collé un œil au beurre noir pour avoir traité sa mère de masochiste professionnelle (ce souvenir surgit inopinément dans son esprit et le fait frémir de honte : la seule fois qu'il eût levé la main sur une femme ou sur quiconque ; effet calamiteux). Terminé, depuis cinq ans terminé. Il ne sait même plus sur quel continent elle vit.

Plus rien dans son verre. Il le pose et dirige son regard par la fenêtre vers le ciel gris acier, un ciel qu'aucun poète de l'histoire n'a jamais tenté de mettre en vers ni aucun cinéaste en images, un ciel qui défie toute définition, bafoue toute métaphore et confond tout espoir,

un méchant ciel de novembre, si gris
qu'il infecte de gris les arbres et la barrière et la remise. Ce n'est que partie
remise, se dit Sean et il rit à nouveau,
tout bas cette fois, se demandant si
cette trouvaille ne pourrait s'intégrer à
un poème. Nul, nul, répète le ciel de
façon lancinante, et personne ne semble
prêt à le contredire. Le noir sera mieux,
se dit Sean. Le noir est une quantité
connue. On peut faire des choses avec
le noir. Quand on allume les lampes
et qu'il fait noir dehors ça change
quelque chose. Ça fait cosy, foyer,
réconfort... Le fumet le dérange à nouveau.

Prendre le taureau par les cornes. Il
avance à pas tranquilles vers la cuisine
en pensant "porter des cornes" : je savais
jadis d'où venait cette expression, je ne
le sais plus, salut Alzheimer, heureux
de faire votre connaissance, ah bon
vous dites qu'on s'est déjà rencontrés ?
Tiens ça a dû me sortir de la tête, ha
ha elle n'est plus qu'une vaste sortie
ma tête, bon, mais pourquoi un mari
trompé porterait-il des cornes ? Est-ce
parce que la lune en porte et que le
mari devait avoir la tête dans la lune ?
Certainement pas. Ne t'inquiète pas,
m'man. Je n'aurai pas le temps de
battre ton record en matière d'oubli.

Il découvre Patrizia seule à la cuisine, de dos, les rubans de son tablier
noués en joli nœud autour de sa fine
taille italienne, les longs cheveux noirs
remontés en chignon pour éviter qu'ils
ne tombent dans les aliments, une courte
jupe noire serrée mettant en valeur les
courbes de ses fesses ; le sexe de Sean
remue dans son pantalon et, venant
derrière elle, il fait glisser ses mains sur
les os iliaques de Patrizia et jusque sur
son abdomen. Il a toujours considéré
qu'elle avait les os iliaques les plus
extraordinaires dans l'histoire de la
gent féminine, deux saillies douces à
travers le tissu noir de sa jupe. ("J'aime
tes seins aussi, faut pas croire", lui avait-
il susurré une fois, du temps où ils étaient
amants, conscient que les femmes ayant
allaité pouvaient être sensibles au sujet
de leurs seins, or Patrizia avait déjà ses
deux fils à l'époque, alors qu'aucun fils
n'était sien, ni aucune fille, ni ne serait
jamais, Jody ayant tué... "Tes seins sont
superbes mais tes os iliaques sont
uniques au monde, un don de Dieu.")
    Elle bouge contre lui pour le sentir
durcir un peu plus et Sean, tout en lui
mordillant la nuque aux cheveux rendus moites par la vapeur de la cuisine,
se penche par-dessus son épaule pour
voir ce que contient la casserole. Des

airelles avec du zeste d'orange râpé.
Les baies commencent juste à éclater.
Comme le pop-corn mais en plus doux,
plus mouillé, plus coloré, presque inau-
dible. Dès qu'elles sont écloses (Sean
se rappelle l'avoir appris de Jody lors
d'une de ses tentatives pour l'initier à
l'art culinaire), on éteint le feu sous la
sauce, on la laisse refroidir et ensuite,
pour une raison insondable, elle se
transforme en gelée.

"Mmm ça sent bon, souffle-t-il, effleu-
rant des lèvres le lobe duveteux de
l'oreille gauche de Patrizia.

— *Secret d'un vieux livre*, dit celle-ci.
Un nouveau parfum français. Ça te
plaît ?

— Je parlais de la nourriture, dit
Sean. La nourriture sent bon.

— Oh !" fait Patrizia. Faussement
vexée, elle fait mine de lui écraser le
pied sous son talon aiguille. En chaussures à talons elle a tout juste sa taille,
une taille plutôt modeste pour un
homme ; pieds nus elle lui arrive aux
sourcils. Il apprécie ses chemisiers en
dentelle, ses jupes serrées, sa féminité
d'une autre époque : les Américaines
ne s'habillent plus ainsi. Entendant
Katie tirer la chasse au bout du couloir,
il s'écarte légèrement, poliment, du corps
de Patrizia, un corps toujours jeune et

ferme (bien que pas aussi jeune et ferme, naturellement, qu'il y a sept ou huit ans, quand elle venait d'être embauchée comme secrétaire par le département des langues romanes et que Sean était passé de son pas nonchalant devant la porte ouverte de son bureau et avait abruptement freiné dans le couloir et fait trois grands pas à reculons, se tournant ensuite pour diriger vers Patrizia son irrésistible regard sombre et mélancolique, elle était encore mariée à l'époque, lui pas encore, maintenant elle est divorcée et lui aussi, c'est le moins qu'on puisse dire) – et là, après lui avoir effleuré une dernière fois les fesses, il intime à sa triste queue l'ordre d'aller se recoucher, glissant même une main dans sa poche pour la pousser sur le côté avec une petite tape péremptoire.

"Tout baigne", proclame Katie, débarquant maintenant dans la cuisine et s'affairant à rentrer dans son pantalon sa chemise exagérément violette. Sous sa crinière blanche elle a le visage ridé et cramoisi comme un vieux coussin en cuir. "La farce est dans la dinde, la dinde est dans le four, le four est dans la maison, la maison est dans la forêt… Et maintenant – d'un grand geste théâtral elle s'empare d'un sac en papier

brun et en retire une citrouille plutôt rata-
tinée (*morte*, se dit Sean, bizarre comme
tout me semble mort en ce moment) –
en avant pour la tarte au potiron !

— Tu es sûre qu'il est encore comestible, ce bonhomme-là ?" Les mains sur
ses hanches galbées, Patrizia se penche
pour renifler le globe aux crêtes orange.

"Bien sûr que oui ! C'était le chef-
d'œuvre de ma petite-fille, regarde ! Tu
as vu ce rictus sinistre, cette cicatrice
sur la tempe ? C'est pas magnifique ça ?

— Magnifique c'est une chose, comestible en est une autre, insiste Patrizia
sans méchanceté.

— Je l'ai gardé au frais dans la cave
depuis Hallowe'en, dit Katie, ça devrait
aller. Il me reste plus qu'à gratter la cire
de bougie collée à l'intérieur, puis je vais
le bouillir, l'éplucher, l'écraser, le faire
mijoter, le remuer, le sucrer et le transformer en dessert. Tu parles d'une sorcelle-
rie ! C'est comme embrasser les crapauds.
Mon pauvre Leo... Ça fait trente ans
que je l'embrasse, et il s'est toujours
pas transformé en beau jeune prince !"

Sean et Patrizia rient – pas assez fort,
toutefois, pour laisser croire à Katie
qu'ils entendent cette blague pour la
première fois.

C'est ça le genre de soirée que ça va
être ? se demande Sean – et, aussitôt, il

éprouve le besoin d'avoir son verre à la main, la brûlure dorée au fond de la gorge, le chaud nuage qui lui monte au cerveau.

"Eh Sean ! Tu as vu la sauce aux airelles de Patrizia ? dit Katie.

— Mm-hm, dit Sean. J'étais justement en train d'admirer Patrizia en général et sa sauce aux airelles en particulier quand tu es arrivée.

— Patrizia, je vais écrire une ode à ta sauce aux airelles, dit Katie.

— C'est une promesse ou une menace ? demande Patrizia.

— Non, mais regarde-moi ça ! dit Katie. A-t-on jamais vu chose aussi sublime ? Versée dans des moules de cristal, constellée de mouchetures or et orange, mille rubis liquides tremblotant dans la lumière, joyaux douteux d'une couronne gagnée dans le sang. O sombre rouge de la grenade de Perséphone, tellement plus près du péché que la pâle pomme d'Eve ! Hein Sean, qu'en dis-tu, c'est pas mal ?"

Elle rejette en arrière sa crinière de cheveux blancs et éclate d'un rire fort et joyeux. Puis, saisissant une hache de boucher, elle fend la pauvre citrouille en deux – Sean se retient de pousser un cri – mais non, elle est vide, il n'y a pas d'entrailles qui en giclent. Il quitte la

pièce pour aller chercher son verre, sa
bouteille, ses cigarettes, son cendrier,
les accessoires essentiels et indispen-
sables de son être.

Quand il revient quelques instants
plus tard, Katie est en train de rassembler les autres ingrédients de la tarte.
De l'étagère à épices elle a descendu
des bocaux de cannelle, de muscade,
de gingembre, et de clous de girofle...
Tous ont le couvercle crasseux, Theresa
ne lave jamais ce genre de chose et
Sean est bouleversé par la vue de ces
bocaux d'épices au couvercle sale, plus
personne ne s'en sert depuis le départ
de Jody, excellente cuisinière Jody,
inoubliable cuisinière, bocaux d'épices
qui doivent remonter à, Jésus, ils me
survivront c'est sûr, je serai décomposé
et mangé par les vers et cette absurde
étagère à épices que m'man nous a
achetée sur catalogue et offerte comme
cadeau de noces sera toujours là en
train de dire persil, flocons d'ail, carda-
mome, crotte.

"Zut ! s'exclame Katie soudain. Je
voulais apporter du sirop d'érable et
puis j'ai oublié. Tu en as, Sean ?

— Bonne question."

Coopératif, il ouvre la porte du réfrigérateur. Patrizia est en train de tami-
ser les farines pour le pain de maïs, un

mélange de farine blanche et de polenta,
comment les femmes font-elles pour
savoir ce genre de choses ? Cachent-
elles les recettes dans leur corsage pour
y jeter un coup d'œil quand nous avons
le dos tourné ?... Ce que m'man chéris-
sait par-dessus tout en Amérique c'était
la liberté bon marché ; sa liberté avait
un goût de croquettes de poisson surgelées, de chop suey en sachet, de sauce
de salade italienne instantanée, ça faisait gagner du temps, oui comme ça
on avait tout le temps pour vivre sa vraie
vie, n'est-ce pas m'man ? Qu'est-ce que je
cherchais encore merde qu'est-ce que
j'étais en train de chercher, ah oui le
sirop d'érable : tout au fond du réfrigérateur, Sean aperçoit un gracieux petit
flacon de sirop d'érable du Vermont,
cadeau de cette brillante romancière
rousse – Lizzy ? Zoé ? – je suis sûr qu'il
y avait un z dans son nom – qui, venue
à l'université il y a deux trois ans, ayant
donné une brillante lecture rousse et
l'ayant accompagné chez lui après, atti-
rée par son nom et sa célébrité sinon
par, bon, passons, lui avait fait une fel-
lation merveilleuse à la lumière des
bougies tout en refusant de le laisser
réciproquer de quelque façon que ce
soit, il ne sait plus pourquoi, peut-être
avait-elle ses règles ou alors un petit

ami, toujours est-il que le lendemain matin elle lui avait fait des crêpes et s'était scandalisée de ne pas trouver dans sa maison la moindre goutte de sirop d'érable. Il s'empare du petit flacon gracieux et se redresse enfin, rougissant d'être resté là cinq bonnes minutes à fixer bêtement le contenu du réfrigérateur mais les femmes n'ont remarqué ni son retard ni son embarras, elles font la cuisine, heureuses, heureuses de faire la cuisine, comment Katie peut-elle être heureuse à nouveau ? se demande Sean, mais la voilà heureuse à nouveau, oui, apparemment la même, plaisantant comme avant, éclatant de rire, jouant avec ses petits-enfants, tournant ses pots, gérant sa boutique d'artisanat et pondant ses poèmes atterrants, la seule trace palpable de l'horreur étant le subit blanchissement de ses cheveux.

"Dis donc Sean, fait Patrizia, pourquoi tu traînes là dans la cuisine ? Tu ne vois pas que tu es dans nos pattes ? Tu n'as rien de mieux à faire ? Va t'occuper de quelque tâche virile : préparer le feu, par exemple !"

Feu, le mot de feu, suivi de la visualisation des gestes inhérents à la préparation d'un feu de cheminée, provoque en Sean une légère sensation de nausée. Atre vide, cageot vide, rien dans la remise à part du bois d'allumage et deux trois bûches énormes entassées dans un coin, merde.

"Merde, dit-il. Bon Dieu de merde, ajoute-t-il pour faire bonne mesure. J'ai oublié de demander à Daniel de commander du bois. Il est venu mardi, on aurait eu le temps...

— Quoi ? Il n'y a pas de bois du tout ? dit Katie.

— Rien que des grosses bûches.

— Eh bien va les transformer en petites bûches ! dit Patrizia. L'exercice te fera du bien.

— Oui, dit Katie. Ce n'était pas une tâche indigne de Tolstoï..."

Sean regarde leurs visages humides et rayonnants dans la chaleur de la cuisine, il n'a pas la moindre envie de les quitter, d'être chassé dehors dans la grisaille froide et méchante : allez, Sean, va souffrir un peu, va souffrir comme un homme, allez, petit poète frileux efféminé, elles trouvent ça marrant, elles trouvent ça drôle, il endosse sa parka, amer, furieux.

"Emmène Patchouli avec toi, dit Patrizia. Je parie que tu ne l'as pas sorti de la journée !"

Il claque la porte derrière lui comme un enfant, tout en sachant qu'elles rient en murmurant "comme un enfant", "ce cher Sean", "il ne changera jamais", "on l'aime comme il est". Maugréant, il descend vers la remise et sent qu'il a les mains qui tremblent, ce n'est pas le froid ni le whisky, c'est juste qu'il n'avait pas envie d'être seul ce soir, surtout dans cette remise glaciale, tenant à la main une hache lourde et peu maniable, les yeux fixés sur un tas de bûches poussié-reuses, Jésus, bon sang de Jésus-Christ.

"Ce cher Sean", dit Katie tout en pelant la peau épaisse des morceaux de ci-trouille maintenant ramollis par la cuis-son.

Patrizia fredonne en malaxant la pâte pour le pain de maïs, elle prend plaisir à la texture granuleuse et grumeleuse du mélange jaune sous ses paumes mais fredonne avec un certain volonta-risme, parce que le psychologue à l'hô-pital lui a dit de ne pas se laisser aller à l'angoisse. "Votre angoisse ne fait du bien à personne, madame Mendino, lui a-t-il dit. Ni à votre fils, ni à vous-même. Ce dont Gino a besoin en ce moment, c'est d'une maman optimiste et souriante. Voilà la meilleure chose que vous puissiez faire pour sa santé", alors elle fredonne tout en malaxant la pâte à pain et en dirigeant délibéré-ment ses pensées vers autre chose, vers la sensation des mains de Sean se croi-sant sur son ventre à l'instant pour lui

saisir les hanches, la sensation chaude
et ferme du corps de Sean appuyé
contre le sien – ah ! comme elle avait
été amoureuse de ce corps ! à s'en
pâmer ! Elle avait eu d'autres amants
avant et depuis mais de tous les
hommes qu'elle a connus, Sean était
peut-être le seul à réellement aimer
faire l'amour aux femmes. Les autres se
servaient de leur pénis comme d'une
massue ou d'un tisonnier ou d'une carte
de crédit mais Sean non, Sean, gémis-
sait avec chaque avancée lente, le corps
arc-bouté et le visage contracté de plaisir ; on sentait que c'était son être même
qui bougeait en vous. Ceci dit, ils avaient
su depuis le début que leur histoire
n'était pas une grande passion, plutôt
une aventure amicale : Patrizia était
bien trop attachée à la vie quotidienne
pour supporter les longues bouderies
de Sean ; et Sean, pour sa part, trouvait
agaçant l'enthousiasme naïf de Patrizia
pour tout ce qui poussait, gazouillait
ou étincelait dans la nature. "La nature,
c'est bon pour les ploucs, lui avait-il dit
une fois, et les oiseaux ont une cervelle d'oiseau." Elle passait des heures
à la cuisine, par exemple, à leur concoc-
ter un gratin d'aubergines mais, le temps
que le repas soit prêt, Sean était ivre
mort et il arrivait à table en titubant

sous le poids des souvenirs anciens, indifférent au contenu de son assiette. En plus, il ronflait la nuit. Par contre, il chantait formidablement sous la douche. Cette chanson pseudo-country qu'il avait écrite pour elle, comment c'était déjà les paroles ? "J'suis rien qu'un vagabond, le vague à l'âme, divaguant à l'envi sur les chemins de ton cœur…"

"Comment va Gino ? demande Katie, qui écrase patiemment la chair de citrouille avec une fourchette, préférant ne pas perturber l'harmonie tranquille de la pièce en jetant les morceaux dans un mixeur qui aurait vrillé leur cerveau par son hurlement électrique pendant trente secondes.

— Les radios ne sont pas très rassurantes, répond Patrizia, sans lever la tête. Il a une tumeur de la taille d'une noix.

— Oh non, dit Katie.

— Au moins c'est au tibia et pas au cerveau, dit Patrizia, dont la meilleure amie est morte d'un cancer au cerveau il y a quelques années. Plus facile de vivre avec une demi-jambe qu'avec un demi-cerveau, hein ?

— Plus amusant aussi.

— Comme tu dis. Alors, voilà, on attend les résultats de la biopsie." C'est gentil d'avoir posé la question, se dit-elle. Katie aurait pu faire comme si le

problème de Gino était négligeable comparé à la mort de son fils à elle, mais à
l'endroit des enfants les problèmes négli-
geables n'existent pas ; tout est crucial,
les comparaisons sont interdites. On
aime les mollets de son fils, quoi. On
s'étonne de les voir allonger si vite.
On les regarde bronzer et se couvrir
de bleus et de piqûres de moustique,
l'été. On s'attendrit à sentir sur soi leur
poids soudain accru lorsque, affalé avec
vous sur le canapé à regarder un vieux
film, votre enfant s'abandonne au sommeil.

   "Ça ne doit pas être facile de vivre
ça toute seule, dit Katie, certaine qu'elle-
même n'en supporterait pas l'angoisse,
impressionnée comme toujours par le
cran, la détermination, l'incroyable force
d'endurance des mères seules.

   — Oh ! j'ai l'habitude, fait Patrizia.
Et au bureau tout le monde est très com-
préhensif. J'ai pris je ne sais combien
de demi-journées…" (Lui revient en
mémoire son rêve de ce matin, où, au
lieu de planter des fleurs et des légumes dans le sol, elle les y *enterrait*. Un
peu de terre les fait vivre, se dit-elle
maintenant, mais trop les tue. Tout est
question de degré.) "Il serait temps
que j'arrose à nouveau cet oiseau, tu ne
crois pas ?"

Ouvrant le four, Patrizia se penche en avant, fait avancer précautionneusement la plaque et verse par grandes cuillerées le jus de cuisson sur la dinde dont la peau commence à dorer et à grésiller. ("Du reste, dit la recette de *Joy of Cooking*, après une évocation détaillée des différentes écoles de pensée en matière de cuisson des dindes, en rôtissant n'importe quel oiseau vous vous trouvez face à un vrai dilemme." A lire cette phrase ce matin, Patrizia avait ri tout haut : les blancs sont cuits avant les cuisses, voilà le dilemme – et, le temps que les cuisses soient à point, les blancs sont trop cuits ! Des dilemmes comme ça, j'en veux bien, s'était-elle dit. Tu peux m'en donner autant que tu veux, cher bon Dieu.)

D'où lui vient sa force ? se demande Katie. Pourquoi moi je ne suis pas forte ? Les femmes de Biélorussie sont fortes, celles qui ont regardé leur mari gonfler ou se ratatiner, devenir tout noir, saigner et mourir, celles qui ont fait fausse couche sur fausse couche, celles qui n'osent plus faire l'amour, de peur de concevoir un monstre, celles qui font l'amour et mettent au monde un monstre et l'inondent de leur amour et de leur affection jusqu'à ce qu'il meure à l'âge de sept ans. Comment font-elles pour

tenir le coup ? Elle-même, Katie, a de
plus en plus besoin de son mari depuis
la mort de David ; elle sent la tension
de son absence même ici, dans la maison de Sean, à trois kilomètres de la leur,
alors qu'elle sait avec certitude où il est
et ce qu'il est en train de faire (installer
les doubles vitrages pour l'hiver) ; depuis
la mort de David elle a besoin de
savoir où se trouve chaque membre de
sa famille à chaque instant, sans quoi ils
pourraient être happés, frappés, fou-
droyés, oui, des forces malveillantes
rôdent partout, bavant et écumant, oh
elle voudrait que Leo soit là, tout de
suite, à ses côtés, elle voudrait annuler
l'étendue de temps et d'espace qui les
sépare, faire en sorte que l'horloge
indique dix-huit heures déjà et qu'elle
entende son pas sur la véranda, elle
reconnaîtrait son pas entre mille, la
forme et le poids spécifiques de ce
corps-là, marchant, oh marche toujours
Leo, ne prends jamais fin mon bien-
aimé, soixante-sept ans seulement, pas
vraiment vieux, encore bien des années
devant nous, n'est-ce pas mon ange ?
Bien des années. Ce Thanksgiving était
le premier qu'ils passaient sans enfants,
deux d'entre eux étant mariés, un enterré,
et même la cadette Sylvia partie à Phila-
delphie avec son petit ami... Katie

fouette la chair de la citrouille jusqu'à obtenir une crème épaisse et lisse, la verse ensuite dans un bain-marie et y ajoute les sucres et les épices, mais je voudrais qu'il soit là, Leo, *là*, dans la pièce avec moi.

La sueur l'inonde d'un coup, détrempant son chemisier ; Heureusement qu'il fait chaud dans la cuisine, se dit-elle avec un petit haussement d'épaules, j'ai les joues rouges de toute façon.

Sean est trempé de sueur, lui aussi. Il a accroché sa parka sur la patère en bois derrière la porte de la remise. Ses mains tremblent toujours, ses bras se sont mis à trembler aussi et ses jambes aussi, il a tout le corps qui tremble... Il a horreur de ça : pourquoi l'oblige-t-on à jouer les hommes forts ? Je suis un homme faible, je l'avoue, que vous faut-il de plus, mes ancêtres étaient de pauvres paysans du comté de Cork, des bouffeurs de patates avec un teint de porridge et de la Guinness dans les veines, et vous voudriez que je me mue en bûcheron musclé de Nouvelle-Angleterre ? Je gagne assez d'argent pour payer des hommes forts pour faire ce genre de travail. D'ailleurs, pourquoi faire un feu de cheminée, bande

d'artistes pseudo-rustiques, ma maison a
le chauffage central, bon Dieu de merde.

Il n'a fait qu'entailler superficiellement
la bûche sur laquelle il s'acharne depuis
dix bonnes minutes. La hache ne tombe
jamais deux fois au même endroit. Elle
s'enfonce dans le bois et se coince ; il
l'en arrache, haletant et suant, la hisse
à nouveau au-dessus de sa tête, chan-
celle sous le poids, les bras tremblants,
et la fait tomber encore ailleurs. Peut-
être le bois est-il assez sec – tu savais
faire ça, toi, p'pa ? T'est-il arrivé de couper du bois une seule fois au cours de
ton existence solitaire-misérable-sale-
animale-et-brève ? Non, hein ? Que
Tolstoï aille se faire voir chez les mou-
jiks ! –, peut-être le bois est-il assez sec
pour que je la scie. Où est la putain de
scie ? (Il ne met presque jamais les
pieds dans la remise. Les outils datent
de bien avant son achat de la maison il
y a vingt-quatre ans, quand l'université
– fière d'avoir capturé ce précoce génie
de poète, lauréat de plusieurs prix –
l'avait titularisé à l'âge sans précédent
de vingt-trois ans.) C'est ça mon truc,
p'pa – ch'est à cha que che sers, ch'est
cha que chais faire. Pas couper du bois,
pas arroser une dinde, pas réussir un
mariage – *écrire des poèmes*, si seulement
tu avais été dans les parages pour les

lire. Qui sait, vieux ? peut-être que nous
aurions picolé et rigolé ensemble tous
les deux, peut-être que toi aussi tu avais
un penchant pour la poésie, même si
m'man ne m'en a rien dit – la poésie
chantante des pubs, les vers brisés des
violons, les douces cadences désespé-
rées de la vieille veine irlandaise –,
hein p'pa ?

(Le père de Sean lui calottant affec-
tueusement les oreilles en guise de bon-
jour. L'odeur moite et sombre des pubs
où Sean devait aller le dénicher pour le
ramener à la maison à l'heure du souper. "Ah ! oui allons-y, mon fils à moi.
J'avais pas vu le temps passer." Titubant en murmurant son nom. "Mon
p'tit Sean. Mon seul p'tit gars à moi."
Sean marchant dans les rues noires et
mouillées en lui serrant très fort la main.
La lueur vacillante des lampadaires.
Les cirés lisses et luisants des pêcheurs
qui s'apprêtaient à reprendre la mer
avant l'aube. L'odeur du poisson. La
courbe des filets soigneusement étalés
sur la plage avant d'être réenroulés en
spirale dans les bateaux. Le remugle de
la pisse dans le corridor de la maison où
ils habitaient. L'aspect marron et moite
de toute chose. La sensation étrange
des seins de sa mère qui tremblaient
contre sa poitrine quand elle le prenait

dans ses bras, fière de ses notes à l'école
ou de sa récitation de versets bibliques
pour le catéchisme. "Ne vend-on pas
deux moineaux pour un sou ? et pourtant aucun d'eux ne tombe à terre à
l'insu de votre Père." Ce passage de
saint Matthieu avait laissé Sean perplexe : cela voulait-il dire que Dieu
était responsable de la mort des moineaux ? qu'il les faisait tomber exprès ?
"Mais vous, même les cheveux de votre
tête sont tous comptés. Ne craignez
donc pas : vous valez plus que beaucoup de moineaux." Merci, Dieu. Moi
aussi je les compte tous les jours, mes
cheveux. J'espère que tu prends bien
soin de ceux que j'ai perdus.)

   "Aaaah ! Merde merde merde, Jésus
oh doux Jésus bon Dieu de merde !"
Manœuvrée avec maladresse et éner-
vement par sa main droite, la scie vient
de trancher la chair tendre près de l'ongle
du pouce gauche, faisant sourdre du
sang brillant. Sean porte à sa poitrine
la main blessée, resserre les doigts
autour du pouce en sang, met la main
droite autour de la gauche pour la protéger, baisse la tête, plie les genoux,
s'affaisse sur le sol, sanglote. Joyau de
grenade. Couleur d'airelles. Intérieur du
corps. Et je retournerai dans la maison
et les femmes se moqueront de moi,

gentilles, condescendantes, sans méchanceté mais elles se moqueront de moi,
sans comprendre, l'intérieur du corps…
"Ça ne m'a pas l'air fameux, monsieur
Farrell" – quinze jours depuis cet
après-midi à la clinique où les mots du
médecin avaient roulé lentement à travers l'air, telles des perles rondes et
blanches, avant de lui déchirer brutalement la conscience comme les dents
de la scie, à l'instant, sa chair… "Ça ne
m'a pas l'air fameux, monsieur Farrell.
Très franchement. Pas fameux du
tout." "Vais-je mourir bientôt, docteur ?"
"Je ne suis pas Dieu, monsieur Farrell."
"Ah d'accord." Cheveux comptés, jours
comptés.

Dès qu'il ouvre la porte, l'arôme riche
et brun et onctueux de la dinde le
frappe comme un coup de pied dans
l'âme. A voir son air mauvais et renfro-
gné, les femmes comprennent qu'il
vaut mieux ne pas rire : elles connaissent Sean, elles l'aiment et elles l'accep-
tent ; elles soignent sa blessure comme
des mères (oui, se dit Sean, comme les
mères d'antan, quelque part, dans les
contes de fées, peut-être), sans lui poser de question car elles connaissent
d'avance la réponse : aucune bûche ne
sortira de la remise ce soir.

"Tu sais quoi ? fait Katie. Je vais appeler Leo et lui dire de remplir le coffre de bûches – on a des tonnes de bois stockées dans le garage, tout près de la voiture." Sous sa masse de cheveux blancs, elle a le visage qui s'empourpre de plaisir et de déséquilibre hormonal : un prétexte pour appeler Leo ! entendre sa voix ! joie, ô joie !

Sa main sur le combiné. A voir la main de Katie sur le combiné du téléphone, Sean se dit Ah ! quelle vie palpitante il a menée, ce combiné, au long des années. Toutes les mains qui l'ont saisi, serré et tripoté, laissant des traces et des odeurs qu'éliminerait ensuite, deux fois par semaine, le chiffon de Theresa. Toutes les bouches qui ont soufflé dans ce téléphone. Toutes les paroles qu'il a absorbées : tendresses chuchotées, reproches et plaintes. Sa voix à lui priant Jody de revenir, la suppliant, encore et encore, à travers les trous dans le graphite gris, jusqu'à se briser : "Je ne peux pas *vivre* sans toi ! Jody ! Jody, je te jure ! *Rien* ne m'intéresse dans ma vie sur Terre, *rien*, je te dis, pas même mon travail, si tu n'es pas là pour le partager avec moi." "Allons, Sean, je t'en prie. Pas de mélodrame…"

"Un petit verre, mon ami ? dit Patrizia. Ça servira peut-être d'anesthésique

pour ton pauvre pouce." Heureusement
que Sean a organisé un repas ce soir, se
dit-elle. Coup de chance pour moi. J'aurais passé la soirée seule à grimper aux
rideaux, avec Gino et Tomas chez leur
père pour le long week-end. "Leur père" :
voilà ce qu'est devenu Roberto.

(Roberto à dix-neuf ans, choisissant
avec elle des œufs au marché italien
de Haymarket, les soupesant de ses
doigts longs et bruns, tant de grâce. Ses
yeux noirs qui semblaient lui promet-
tre tout ce qu'elle avait jamais pu désirer ! Et comme il lui avait roulé une
pelle devant tout le monde, à l'église,
alors qu'elle se tenait debout entre son
père et le curé, toute raide, surexcitée
et terrifiée dans sa robe de mariée en
taffetas blanc, l'intrusion soudaine de
la langue de Roberto dans sa bouche
une surprise telle qu'elle avait failli
mouiller sa culotte. Et comme elle se
réveillait, chaque matin pendant leur
lune de miel, pour contempler la tête
bouclée de Roberto pesant de tout son
poids sur sa poitrine nue, son visage
enfantin dans le sommeil. Et le jour où
il avait pris Tomas dans les bras pour
la première fois, son fils, son nouveau-
né, le regardant dans les yeux et fondant
en larmes. Et le jour où il avait offert à
Gino une batte de base-ball miniature

pour son troisième anniversaire, et lui
avait appris à s'en servir. Puis le jour de
son licenciement, où Patrizia l'avait
trouvé affalé devant la télévision à trois
heures de l'après-midi, en train de sif-
fler de la bière. Sa fureur, quand elle
avait décroché cet emploi de secrétaire
à l'université... Ce n'était pas son salaire
qu'il lui enviait mais son épanouisse-
ment. Née dans cette petite ville, elle
en connaissait tous les habitants et
toutes les ressources : se trouver ainsi au
centre d'un tourbillon de professeurs et
d'étudiants, et savoir répondre avec
grâce et efficacité à leurs demandes
toujours urgentissimes lui procuraient
un sentiment d'euphorie. Roberto ne le
lui avait jamais pardonné. Il avait refusé
de s'apercevoir qu'elle le trompait avec
Sean, puis avec d'autres ; indifférent, il
ne l'approchait plus, ne la touchait plus...
Il s'était mis à morigéner leurs fils, puis
à les tabasser, puis à la tabasser, elle...
jusqu'à ce qu'elle lui annonce enfin
qu'elle était allée voir un avocat. Le
même homme pourtant. Ses doigts bruns
sur les œufs, tant de grâce.)

"Ça ne serait pas de refus", dit Sean,
dont le pouce est maintenant lavé, désin-
fecté et méticuleusement pansé, alors
Patrizia va lui chercher sa bouteille et
son verre et, tout en lui administrant ce

remède-là – preste, sec, pur, net, comme
il l'aime –, elle dépose un baiser sur le
noble front humide et dégarni de son
pauvre cher Sean blessé.

Une mèche noire s'est échappée de
son chignon pour lui retomber en courbe
autour du menton, tel un point d'inter-
rogation, un trait à la Modigliani qui lui
encadre joliment la moitié du visage, et
Sean, en refermant les paupières, parvient enfin à repousser le cancer du
poumon jusque dans un coin de ses
pensées, un coin énorme mais un coin
néanmoins, ce qui lui permet d'exulter
dans la pression momentanée des
lèvres de son amie contre sa peau.

"Leo sera là vers cinq heures pour
préparer le feu", dit Katie en se détournant du téléphone avec un gigantesque
sourire, sans même chercher à dissimuler son plaisir. "Aïe, ma garniture !"
Elle traverse à grands pas la cuisine,
s'empare de la cuiller en bois et se met
à touiller la sauce. C'est comme la terre
glaise ; il y a une bonne consistance et
une seule. Trop épaisse ou trop liquide :
pas de pot, pas de tarte. C'est le même
mouvement rotatoire aussi. (Oh cette
paix que lui donne le fait de tourner,
façonnant de ses mains la matière grise
et lisse. Matière grise : oui, comme s'il
s'agissait de son propre cerveau, comme

si c'étaient ses propres pensées qu'elle
lissait et modelait ainsi de ses mains,
en s'efforçant de les rendre rondes et
régulières et symétriques tandis que
son pied droit veillait à maintenir constante la vitesse de la roue et qu'elle se
penchait, concentrée et absente, son
regard se perdant dans la glaise grise
humide qui montait et ondulait sous
ses doigts, s'humectant les mains juste
ce qu'il fallait pour que la terre reste
malléable, c'est une chose que l'on sait
instinctivement, nul besoin d'y réfléchir, les doigts le savent tout seuls.)
     Elle verse la garniture dans la pâte.
Sean est encore plus maussade et erra-
tique que d'habitude ce soir, se dit-elle.
Curieux qu'il ait choisi Thanksgiving
pour nous inviter chez lui : la fête la
plus familiale de l'année, chez cet
homme sans famille. Plus de parents,
plus un seul depuis la mort de sa mère
l'été dernier. Pas d'enfants non plus,
guère du genre paternel. Encore que…
quand Jody s'est fait avorter sans le lui
dire, il était effondré. Il a passé des
heures à pleurer dans les bras de Leo.
"La seule chance de ma mère d'avoir un
petit-enfant ! Le seul rêve, le seul espoir
qu'il lui restait : pulvérisés." Certes, il a
un fort penchant pour l'exagération.
Mais c'est vrai qu'il adorait sa mère.

Nous, on ne l'a jamais rencontrée mais il nous a tenus au courant des étapes de son déclin. Son esprit telle une falaise avec, au début, de minuscules cailloux qui glissent en silence le long de sa face pour être engloutis par les vagues de l'oubli. Ensuite des pierres, des rochers, déboulant de plus en plus vite, emportant avec eux de grosses mottes de terre jusqu'à ce qu'enfin la falaise entière s'écroule et qu'il ne reste plus personne. De longues soirées d'humour noir et de gin-fizz. Maisie, elle s'appelait. Sean nous a parlé de son nouveau projet d'écriture : un long cycle de poèmes qui aurait fait l'inventaire de tout ce qu'avait oublié sa mère. Leo a suggéré un titre : *Le Monde perdu de Maisie*. Non, a dit Sean. *Ce que Maisie ne savait plus*. Les premiers poèmes remplis des détails banals de sa vie de vieille dame dans une banlieue de Boston : l'endroit où elle avait rangé ses clefs, le jour où elle s'était lavé les cheveux pour la dernière fois, la partie de son sac à main où elle avait mis son porte-monnaie. A mesure qu'avançait le cycle, les détails oubliés deviendraient plus émouvants et plus significatifs : les noms de ses amis, de ses frères et sœurs, du pays où elle vivait, l'année de la mort de son mari. Et le dernier groupe de poèmes, aux

couleurs riches et aux accents déchi-
rants, évoquerait les impressions les
plus profondément gravées dans son
esprit, en principe ineffaçables : ses souvenirs d'enfance. Un incendie à la cuisine quand elle avait deux ans ; un sale
petit garçonnet voisin qui lui a glissé
une main dans la culotte pour y déposer un crapaud ; un protestant abattu
dans une rue de Galway, la tête écla-
tée, le sang se mêlant à la boue et à la
pluie dans le caniveau. Ça pourrait être
un livre formidable, se dit Katie, si jamais
il s'y attelle vraiment...

   "Je vais faire cuire la tarte dans le four
micro-ondes, dit-elle tout haut, sans quoi
elle risque d'avoir un goût de dinde."

   Sean hoche la tête sans l'entendre.
Lunettes en demi-lune sur le nez, penché à son tour sur *Joy of Cooking*, il
vérifie la liste d'ingrédients pour sa propre contribution au repas. De l'ananas
frais (il l'a acheté en boîte), des fraises
fraîchement cueillies (il les a achetées
surgelées), un demi-litre de rhum, un
demi-litre de jus de citron, un tiers de
litre de jus d'orange, un quart de litre de
grenadine, deux bouteilles de cognac et
deux litres de Canada Dry. Il a envie qu'à
la fin de la soirée tous ses invités sans
exception soient imbibés – même Beth
la vertueuse, Beth l'abstinente – et rien

ne vaut le punch pour la consommation
involontaire de grandes quantités d'alcool. A croquer la caissière qui lui a
additionné tout cela au supermarché.
"Vous donnez une fête, monsieur Farrell ?" avait-elle demandé. "Aussi vrai
que votre collant est rose bonbon, Janice,
lui avait-il répondu, après avoir lu son
nom (pas pour la première ni pour la
deuxième fois) sur son badge. Ça vous
tenterait de venir ?" Elle avait pouffé de
rire, sans même se donner la peine de
lui répondre. Il blaguait, bien sûr. Il ne
pouvait pas s'imaginer sérieusement
qu'une soyeuse nymphette de dix-sept
ans comme elle viendrait se glisser entre
les draps d'un croulant chauve et décré-
pit comme lui. *Och*, qu'importe.

Tournant le dos aux deux femmes
pour qu'elles ne se mettent pas en tête
de l'aider, il attaque la boîte d'ananas
avec l'ouvre-boîte, sa maladresse exa-
cerbée par le pansement à son pouce
gauche. Pourquoi les femmes sont-
elles si serviables ? se demande-t-il alors
que du jus d'ananas gicle sur la table
et que Patrizia se précipite avec une
éponge pour l'essuyer. Pourquoi faut-il
qu'elles courent à droite à gauche pour
venir en aide aux gens ? Elles ne pourraient pas s'occuper de leurs oignons, au
lieu de constamment nettoyer ranger

astiquer et repasser les affaires des autres ?
Où serais-je, moi, sans mes faux plis ?
J'aime les faux plis, et na ! Mes poèmes
en regorgent. Les faux plis sont ma raison
d'être, ma joie profonde, ma vocation
sacrée. Sean Faux Pli Farrell, je m'appelle.

Il fait glisser les tranches d'ananas
dans le bol à punch, maudissant ses
mains de trembler de façon si visible et
s'efforçant d'oublier... Oh, prête-moi ta
mémoire, m'man. Je pourrais faire bon
usage de tes trous noirs.

A nouveau, Patrizia s'est penchée pour
arroser l'oiseau mort. Sa jupe remonte un
peu et la chair de ses cuisses ainsi révé-
lée rappelle à Sean certaines facettes
moins irritantes de la gent féminine. "Il
mange les os de dinde, Patchouli ?"
demande-t-elle, mais Sean ne l'entend
pas car elle a la tête pour ainsi dire à
l'intérieur du four – comme la sorcière,
se dit-elle, juste avant que Gretel la fasse
basculer en avant. Tous les enfants
rêvent-ils de faire basculer leur mère
dans le four, tête la première, et de la
rôtir à point ?

"Pardon ? dit Sean, qui se débat maintenant avec les fraises (elles ont tellement durci dans le congélateur qu'elles
refusent de sortir de leur boîte, qu'il
doit alors déchirer et décoller petit
bout par petit bout).

— Il mange les os de dinde, Patchouli ?" répète Patrizia, se redressant
et se tournant vers lui avec un sourire.
D'un geste charmant, elle relève la
mèche de cheveux qui est tombée à
nouveau et la glisse dans son chignon,
d'où elle retombe aussitôt.

"Je n'en sais rien, c'est la première fois
que je fais une dinde, dit Sean, comme
si c'était lui qui la faisait. Ça n'aurait pas
tendance à se fendiller et à se coincer
dans sa gorge et à l'étouffer, non ?"
L'image du fendillement ranime dans
son cerveau sa récente et déplaisante
expérience avec la bûche.

"Mais non, dit Katie. C'est pour les
chats, ça. Les os de volaille ne posent
aucun problème pour les chiens, ils les
avalent sans même les mastiquer. Patchouli va avoir le festin de sa vie."

(Elle dure depuis des décennies, cette
plaisanterie ou plutôt ce mythe au
sujet de Patchouli. Quand le père de
Sean est mort en 1962 et que, sous
prétexte qu'elle avait un vague cousin
quelque part dans la région de Boston,
sa mère a décidé de tenter sa chance en
Amérique, Patchouli a fait son apparition sur le bateau pendant la traversée.
Depuis lors, il n'a ni vieilli ni changé
d'aucune manière ; c'est toujours un
chiot bâtard noir et blanc exubérant et

aimant qui, dans sa folle recherche d'approbation, a tendance à tout renverser sur son passage et à semer la pagaille. Sean lui a consacré de très nombreux poèmes. Il le nourrit d'os et de restes, le promène dans la forêt deux fois par jour et, assis à son bureau, le flatte tout en tapant ses poèmes et en buvant du whisky jusque tard dans la nuit. Aucun de ses amis n'a jamais vu Patchouli mais tous le respectent ; tous s'inclinent devant la foi de Sean en lui.)

III

PATRIZIA

*A*H, MES CHÈRES FLEURS. *Boutons ou bourgeons, écloses ou fanées, toutes devront venir rejoindre leur créateur...*

Prenons pour commencer, si vous le voulez bien, Patrizia Mendino. Rassurez-vous, je n'ai point l'intention de m'immiscer dans les affaires de son fils Gino, du moins dans l'immédiat. Il s'en tirera très bien. Les chirurgiens enlèveront la tumeur bénigne sur son tibia et ce sera terminé ; il pourra mener une vie normale. Il deviendra bijoutier, s'installera au Nouveau-Mexique, se mariera et aura un fils qu'il nommera Roberto d'après son père. Tomas, en revanche, je le subtiliserai à l'âge de vingt-six ans dans un carambolage sur le boulevard périphérique de Boston, la terrible route 128.

Quand elle apprend la mort de son fils, le corps de Patrizia réagit de manière étrange : il se met à produire du lait. A l'âge de cinquante ans, ses seins gonflent douloureusement. C'est angoissant, et très gênant. Il n'y a pas de nourrissons dans les parages pour la soulager et elle n'a pas le courage, à son âge, d'entrer dans la pharmacie du coin pour louer un tire-lait. Bains froids, compresses chaudes, rien n'y fait... Ah, je me suis glissé en elle. L'enflement se résorbe au bout de quelques semaines, mais son destin a ouvert boutique dans sa jolie poitrine, sous la forme d'une tumeur. Patrizia ne s'en aperçoit pas. Le temps passe. Lentement, tranquillement, la maladie fait des ravages dans son corps.

Elle prend sa retraite à soixante ans et c'est seulement alors qu'elle découvre sa véritable raison d'être : nourrir les oiseaux. Elle les nourrit. Elle chantonne et roucoule pour eux. Elle aurait envie de les allaiter. Ses seins la font souffrir. Elle a des douleurs lancinantes, d'abord aux seins, puis aux épaules, aux aisselles, aux bras, à la poitrine, au dos. Elle ne va pas chez le médecin. Elle ne voit plus personne. Ses cheveux deviennent gris et clairsemés. Ses yeux sombres rapetissent et se remplissent de

méfiance. Elle perd le contact avec
toutes les facettes de la réalité autre que
les oiseaux – qui, eux, affluent par
centaines dans son jardin et s'y réga-
lent. Dès qu'elle sort de la maison, ils
descendent sur elle dans un joyeux
battement d'ailes et se posent en sau-
tillant sur sa tête, sur ses bras, sur ses
épaules, faisant entendre un concert
chaotique de gazouillis. Elle travaille dur
pour les nourrir. Elle sait répartir, entre
les différentes espèces : insectes écrasés,
graines, zeste d'orange, margarine.
Elle leur mijote des petits plats, tout
comme sa grand-mère le faisait jadis
pour la famille. Elle dit le bénédicité
avec eux, leur chante des airs d'opéra
et de vieilles aubades siciliennes. Elle
retrouve la langue perdue de son
enfance et, tout en éparpillant à la
ronde des graines et des miettes de
pain, elle jacasse avec eux en italien :
Venite, carissimi miei, uccelli miei, bellissimi miei, mangiate, mangiate, buon
appetito…
   Cela dure un certain nombre d'années. Pour les enfants du voisinage,
Patrizia est "la dame aux oiseaux", "la
folle", "la sorcière". Elle hurle contre eux
dès qu'ils approchent, de peur qu'ils ne
fassent s'égailler ses oiseaux chéris. Le
cancer s'étend encore, enfonce ses griffes

dans son cerveau, ronge sa raison ;
bientôt elle n'est plus à même de faire
son ménage ni sa cuisine ; les voisins,
inquiets de l'odeur qui émane de sa
maison, passent quelques coups de fil
et une employée efficace des services
sociaux de la banlieue ouest débarque
chez elle pour faire une "évaluation de
fragilité". Une fois le questionnaire
rempli, elle estime qu'il y a suffisamment de fragilité chez Patrizia pour
justifier son transfert immédiat dans
une institution ; là, on procède à des
examens médicaux de routine et, à la
vue des résultats, les sourcils des médecins se lèvent. Patrizia délire maintenant ; elle passe son temps à prier tout
haut saint François d'Assise et à enguir-
lander le reste du monde ; les médecins
sont impressionnés par son langage
ordurier ; elle les vitupère du matin au
soir, dans un ahurissant mélange d'anglais et d'italien, hurlant jusqu'à se
déchirer les cordes vocales, jusqu'à ce
que sa voix ne soit plus qu'un gémisse-
ment.
   Au bout de trois jours dans l'institution, trois jours aux cours desquels elle
perd le peu de prise qu'elle avait encore
sur la réalité, je n'en peux plus. Oui :
même si c'est moi qui ai décidé d'avance
de leur destin, il m'arrive d'avoir pitié

*de mes créatures. Il n'y a pas de doute,
Patrizia sera mieux avec moi. Ça y est,*
ragazza. *C'est bon. Allez,viens.*

IV

SALUTATIONS ET ACCOLADES

EN JETANT UN COUP D'ŒIL par la fenêtre, Sean voit avec soulagement que le lugubre gris métallique du ciel de novembre a cédé la place au noir.

Katie fait le tour du séjour à pas tranquilles pour allumer les lampes, produisant de chauds cercles de lumière ocre et or entrelacés. Le parquet reluit, on entend presque ronronner les tapis et les coussins, et les patchworks fredonnent un air d'une autre époque, une époque où les femmes restaient assises au coin du feu pendant les longues soirées d'hiver, à coudre et à soupirer et à se confier à voix basse de tristes secrets. Katie regarde l'âtre vide, puis sa montre. Presque cinq heures. Dans son for intérieur, elle appelle Leo de toutes ses forces. Ses pensées courent en ricochant d'Alice à Sylvia à Marty, puis aux deux fils d'Alice, puis à sa petite-fille Sheila, la fille de Marty, celle avec laquelle elle a sculpté la citrouille et qui, au mois de septembre, le lendemain de son cinquième anniversaire, lui avait murmuré à l'oreille : "C'est dur d'avoir cinq ans, tu sais, mamie. Les gens attendent tant de choses de toi." Katie essaie de se rappeler sa réponse mais elle échoue car David est là maintenant lui aussi, sur sa scène intérieure, avec son blue-jean qui lui glisse sur les hanches : ce serait plus facile s'il y avait un feu dans la cheminée, se dit-elle, un feu vous donne autre chose à regarder que vos pensées.

Sean, voyant que les douze petits moules de sauce aux airelles en train de "prendre" occupent toute la place au réfrigérateur, pose le bol de punch dehors, sur la véranda.

"Alors qui vient ce soir ?" demande Patrizia tout en s'emparant du couteau redoutable qu'elle a apporté avec elle cet après-midi et en le brandissant au-dessus des formes serrées, brillantes et bariolées des légumes amoncelés sur la table : patates douces, épis de maïs, poivrons rouges et verts, courgettes, haricots, oignons, ail, persil. Toute l'agressivité des femmes s'exprime dans la cuisine, se dit Sean en tirant fort sur sa cigarette.

Et de fait, Patrizia se met maintenant à poignarder toutes ces chairs multicolores, à les éplucher les trancher les hacher et les réduire en julienne, en cubes parfaitement homogènes et impuissants.

"Tu verras bien, lui répond-il.

— Tu ne veux pas me le dire ?

— J'aime pas les listes.

— C'est une surprise alors ?

— Mettons.

— On sera douze…

— Treize à la douzaine.

— Treize ? Mais tu ne m'as donné que douze moules. Attention, Sean ! Je suis une Italienne superstitieuse, ma *mamma* m'a toujours dit que treize à table portait malheur.

— On ne sera que douze à table. Le treizième invité étant mineur, on l'enverra se coucher à l'étage.

— Mineur ? C'est-à-dire ?

— Très mineur. Moins d'un an.

— Tu as invité un *bébé* ?

— Non, un adulte de onze mois.

— Mais à qui appartient-il ?

— Tu verras bien."

Une fois, se souvient Patrizia, quand Tomas avait onze mois et apprenait juste à marcher, il avait perdu l'équilibre et basculé en avant, heurtant du front l'angle saillant d'un mur : entaille profonde, giclement de sang, panique totale,

l'enfant hurlant attrapé dans les bras et
porté en courant à la salle de bains, de
l'eau, éponger la plaie, linges, eau, rin-
cer la plaie, compresses, tenir l'enfant
le serrer, le bercer, oh mon Dieu oh
mon Dieu, mais Tomas n'avait fait que
hurler de plus belle, il pissait le sang et
Roberto n'était pas là... Pour finir elle
avait réussi à mettre son petit garçon
entre les mains d'un médecin, on lui
avait fait des points de suture, encore
maintenant il avait une pâle cicatrice
en forme de faucille au milieu du front,
le médecin et Roberto et Tomas avaient
effacé cet incident de leur mémoire mais
Patrizia...

"Voilà Leo ! s'écrie Katie, s'évertuant
à donner à son sprint vers la véranda
l'apparence d'une allure normale.

— Tu n'aurais pas une brouette,
Sean ?"

On fait entrer le bois, on l'entasse,
on allume le feu : gestes immémoriaux
de virilité auxquels Sean ne fait même
pas semblant de prendre part, son pouce
blessé lui suffisant largement comme
prétexte, pas la peine d'en rajouter, se
montrer sarcastique et condescendant,
non, il s'agit d'être un bon hôte ce soir,
affable...

"Je peux ?
— Assieds-toi."

Les hommes au salon avec la bouteille de whisky, les femmes à la cuisine
avec les casseroles, tant pis si c'est un
cliché, se dit Sean, au fond tout le monde
est très heureux comme ça. Contact de
leurs deux verres, contact des yeux marron de Sean avec ceux, gris, de Leonid,
difficiles à atteindre maintenant à travers
son déguisement de vieux : lunettes,
rides, bajoues, sourcils broussailleux et
le reste ; la vieillesse ressemble toujours à un déguisement, se dit Sean,
on est persuadé que les gens finiront
par éclater de rire et arracher leur
masque, révélant leur vrai visage jeune
en dessous : oui la jeunesse est la vérité,
c'est pourquoi la Bible nous assure
que nous ressusciterons lors du Juge-
ment dernier avec chaque cheveu à sa
place : moi aussi, hein, Dieu ? Tous
mes cheveux dont tu as gardé le compte
auront repoussé, j'aurai de nouveau les
joues pleines, les mains calmes et les
jambes capables de me conduire çà et
là au pas de course. Mais pourrai-je
toujours écrire de bons poèmes ? *Och*,
voilà la question.

"A la tienne."

Ils ne se parlent pas beaucoup, n'en
ont pas besoin, amis toutes ces années,
cet âge mûr de Sean que Leonid quitte
peu à peu pour entrer dans la vieillesse

– mais c'est toujours un homme puissant et baraqué, jamais il ne viendrait à
l'esprit de Sean d'installer ses propres
doubles vitrages, ni de gravir six fois
les marches de la véranda les bras char-
gés de bûches. Ils ne se parlent pas
beaucoup parce qu'ils sont à l'aise
ensemble et, même s'ils ont oublié bien
des détails de la vie l'un de l'autre, ils
en connaissent l'essentiel : combien
d'enfants il a, ou avait, ou aurait voulu
avoir, où il a grandi, comment ses
parents sont morts.

(Ceux de Leonid sont morts à un an
de distance presque jour pour jour
– son père en 1984 et sa mère en 1985 –
et, bien que son père ait trépassé dans
son lit et sa mère dans un lit de rivière,
ils sont tout de même morts *grosso
modo* comme sont censés mourir les
vieux paysans biélorusses, oui, comme
étaient morts leurs aïeuls, génération
après génération de paysans biélorusses
dans le village de Choudiany où ils
avaient vécu toute leur vie, sans se
douter que moins d'un an plus tard l'air
de Choudiany serait électrisé par cent
quarante-neuf becquerels et que ses
habitants seraient en train de contracter des maladies fatales en mangeant les
salades de leur jardin ou en pique-
niquant sur les rives du Pripiat. Leonid

n'était pas retourné chez lui pour les
obsèques de ses parents : le voyage
coûtait cher. Il y est retourné depuis,
par contre. Une fois.)

"On dirait qu'il va neiger.

— Ah oui ?" C'est par politesse que
Sean tourne la tête vers la fenêtre.
Comme il n'a aucune intention de
remettre les pieds dehors ce soir, les
prévisions météorologiques le laissent
indifférent. "Tiens, tiens."

Leonid s'est fait un tour de reins en
montant l'échelle avec les doubles
vitrages tout à l'heure, il a failli tomber,
Dieu merci il n'est pas tombé mais la
douleur est maintenant installée, familière et abominable, une partie du
nucleus pulposus s'est infiltré dans une
fissure de l'*annulus*, c'est ce que lui
avait dit le médecin quand la même
chose s'était produite il y a deux ans,
et maintenant il pense non pas ça mon
Dieu, pas ça, je t'en prie, pas encore le
lumbago la cortisone la léthargie et
le brouillard, toute l'âme aspirée par la
douleur, peut-être le Chivas de Sean me
soulagera-t-il la colonne vertébrale.

"Qu'est-ce qu'elle sent bon, cette
dinde ! dit-il.

— J'ai horreur de ça", dit Sean.

Leonid part d'un rire tonnant, espérant vaguement que la vibration de sa

voix dans sa cage thoracique pourra
lui engourdir les reins.

"Pourquoi tu fêtes Thanksgiving si
tu n'aimes pas la dinde ?

— Oh ben la dinde en elle-même
j'aime bien, dit Sean – imitant, pour des
raisons qui lui sont obscures, l'accent
traînant du Sud. C'que j'supporte pas,
vois-tu, c'est *l'odeur* d'la dinde en train
de cuire. Ça m'rend tout tristounet,
ça m'fait mal au cœur et quand j'dis
cœur c'est ben du *cœur* que j'parle, ça
m'donne la nostalgie d'une espèce de
chez-soi qu'a jamais existé, vois-tu un
peu c'que j'veux dire ?

— Tout à fait, acquiesce Leonid. J'ai
connu la même chose, enfant. Tous les
dimanches, on allait déjeuner chez ma
grand-mère et quand on arrivait il y avait
du bacon en train de frire... Ce n'était
que du bacon, hein, je ne te parle même
pas de rosbif... Mais c'est vrai, chaque
fois que je humais cette odeur de bacon
en entrant chez elle je me sentais...

— Un peu de musique ?" En posant
son verre sur la table basse, Sean renverse le cendrier : une douzaine de
mégots de Winston et un nuage de cendres flottent et chutent jusqu'au tapis à
différentes vitesses. "Merde, Patch !
s'exclame-t-il. Tu peux pas faire attention ? Regarde ce que tu viens de faire !

C'est sympa les chiens, ajoute-t-il à l'intention de Leonid. A bien des égards,
c'est plus sympa que les enfants. Mais
quand ils font des bêtises… impossible
de leur apprendre à nettoyer après."
    Leonid rit de nouveau, moins fort cette
fois puisque sa récente tentative ton-
nante n'a en rien soulagé son lumbago.
Il ne va tout de même pas se lever
pour aller chercher la pelle et le balai ;
il y a des limites à son altruisme. Porter le bois tout à l'heure était déjà une
connerie majeure. "Sacré Patchouli !"
fait-il, en hochant la tête.
    De ses mains nues, Sean ramasse ce
qu'il peut du contenu du cendrier et le
jette dans la cheminée, puis il s'essuie
les mains sur son pantalon et, du talon,
écrase dans le tapis les cendres res-
tantes. (Jody détestait son tabagisme ;
elle-même avait cessé de fumer grâce
à une unique séance d'hypnose à Manhattan, et elle s'en vantait à tous ceux
qui voulaient l'entendre. "C'est facile,
Sean. Tu devrais le faire, Sean. Tu
veux te retrouver malade dans vingt
ou trente ans, à tousser et à t'étrangler
du matin au soir ? Si *toi*, tu ne t'aimes
pas assez pour arrêter de fumer, ajoutait-
elle, fais-le pour moi, parce que *moi*
je t'aime." "Oui c'est ça, répondait Sean.
Tu m'aimes, à condition que je me

soumette à l'hypnose et à la psychothérapie et au jogging quotidien et à des
cours avancés de théorie féministe – à
condition, en d'autres termes, que je
devienne quelqu'un d'autre." Ç'avait
été une de leurs disputes préférées. Ils
avaient arpenté ce terrain-là une bonne
cinquantaine de fois, avant le départ
de Jody.)

"Je nous mets quoi ? Miles ?

— Parfait."

Leonid se glisse un coussin sous les
reins pour atténuer son mal, il s'agit de
se décontracter plutôt que de se raidir,
l'important est de ne pas trop *sentir* la
douleur parce que si les muscles se cris-
pent pour lutter contre, elle ne fait
qu'empirer. Il a avalé une poignée d'as-
pirines avant de partir mais pour le moment elles n'ont eu aucun effet. "Vous ne
devriez plus soulever d'objets lourds,
monsieur Korotkov", lui a dit le médecin. (Chose étonnante, le corps de
David n'avait rien pesé du tout ce jour-
là : c'était une plume ! et lui, un être
d'une infinie puissance : se penchant
tel Dieu de son Ciel, il avait ramassé le
long corps de son fils cadet et s'en
était drapé l'épaule comme d'une cape
de plumes ; aucune force n'avait manqué en lui, ce jour-là.)

"Hein que c'est beau, dit Sean.

— *Bitch's Brew*, c'est ça ?

— Oui-i-i. Voilà une chose, au moins, qui sera belle à tout jamais. Quand les gens du XXXIe siècle se pencheront sur le nôtre avec ses montagnes de cadavres, au moins aurons-nous Miles pour nous racheter. Au moins pourrons-nous dire : mais on a produit Miles, ce n'est pas rien ! Pour Billie et Chet et Miles, l'espèce humaine vaut la peine d'être sauvée, non ?... Tu nous sauveras bien pour eux, hein, Dieu ?

— Mais si, mais si."

Quelques secondes s'écoulent.

"On m'a dit une fois, dit Leonid quand elles se sont écoulées, que si le téléphone sonnait quand Miles travaillait, il décrochait et disait quelque chose comme «Bla bla bla ?!» puis il raccrochait. Savait même plus dans quelle *dimension* il se trouvait.

— Mmm", fait Sean, hochant la tête d'un air approbateur.

Ai-je jamais connu ce genre de transe, en peignant ? se demande Leonid. Non... Même quand j'y croyais encore, quand je venais d'arriver à New York et pensais avoir une chance de réussir, je me laissais distraire. Des amis passaient à l'improviste et, au lieu d'être furieux, j'étais content. Préférais toujours leur parler. Sortir boire un verre

avec eux, humer l'air du temps : "Alors,
quoi de neuf ?" Ils ne me dérangeaient
pas. La peinture pouvait attendre, les
gens, non. Dès qu'une des jumelles
entrait dans la pièce où je bossais, je
posais ma palette et me tournais vers
elle : "Comment va ?" (Depuis la mort
de David, Leonid a posé sa palette une
fois pour toutes ; il ne peint plus que
les maisons des autres. Comme ça, les
choses sont claires : ce qu'on attend de
lui est précis, carré, quatre murs et un
plafond, cadres de fenêtres, peintures à
l'eau ou à l'huile, papier de verre, teintes
choisies et mélangées sur commande, il
sait à quoi s'en tenir et il s'améliore avec
le temps, c'est du reste ainsi qu'il a fait
la connaissance de Sean, en repeignant
sa maison, il y a au moins quinze ans de
cela, elle aurait besoin d'une nouvelle
couche, elle aurait besoin d'une nouvelle couche, ils ne cessent de se le dire,
sans savoir s'ils s'y résoudront un jour.)
   Sean se lève à moitié, leur ressert à
boire et se rassoit, ah ça commence
à aller mieux, c'est presque tolérable
maintenant, il s'est habitué au fumet de
la dinde et, dehors, ce n'est plus le jour
qui décline mais la nuit qui point, on
ne peut pas dire d'une nuit qu'elle point,
mais pourquoi pas, peut-être que même
la nuit pourrait poindre si elle y mettait

du sien… L'aube de la nuit… Il sent la
manière dont la musique de Miles, avec
ses saccades et ses secousses, se glisse
dans son cerveau : ses pensées épou-
sent les rythmes de la ligne mélodique
jouée par le sax… Jody n'aimait que le
baroque, elle a tout fait pour me con-
vertir et Dieu sait que j'ai fait un effort,
passé des heures à rouler en voiture
en écoutant des cassettes de Monte-
verdi et de Frescobaldi, m'endormant
presque au volant, que veux-tu, je n'aime
pas les choses harmonieuses et symétriques, mon nom c'est Faux Pli je te dis…

"Je voulais te poser une question, dit
Leonid.

— Hm ? dit Sean.

— Où est-ce que tu achètes tes chaussettes ?

— Mes chaussettes ?

— Oui… Elles ont l'air de bonne qualité. Elles le sont ?

— Celles-ci ? Euh… c'est-à-dire…

— Tu vois, parce que je ne sais plus
comment faire. Je n'arrive pas à m'habituer à l'idée que les chaussettes de bonne
qualité n'existent plus. Ça me donne le
cafard. Tu achètes une paire de chaussettes, tu les mets deux, trois fois et voilà
que ton gros orteil sort au bout. Je suis
prêt à payer plus cher, à condition
qu'elles tiennent plus d'une semaine.

— C'est sûrement un complot capitaliste, dit Sean un peu distraitement.

— Ça me met hors de moi ! insiste Leonid. Je vais au supermarché, j'étudie les étiquettes sur les chaussettes et tu sais ce que je vois ? «Acrylique majoritaire.» C'est une *tragédie*, Sean, tu te rends compte ? Ils n'essaient même plus de nous rassurer avec du coton ou de la laine : non, «acrylique majoritaire» ! Si c'est *ça* le seul ingrédient qu'ils osent avouer, on se demande ce qu'il y a d'autre là-dedans !"

Sean rit. La sonnerie retentit et il jette un coup d'œil à sa montre : six heures moins dix.

"Cent contre un que c'est Derek et Rachel, dit-il.

— Tu as reconnu le bruit de leur voiture ?

— Non, mais Rachel vit avec dix minutes d'avance.

— Ah oui ?

— Ça me rendait fou, autrefois."

Il se lève, donne du temps à son cerveau pour s'adapter à la station debout, puis se dirige vers la cuisine.

"Je vous attends là, dit Leonid, redoutant l'instant où il devra s'extraire du fauteuil.

— Ouais, bouge pas."

(Non pas que Sean lui-même soit souvent en retard ; il n'a aucune raison,

voire aucune occasion de l'être ; son
séminaire de poésie ne se réunit qu'une
fois par semaine, les mercredis de quatorze à seize heures, et le reste de la
semaine est une durée à laquelle il est
bien obligé de survivre comme il peut...
mais l'obsession de Rachel pour le
temps lui avait été insupportable. Ils
n'étaient pas compatibles. Par exemple
ils allaient ensemble à Boston, flâner
amoureusement dans la rue Charles...
et, voyant clignoter le feu vert des pié-
tons, Rachel s'élançait sur la chaussée
en traînant Sean avec elle, désireuse de
traverser à tout prix avant que le feu
passe au rouge : "Hé ! protestait Sean.
On n'est pas pressés !" "Oh ! disait
Rachel, si tu ne fumais pas autant, tu
pourrais courir." Non, ce n'était pas
Rachel qui disait ça, c'était Jody : gravissant d'un bond les marches de la
véranda, les yeux brillants et la peau
reluisante après une heure de jogging
matinal dans la forêt, pour venir trouver son mari, assis devant sa machine à
écrire avec son sixième café-cigarette
de la matinée. Non, Rachel ne lui avait
jamais fait de reproches au sujet des
cigarettes. Je t'adore, Rache, vrai de
vrai. On n'était pas compatibles, voilà
tout...)
   "Ah.

— Sean !" La peau de Rachel. "Sean",
répète-t-elle tout bas, tout près de son
oreille ; oh la douceur exquise de sa joue
frôlant la sienne. Elle rougit, comme à
chaque fois qu'ils s'embrassent devant
son mari.

"Salut, Sean", fait Derek.

Les deux hommes se donnent l'acco-
lade. (Sean n'a pas spécialement envie
d'étreindre Derek. Il ne le ferait pas spontanément, de son propre gré, dans un
autre contexte, mais là, il n'a guère le
choix, étant donné que lui et Derek, à
leur corps défendant, ont deux fois été
amoureux de la même femme. Lin Lho-
mond, la première épouse de Derek
– galvanisée par la foi de Sean en elle
comme danseuse – était partie démarrer
une carrière internationale au Mexique,
laissant Derek avec leurs deux petites
filles sur les bras. Et Rachel, meilleure
amie de Lin depuis le lycée et, brière-
ment, parfaite partenaire en désespoir
de Sean, avait épousé Derek dès que
son divorce mexicain avait été entériné.
Sean n'a jamais compris ce que deux
femmes aussi exceptionnelles que Lin et
Rachel pouvaient voir en ce typique
bûcheur universitaire juif qu'était Derek ;
nonobstant, il étreint le grand corps revêtu
d'une canadienne et attend que soit révolu
leur instant de proximité obligatoire.)

"Qu'est-ce qu'il fait froid !" dit Derek en tapant des pieds, comme si ses chaussures étaient déjà couvertes de neige. Il va neiger, c'est sûr." Sean a l'air malade, se dit-il. Il vieillit mal. Les yeux bien trop brillants. Eméché déjà, on dirait. Mauvais signe, qu'il s'y soit mis si tôt. Ah la la, pourvu qu'il ne nous fasse pas une de ses scènes...

"Il serait temps, dit Rachel. C'est rare de n'avoir pas eu le moindre flocon de neige à Thanksgiving. Salut, Katie !"

Les baisers et les poignées de main se poursuivent un moment, puis Rachel dévoile son gâteau au chocolat : seul dessert qu'elle sache faire, mais succulent. Célèbre.

"Qui est aux commandes ici ? demande-t-elle. Où dois-je poser ça ?

— Sur la véranda, dit Patrizia. Le frigo est plein à craquer.

— Ça ne va pas geler, au moins ?"

Elle ressort avec le gâteau. Ils avaient fait l'amour sur cette véranda une fois, se souvient-elle, sans couvertures ni draps, se laissant râper la peau par les planches rugueuses, et, plus d'une fois, ils avaient pleuré ici dans les bras l'un de l'autre... Patrizia a les yeux rouges, se dit-elle. Est-ce qu'elle va mal ? Je n'ose pas lui poser la question : Theresa m'a dit qu'un de ses fils avait un problème de santé, assez grave. C'est peut-être simplement ses verres de contact. Ou le fait d'avoir passé l'après-midi aux fourneaux...

"Je ramène le bol de punch ?

— Oui, dit Sean. Son heure est venue."

Il constate que les cheveux courts de Rachel sont plus sel que poivre maintenant, et que, vue de près, sa peau est craquelée de fines ridules, mais son visage aux os délicats et aux angles pointus n'a pas bougé : elle a toujours cet air fragile et lutin à la Audrey Hepburn... quel âge ça lui fait, deux ans de moins que moi, quarante-cinq ans. ("Arriverai-je à la cinquantaine, docteur ?" "Je ne suis pas Dieu, monsieur Farrell." "Ah d'accord.")

Rachel ramène dans la maison le grand bol en cristal, faisant mine de chanceler sous son poids... Tiens ! ce serait drôle si, non, ça ne serait pas drôle du tout, à peu près aussi drôle que le jour où Sean m'a lancé un verre de whisky à la figure, ou le jour où il a secoué une bouteille de champagne, avant de la déboucher entre ses cuisses pour m'arroser de sa semence pétillante... Se livrait-il à ce genre de plaisanteries avec ses autres amantes, ou me laissait-il le monopole de son humour noir ?

Elle pose le bol sur la table, traverse la cuisine et commence à sortir du placard les verres à punch.

Sans la moindre hésitation, observe Derek. Après toutes ces années, elle sait toujours où se trouvent les verres de Sean. Et moi, je suis toujours jaloux. Las d'être jaloux. Sean est une ruine. De plus en plus voûté. Ne prend jamais d'exercice. Il faut rester actif, c'est ce que je dis toujours à Violet en Floride. ("Pourquoi tu passes tes journées à traîner à la maison, maman ? je lui dis. Pourquoi tu ne vas pas te baigner ?" "Me baigner, moi ? Tu dois être *meshugga*, j'ai passé toute ma vie à Metuchen dans le New Jersey, entourée d'autoroutes et d'usines, et mon fils voudrait que je me transforme tout à coup en belle baigneuse. Regarde-moi, j'aurais l'air de quoi dans un maillot ? D'une ridicule, voilà. Une de ces folles obèses en bikini, les Ours polaires, qui sortent sur la plage de Coney Island en plein hiver et jouent à se lancer de grands ballons en cuir. Me baigner. Non, mais. Il veut que je me baigne, mon fils. Et pourquoi pas voler, pendant que j'y suis ? Une blague. Mais je m'ennuie. La musique *klezmer*, je peux supporter une fois par an, pas tous les jours." "Pourquoi tu n'essaies pas de lire, alors ?" "Lire ? Moi, lire ?

Est-ce que j'ai jamais eu le temps de lire ?
C'est toi le lecteur de la famille, c'est toi
l'homme de lettres, ton père n'a jamais
lu, il était trop occupé à diriger son usine
de prêt-à-porter pour que tu puisses aller
à l'université et décrocher tes diplômes
et lire autant que tu voulais, et même
participer à un colloque au moment de
sa mort. Alors pour toi, c'est bon – lis, lis
! Mais pour moi, non.")

"Salut, Charles", dit Sean.

Derek s'était tenu à l'écart jusque-là,
en appui contre la porte de la véranda,
regardant les autres remplir leurs verres
de punch mais n'écoutant pas leur badi-
nage, entièrement absorbé par sa conversation avec sa mère en Floride.
Maintenant il s'écarte d'un bond de la
porte et laisse entrer l'invité suivant.

C'est de bon cœur que Sean serre
contre sa poitrine cet homme-là : Charles
Jackson, un Noir d'une quarantaine
d'années, crispé et élégant, nouveau
venu dans le département, qui a tout
de suite plu à Sean parce que, bien
que célèbre dans tout le pays pour un
étincelant recueil d'essais intitulé *Noir
sur blanc*, il a refusé de donner un
cours de poésie afro-américaine. Insisté
pour enseigner les poètes qu'il aimait,
de Catulle à Césaire et de Whitman à
Walcott.

Charles fait le tour de la cuisine en serrant machinalement les mains des convives : "Bonsoir… Enchanté… fait plaisir…" Il en connaît déjà certains mais, le cerveau commotionné par l'atroce dispute qu'il vient d'avoir au téléphone, il n'enregistre rien des noms ni des visages, n'entend que sa femme Myrna lui hurlant dessus depuis la maison à Chicago, qu'il n'a toujours pas fini de payer : "Non ! Tu ne les auras pas à Noël non plus, le juge a dit un mois l'été et c'est tout, *espèce de salaud* ! Pas de week-ends, *espèce de salaud* !" Son vocabulaire semble s'être réduit à ces trois mots. "Je vais te traîner en *justice* !" "Mais enfin Myrna, à t'entendre on croirait que j'ai commis un meurtre !" "Justement ! *c'est* un meurtre ! Tu m'as tuée, *moi* ! Tu as tué ma *vie* ! Tu as tué mon *amour* pour toi ! Il est *mort* ! C'est *fini*, Charlie !" "Ne m'appelle pas Charlie." "Charlie Charlie Charlie ! C'est fini, mec ! T'es foutu ! Tu l'auras voulu, c'est toi qui as tout fichu en l'air ! Je t'enverrai les enfants par avion, mais je ne veux plus jamais te voir ici, tu m'entends ? Tu ne remettras plus les pieds dans cette maison !…" De *cela* à *ceci*. De *cela* : un seul après-midi passé à explorer dans une chambre d'hôtel le délectable corps brun foncé d'Anita Darven,

jeune poétesse de la Caroline du Sud
invitée par l'université pour animer un
stage de poésie – à *ceci* : un nouveau
poste dans une nouvelle fac, à mille
quatre cents kilomètres de ses fils Randall et Ralph... et, surtout, de sa fille
Toni, prunelle de ses yeux, joyau de
son cœur, nommée Toni parce que
Myrna, à la différence de Charles, adu-
lait la romancière Toni Morrison, petite
Toni n'avait que trois ans, elle ne se
souviendra pas de moi ni même qu'on
a vécu ensemble, je serai son papa
lointain, l'*"espèce de salaud"*.) Presque
un an s'est écoulé et il ne se remet toujours pas du choc d'avoir été ainsi arraché à cette épouse, à cette maison, ces
projets, cet avenir... Il en titube encore.

Debout immobile dans un coin de la
cuisine, il revit l'horrible dispute, vidant
deux ou trois verres de punch sans
remarquer ni parler à personne... puis
il voit Derek venir droit sur lui, comme
les Blancs le font souvent quand ils
voient les Noirs tout seuls, de crainte
qu'ils ne se sentent exclus, arrivant
donc à sa hauteur et disant :

"Rebonjour."

S'il me demande comment je trouve
l'université, se dit Charles, si je m'y
habitue sans trop de mal, si elle est très
différente de Chicago, je fous le camp

au salon. Ou s'il dit la moindre chose
à propos du punch.

"Ça ne va pas ? dit Derek. Excusez-
moi, je vous connais à peine mais…
vous avez l'air…

— Bah ! dit Charles, pris de court par
sa sincérité. J'ai des problèmes avec mes
gosses.

— Grands ou petits ?

— Petits.

— Petits enfants, grands problèmes.

— Et vous ?

— Oui, à vrai dire moi aussi j'ai des
problèmes avec mes gosses.

— Petits ou grands ? demande Charles.

— Grands, dit Derek.

— Grands enfants, grands problèmes",
dit Charles.

Derek rit. "J'ai deux filles, poursuit-il.
Dix-huit et vingt et un ans. Angela, l'aînée, est à Manhattan… en train de faire
ce que font un million d'autres jeunes
femmes à Manhattan.

— Elle rêve de devenir comédienne,
dit Charles.

— Exactement.

— Et travaille comme serveuse en
attendant.

— Dans le mille.

— Et celle de dix-huit ans ?

— Marina. Oui, c'est elle qui me
donne des soucis. Elle ne mange rien.

— Tient ça de sa mère ? demande
Charles, lançant un regard vers Rachel
émaciée qui, de l'autre côté de la pièce,
vient de glisser deux cigarettes entre
ses lèvres, de les allumer toutes deux
et d'en tendre une à Sean.

— Non, dit Derek. Non, Rachel n'est
pas la mère de mes filles. Leur mère
est partie quand elles étaient petites.

— Ah bon.

— Marina s'est évanouie en classe
l'autre jour, poursuit Derek. Elle étudie
à Sarah Lawrence, à Bronxville. Elle se
spécialise dans l'holocauste.

— Ah. C'est sa spécialité. L'holocauste.

— Mm-hm.

— A propos, vous ne trouvez pas
qu'on devrait avoir un département d'esclavage ici ? Sérieusement. Instaurer
des doctorats en esclavage avancé ?

— Bonne idée, dit Derek.

— Genre : grâce à un cours intensif,
j'ai enfin accumulé assez d'UV pour
mon DEA en torture, et d'ici un an ou
deux j'espère décrocher une maîtrise
en génocide."

Les deux hommes sirotent leur punch
un moment.

S'il veut me parler de ses enfants, se
dit Derek, il le fera. Maintenant ou plus
tard. Ou pas. Jamais.

La sonnerie retentit à nouveau : c'est Beth et Brian ("les Poilus", comme Sean les appelle, à part lui, parce que Brian porte une barbe fournie d'avocat gauchiste et que Beth a gardé, de sa période baba cool, les cheveux longs et frisés) – et la cuisine est soudain très remplie : leurs gros ventres, leurs voix fortes et leurs rires forcés occupent de la place, produisent un changement d'ambiance... Ne gâche pas tout, Beth, se dit Sean ; ça commençait juste à prendre de l'allure. Ils ont amené dans leur voiture Aron Zabotinsky le boulanger, beau vieillard décharné qui entend mal et parle peu mais dont les yeux saphir brillent d'éloquence... Presque octogénaire maintenant, se dit Sean, non, largement octogénaire, né à Odessa avant la révolution ; tous les habitants de la ville le vénèrent pour la perfection de son pain de seigle et ses *bagels*, mais c'est également un connaisseur de poésie : Brodsky, Milosz, moi.

Remue-ménage de manteaux, d'écharpes et de gants : "Commence à faire sérieusement froid, répètent-ils tous. Il va neiger, il va neiger." Que ferait-on, se demande Sean, si on n'avait pas la météo comme sujet de conversation ? Une fois, il avait eu une brève aventure avec une fille de Port-au-Prince et

quand il lui avait dit, lors de leur première conversation téléphonique : "Ma
maison est enveloppée dans un linceul
de brouillard... Quel temps fait-il là-
bas ?" elle lui avait ri au nez. "Désolé,
Sean, change de sujet. En Haïti il fait
toujours le même temps, chaud et enso-
leillé !" "Vous parlez de quoi alors,
pour ne rien dire ?" "Des assassinats
politiques. Tu as vu qu'un tel vient
d'être lynché à Cité Soleil ?" Il a oublié
le nom du politicien assassiné ce jour-là.
La fille avait un joli nom, en revanche :
Clarisse. Ça, je ne l'ai pas oublié, m'man.
Can't take that away from me.

Beth est en train de sortir des petits
sacs des grands – ah oui, les amuse-
gueule : chips *nacho*, *guacamole*,
cacahuètes, bretzels, le tout marqué
"allégé en matières grasses", "peu de
calories", "peu de cholestérol", "peu de
sel"... Les yeux étincelant d'ironie,
Rachel rencontre le regard de Sean...
puis se tourne vers le placard pour
chercher des bols où entasser ces
péchés insipides, ces dangers dilués,
ces transgressions calibrées.

Beth est dans un état de détresse
contrôlée et de convoitise incontrôlable. Oh mon Dieu, cet énorme repas
devant nous et que vais-je réussir à
refuser ? Ses yeux enregistrent la tarte

à la citrouille sur le comptoir, ses narines
lui transmettent les odeurs de dinde et
de patates douces, Aron a apporté
toutes sortes de pains frais, sans parler
du gâteau au chocolat de Rachel qu'elle
a vu en passant sur la véranda… D'ici
minuit, se dit-elle, j'aurai absorbé dix
mille calories et pris cinq kilos, j'aurai
la nausée, je serai définitivement dégoû-
tée de moi-même et de toute chose
comestible, Vanessa refuse que je vienne
la voir dans sa pension, elle dit qu'elle
m'aime mais qu'elle a honte, elle ne
veut pas qu'on sache que je suis sa
mère, oh je n'aurais jamais dû accepter
cette invitation, je n'aime pas Sean Farrell de toute façon, ne l'ai jamais aimé,
les alcooliques et les boulimiques sont
trop semblables, au moins quand je
m'empiffre je ne deviens pas méchante,
seulement malheureuse, je voudrais
disparaître, me retrouver seule dans le
noir, passer le reste de ma vie à hiber-
ner dans ma grotte de graisse.
   Patrizia pardonne à Beth tous ses
défauts, au physique comme au moral,
parce que c'est vers elle qu'elle s'est
tournée lors de la terrible maladie de
son amie Daniela, elle qu'elle a inter-
rogée ces derniers temps au sujet du
tibia de Gino – et, lors de chacun de
leurs échanges, au téléphone, au café

ou à la caisse du supermarché, Beth a
su parler à Patrizia de ce qui se passait
dans le corps de ses proches avec
calme et précision. Dans ces moments-
là, on ne veut pas entendre des banalités comme "tout va s'arranger" ou "il n'y
a pas de quoi fouetter un chat" : on
veut que votre histoire soit prise au
sérieux, saisie et analysée par quelqu'un qui vous connaît et qui s'y
connaît ; on veut, s'il le faut, se préparer au pire.

Pauvre Beth, se dit Rachel. Elle évite
de rencontrer le regard des autres, ses
yeux zigzaguent d'une casserole à l'autre
– vais-je manger *ça* ? Vais-je vraiment
manger *tout ça* ? Oh ! je connais bien
sa terreur. Même si elle ne le croirait
jamais, je suis, de toutes les femmes
présentes, celle qui la comprend le
mieux. S'affamer et s'empiffrer sont les
deux faces d'une même médaille, l'essentiel étant l'animosité permanente et
implacable entre votre corps et la
nourriture. Lin et moi à dix-sept ans,
rivalisant pour voir laquelle de nous
deux pouvait tenir avec le moins de
calories. Au petit déjeuner : rien. Au
déjeuner : une demi-pomme. Au dîner :
un yaourt. Maîtrise, maîtrise. On aurait
voulu faire comme ces yogis indiens :
avaler l'un des bouts d'un long ruban,

le faire avancer à travers notre appareil digestif, centimètre par centimètre, l'expulser par le bas puis le tirer d'avant en arrière pour nettoyer jusqu'à la moindre impureté en nous. Oui, on aspirait à la lucidité et la limpidité, à la domination totale de la matière par l'esprit. Et, même si je ne compte plus les calories, j'éprouve encore une satisfaction perverse à manier ces amuse-gueule en sachant que mon corps n'en absorbera pas la moindre parcelle.

Tout en remplissant les bols de ces mets impurs, Rachel remarque que Derek est parti au salon. Il ne supporte pas, se dit-elle, de voir comme je suis encore à l'aise dans cette cuisine, comme mes mains se tendent automatiquement vers la bonne étagère pour attraper le bon objet. (Certaines choses que Sean et elle avaient achetées quinze ans plus tôt sont toujours là : les grands verres turquoise de Rockport, les assiettes noires de Soho ; rappels de ces brèves semaines au cours desquelles ils avaient cru pouvoir se rendre heureux, en dépit des mille preuves flagrantes du contraire, notamment le fait que tous deux pataugeaient depuis l'enfance dans les eaux glauques de la mélancolie et avaient peu de chances de se transformer en hédonistes hilares du

jour au lendemain, quelque époustou-
flants que pussent être les miracles
opérés par l'Amour. *"Amour"*, disait justement Dieu, dans le poème de Ted Hughes
que Sean lui avait lu une nuit, une de
ces terribles nuits noires au cours desquelles ils avaient mélangé gin et vodka
et sperme et larmes jusqu'à ce que non
seulement leur tête mais leur âme et
tout leur être semblent sur le point
d'éclater – et Corbeau, l'élève stupide de
Dieu, au lieu de répéter *Amour*, n'avait
fait que se convulser, bâiller et roter,
engendrant ainsi l'Homme. "Bâiller et
roter, railler et botter…" Ivre mort, Sean
avait longuement formé et déformé les
mots du poème dans l'oreille de Rachel…
Et moi je devais me lever à l'aube pour
donner un cours sur Aristote ; lui n'avait
jamais besoin de se lever tôt le matin
mais moi si… puis il s'endormait comme
une souche et se mettait à ronfler.)

Elle se dirige vers le salon avec le plateau chargé d'amuse-gueule. S'arrêtant
devant Charles et Patrizia, elle le leur
présente avec une petite révérence ironique ; ils se servent, et, à les voir se
lécher involontairement le sel sur leurs
lèvres, elle *devient*, bizarrement, ce sel
– mais c'est une impression fugace et
ineffable, qui se dissout avant que Rachel
ait eu le temps de la saisir.

"Et vous ? demande Patrizia à Brian et Beth, remplissant leurs verres de punch avec la prestance professionnelle d'une serveuse de bar ou d'un curé pendant l'Eucharistie. Où sont vos enfants ce soir ?"

Brian vide son verre cul sec, s'essuie les moustaches et lui tend le verre à nouveau, tandis que Beth demande, méfiante : "Il y a de l'alcool ?

— Oh, à peine ! dit Patrizia, mentant avec effronterie. Alors, reprend-elle, comment se fait-il que vous soyez sans enfants, un soir de Thanksgiving ? Vous n'êtes pas divorcés ; vous n'avez même pas l'air séparés !"

Elle veut être drôle ? se demande Brian. C'est pas drôle du tout. Derechef, il vide son verre et s'essuie la barbe. (Il a pris la décision de se saouler rapidement ce soir, dans l'espoir que le ronron de l'alcool dans sa tête diminuerait un peu son acouphène, ce bourdonnement qu'il entend depuis de longues années dans l'oreille droite.) D'une part, elle oublie que je suis bel et bien divorcé, que Cher ma fille aînée a trente ans, habite Palo Alto et n'a pas daigné m'adresser la parole depuis huit ans ; d'autre part, Jordan est en taule à nouveau. Bon, d'accord, ça, je peux le lui dire.

"Jordan est en taule à nouveau, fait-il.

— Oh ! dit Patrizia, ses yeux s'emplissant aussitôt de sympathie. Je suis navrée."

Et, troisièmement, Vanessa a préféré passer Thanksgiving chez une amie à Manhattan plutôt que de se colleter avec la boulimie de Beth.

"Et Nessa passe le week-end chez une camarade de classe", ajoute-t-il platement, comme si c'était la chose la plus naturelle du monde, comme si deux cent cinquante millions d'Américains n'avaient pas fait tout leur possible pour être *près* plutôt que *loin* de leur famille ce soir.

Traversant le salon, Rachel tend le plateau vers Aron "le Vieux Sage", qui s'est installé dans le fauteuil à bascule de Sean. Aron lève les yeux vers elle, la reconnaît et lui sourit tout en hochant négativement la tête. Rachel est une de ses clientes les plus fidèles. Chaque dimanche, à dix heures sonnantes, elle ouvre la porte de sa boulangerie – nommée *Tinsky's* parce que Aron s'était vite lassé d'épeler Zabotinsky pour les Américains – achète trois *bagels* et un pain de seigle et repart en le saluant avec chaleur. (Aron ne l'a dit à aucun habitant de cette ville ni de cet Etat ni de tout l'hémisphère nord, mais il n'a pas toujours travaillé comme boulanger, à

vrai dire il n'a appris ce métier qu'assez récemment, il y a vingt ans, lorsque,
ayant pris sa retraite comme professeur
d'anthropologie sociale à l'université
de Durban en Afrique du Sud, il a immi-
gré aux Etats-Unis – d'abord dans le
Connecticut où il avait de la famille,
ensuite ici. "Je ne suis pas de ceux qui
délaissent leur patrie..." Comme le vers
d'Anna Akhmatova le tourmentait, lui
cognant jour et nuit dans le cerveau, il
avait décidé de ranimer les gestes
datant d'un demi-siècle plus tôt, d'avant
le premier exil, quand, aux côtés de
son père à Odessa, il avait appris à
tresser le pain pour la Pessah, à façon-
ner la pâte des *bagels* en anneaux épais
et à les glisser dans de l'eau salée pour
les ébouillanter avant de les faire cuire
au four, à les saupoudrer ensuite de
graines de sésame ou de pavot ou d'oignons finement hachés ; à entasser les
couches successives de pommes, de
noix, de raisins secs et de pâte feuille-
tée pour les strudels de noces... Ah ! la
vue des grandes mains rougies de son
père en train de retirer les plateaux
brûlants du four, puis de glisser la
pelle en bois sous les pains et de les
faire tomber dans le grand panier en
osier pour attendre la bénédiction du
rabbin... En 1931, quand Aron avait

seize ans, la famille avait réussi à fuir
l'Ukraine grâce à quelques pots-de-vin
et à la proximité de la mer Noire. Son
père ignorait tout de l'Afrique du Sud
à l'époque mais, comme l'Ukraine souffrait de graves problèmes d'économie
et d'estomac en raison du réquisition-
nement du blé, il avait été content de
pouvoir s'en laver les mains et rejoindre avec sa famille Pretoria, où son frère
possédait déjà une grande usine de
montres.)

"Comment vont les affaires ?" demande
Leonid, essayant d'attirer Aron dans la
conversation avec Sean au coin du feu ;
mais Aron n'a envie de rien dire pour le
moment. (Leurs villes natales d'Odessa
et de Choudiany ne sont pas plus éloi-
gnées l'une de l'autre que Boston et
Detroit, et cela crée entre Aron et Leonid
un lien ambigu, ce lien qui unit tous
ceux ayant vécu dans l'ombre de l'Union
soviétique pendant ces années tendues,
mensongères et meurtrières ; Aron sait
que Leonid n'est pas juif et, étant
donné la longue et glorieuse tradition
antisémite des Biélorusses, il ne tient
pas trop à l'interroger sur sa jeunesse ;
ils n'ont jamais évoqué le passé dans
le détail car ils savent combien les
détails, en l'espèce, peuvent être acca-
blants et, de toute manière, Aron est

un homme de silences et de secrets,
Leonid est même surpris de le voir ici
ce soir – non, à bien y réfléchir ce n'est
pas si surprenant, car il est de notoriété
publique qu'Aron est un connaisseur
de poésie : en entrant chez *Tinsky's*,
Leonid a plus d'une fois remarqué un
recueil de Sean dépassant de la poche
du boulanger. Leonid lui-même ne
comprend rien à la littérature : il aime
les poèmes de sa femme parce qu'il
aime sa femme, point à la ligne.)

"Bien, bien", dit Aron. C'est vrai, les
affaires marchent bien et il ne désire
rien dire de plus ; désire, maintenant
qu'il est dans la phase ultime de la vie,
se reposer et renoncer aux bavardages,
à tout ce qui est superflu et superficiel :
ces amuse-gueule que fait circuler Rachel,
par exemple. (Bien qu'athée, il a toujours pensé qu'il y avait quelque chose
de magnifique dans la préparation des
mets selon des lois sacrées, leur bénédiction par le rabbin – les vaches et moutons abattus comme ceci, le blé moulu
comme cela, pour rester en accord avec
le Très-Haut. Sa femme Nicole, née
catholique dans l'île de Groix en Bretagne et convertie aux idéaux commu-
nistes par ses études de philosophie à la
Sorbonne dans les années trente, n'avait
jamais compris le respect que témoignait

Aron pour les rituels religieux. Elle-
même n'y voyait que salmigondis et
charabia, une ruse pour distraire les
pauvres des réalités de leur souffrance.
"Mais quel mal y a-t-il à cela ? lui demandait Aron. Tous les esprits humains, et
pas seulement ceux des opprimés, ont
besoin de décoller du réel de temps à
autre… Faut-il priver le prolétariat de
son unique bonheur : sa capacité de lévi-
ter, de sacraliser son existence ?" Aron
lui-même n'a jamais oublié la magie de
cet instant où, chaque vendredi soir, il
regardait sa mère allumer les bougies…)
   "Encore un peu de punch, Aron ?"
demande Katie. Mais le boulanger n'a
même pas touché à son verre ; il lui
sourit sans répondre, et Katie s'éloigne.
   "Quel coup de génie, dit Derek,
venant s'accroupir près du fauteuil à
bascule d'Aron. Non, sérieusement. Un
coup de génie, d'avoir ouvert une
authentique boulangerie de *shtetl* au
beau milieu de cette ville remplie de
yuppies wasps. Jusqu'à votre arrivée,
j'ignorais à quel point les vrais *bagels*
me manquaient ! C'est vrai, on ne se
rend pas compte ! On se laisse imposer
n'importe quoi. Des *bagels* à l'ananas,
des *bagels* au chocolat, des *bagels* sans
calories… Vient le jour où on s'abaisse
jusqu'à acheter un *beignet* ! Et puis, quand

revient le *Bagel* En Soi, c'est tellement
bon qu'on en pleurerait. On ne peut
plus quitter notre lit le dimanche matin,
Rachel et moi, sans la perspective d'un
brunch de chez *Tinsky's*."

Aron le gratifie d'un sourire. Il voit
que Derek est vite devenu mal à l'aise
dans sa position accroupie : les Zoulous
peuvent rester ainsi des heures d'affi-
lée, même les plus vieux et les plus
décrépits d'entre eux, mais, chez les
Blancs, c'est une position qui dénote la
jeunesse et Derek n'est plus jeune, il
peut feindre une ou deux minutes de
l'être, mais ensuite les muscles de ses
cuisses se tétanisent et sa ceinture lui
scie la panse et là il est devenu urgent
qu'il change de position, soit pour s'asseoir sur le tapis, soit pour se remettre
debout, tout dépendra de la manière
dont Aron réagira à ses compliments,
mais Aron n'y réagit pas, il se contente
de sourire en se balançant dans le fauteuil comme un petit vieux, prenant un
plaisir vaguement sadique au spectacle
d'inconfort offert par l'homme accroupi.

Enfin Derek se redresse, si difficilement qu'Aron entend presque craquer
ses genoux, et répète : "Sérieusement,
un coup de génie."

Plus sourd que je ne croyais, se dit-il,
en se détournant d'Aron. Ou alors il a

décidé de baisser son appareil acoustique
pour prendre un bon bain de silence.
Il l'a bien mérité – il y a droit, j'imagine. J'aurais bien aimé offrir quelques
années de silence à mon père avant sa
mort. Un écrivain français – Queneau ?
Quignard ? – a fait remarquer que les
oreilles n'ont pas de paupières. On
peut choisir de fermer les yeux, non les
oreilles. Les oreilles nous rendent vul-
nérables aux autres, nous mettent à la
merci de leur insolence et de leur mauvais goût. Pauvre Sidney. Si tu avais pu
écouter autre chose que les machines
à coudre du matin au soir et Violet du
soir au matin, ç'aurait été quoi ? De la
musique ? Mmh, pas évident... Pas
cette musique-là, en tout cas. Tu n'as
jamais aimé le jazz, tu trouvais ça vul-
gaire. Regarde la collection de disques
de Sean... rien qu'en jazz, il doit y en
avoir un bon millier. Tu n'aimais pas
beaucoup les Irlandais non plus, hein ?
Tu disais que c'étaient des *schnorrers*.
"S'ils ont envie de passer la journée à
traîner dans les pubs et à chanter, ça les
regarde. Moi, j'ai du boulot." Tu avais
raison, d'ailleurs : Sean est un *schnor-
rer* au sens propre. Heureusement qu'il
ronfle la nuit, sinon Rachel n'aurait
peut-être pas trouvé le courage de le
quitter, et je n'aurais pas eu de deuxième

épouse. Elle disait qu'elle était prête à mourir pour lui, mais pas à l'écouter ronfler à trois heures du matin. C'était injuste, disait-elle. Ils se disputaient la moitié de la nuit, ensuite lui se mettait à ronfler et elle restait là jusqu'au matin sans fermer l'œil. Au réveil, Sean était prêt à se réconcilier et Rachel était une loque, brisée, suicidaire.

"Et toi, Derek ? Je te ressers ?" demande Katie.

Il lui tend son verre avec un grand sourire. "Comment vas-tu, Katie ? J'ai l'impression que ça fait un siècle qu'on ne s'est pas vus... ?" Il espère que ce n'était pas à l'enterrement de David. C'était quand au juste ? se demande-t-il. Deux ou trois ans déjà. (Le temps passe vite sur le campus, surtout depuis que les filles sont parties et que les saisons ne sont plus scandées par leur passage d'une année à l'autre à l'école. Toutes les années se ressemblent, le calendrier des examens et des vacances tourne et tourne, de façon aussi inepte et inexorable qu'un hamster dans sa cage ; les jeunes étudiants déferlent, vague après vague, chaque année plus blonds et un peu plus fades, lui semble-t-il, ayant moins lu et moins réfléchi – étant moins prêts, surtout, à faire un effort pour comprendre les textes. "Spinoza aurait

dû revendiquer sa judaïté" : voilà ce
qu'ils disaient maintenant.)

"Non, il n'y a pas si longtemps que
ça, dit Katie. On s'est croisés l'an dernier
à la fête du 4-Juillet, tu te rappelles ?

— Ah, bien sûr, dit Derek.

— Tu as même dansé avec moi !"
dit Katie.

Il se rappelle cela aussi – mais il a
beau sourire et hocher la tête, il n'arrive pas à réprimer une vague de pitié
pour les Korotkov. (*La pire chose, la
pire chose possible* : ces mots lui reviennent en mémoire – David Korotkov
avait été au lycée avec sa fille Angela ;
il avait même joué du violon pour l'un
de ses spectacles de danse... et puis...
il était *mort*. Derek avait été parmi
les premiers à l'apprendre, Theresa la
femme de ménage le lui avait dit, le
lendemain du jour où Katie et Leo
avaient retrouvé le corps – "David
Korotkov est mort" – le mot l'avait frappé
comme un coup de poing au ventre, lui
soulevant tout le corps, le laissant esto-
maqué convulsé chamboulé, et il s'était
dit que *cela*, perdre un enfant, était la
chose la pire qui puisse arriver à quelqu'un... Aussitôt, il avait extrapolé follement à ses propres enfants, se
demandant si ses filles n'étaient pas en
train de se shooter, elles aussi, si Marina

ne s'injectait pas de l'héroïne dans les
veines à cet instant précis... "David
Korotkov est mort"... et, à mesure qu'il
répétait cette phrase, répandant la nouvelle parmi leurs amis, il avait remarqué,
consterné, que l'émotion la quittait peu
à peu, que le fait de raconter l'histoire,
encore et encore, la transformait en
une fiction ; il disait toujours "la pire
chose, la pire chose qui puisse arriver",
mais il ne ressentait plus la *vérité* de
cette idée ; en l'espace de quelques
heures, la douleur avait cessé de le
toucher. Il regardait le visage des
autres s'emplir d'horreur, se transformer sous l'effet du choc, et il leur enviait
leur émotion, honteux de voir la rapidité avec laquelle la sienne s'était reti-
rée de l'événement pour aller se cacher
derrière les mots ; *comment cela était-il
possible ?* Et là, ce soir, plus trace de
douleur ; plus rien que de la pitié.)

Katie est allée rejoindre son mari ;
elle se penche sur lui, l'homme de sa
vie, et dépose un baiser sur les frisettes
gris-blanc de sa nuque rose : "Et toi,
mon ange ? Un verre de punch ? Ah
non, vous êtes au whisky, vous autres,
il vaut mieux pas mélanger."

Leonid lève une main derrière lui et
s'empare fermement de la tête de sa
femme, lui encadrant la mâchoire d'abord

puis glissant les doigts parmi ses cheveux blancs et lui massant le cuir chevelu
comme pour lui dire, avec le bout de
ses cinq doigts : *Je suis là, tout va bien.*

"Oui, je suis pas mal rond déjà, dit-il
tout haut. Entre la musique, le Chivas et
la conversation pétillante de Sean...

— Scintillante, pas pétillante, dit Katie.

— Pour moi elle est pétillante, comme
du champagne, insiste Leonid, toujours
sur la défensive à l'endroit de sa maîtrise de l'anglais. Quelle heure peut-il
bien être, d'ailleurs ? Je meurs de faim.
Tout le monde est là ?"

Sa riche et belle voix de basse porte
jusqu'aux oreilles de Patrizia à la cuisine, et celle-ci s'écrie en protestant :
"Non non, pas encore ! On n'est pas
prêts ! La table n'est même pas mise !"

V

CHARLES

*C*HARLES SERA *le dernier à partir.
Il a quatre longues décennies
devant lui. Argent, célébrité,* und
so weiter. *Mais ses trois enfants ne
feront que s'éloigner de lui de plus en
plus, ne venant le voir que parce qu'ils
y sont contraints, venant le moins possible – mal à l'aise, les uns et les autres,
quand ils se retrouvent ensemble, parce
qu'ils n'ont plus les mêmes mots, ni les
mêmes manières. Il se remariera deux
fois, mais n'aura plus d'enfant. Plus
jamais d'enfant vivant dans la même
maison que Charles, en train de rire
ou de pleurer ou de jouer, de courir
dans les escaliers ou de se réveiller en
pleine nuit, les yeux voilés par la fièvre…
Peut-être pour compenser cette perte, il
publiera plusieurs livres, excellents, sur
la possibilité d'amour, de désir et de passion entre Blancs et Noirs, pas toujours
et exclusivement le viol et la possession,*

*même dans les siècles passés, même
sous l'institution de l'esclavage. Une
plaidoirie pour que la peau café au lait
(comme celle de ses enfants) puisse
parfois signifier, au lieu de scission suicidaire et haine de soi, un double héritage d'amour.*

*Un homme malheureux, dans l'en-
semble.*

*Il ne sentira rien du tout. En l'espace
de quelques secondes, sa troisième épouse
sera veuve, et les ébauches de poèmes
éparpillées sur son bureau, un recueil
posthume.*

*Grande maison élégante dans le quar-
tier le plus cossu de La Nouvelle-Orléans.
(Oui : c'est la faculté de Tulane qui, en
fin de compte, lui a fait l'offre la plus
lucrative.) Ah ! malgré tout, c'est avec
plaisir qu'il s'installait chaque jour à
son bureau, préparait ses cours, consul-
tait des livres de poésie et d'histoire et
prenait des notes en rêvassant, les yeux
fixés sur la petite cabane des esclaves à
l'autre bout de la pelouse, qui ne conte-
nait plus que des outils de jardinage...
Regardez comme c'est beau, tout cela :
le vent léger, qui entre par la fenêtre
ouverte, fait onduler les rideaux,
feuillette les pages des livres posés sur la
table de travail... Dehors, sous l'effet
d'une averse récente, les plantes vertes*

*luxuriantes dégouttent et se balancent
encore... Sur la véranda : une paire de
vieilles pantoufles dans lesquelles
Charles devait glisser les pieds à son
retour. Sauf que, cette fois-ci, il n'y aura
pas de retour. Charles est couché sur la
chaussée brûlante, face contre terre. Ses
lunettes ont volé à plusieurs mètres de
l'impact de la moto qui, après l'avoir
heurté, est repartie en trombe. Ah, mon
ami... il n'aurait pas fallu quitter le
rebord du trottoir ! Mais la collision
n'a même pas eu le temps de s'enregistrer dans son cerveau : la libération
subite d'une forte quantité de gluta-
mate a éliminé de la mémoire de Charles
toute trace des dix minutes précédentes,
minutes au cours desquelles il avait distraitement préparé sa serviette et, après
un passage aux toilettes, s'était dirigé
vers la rue. S'il y avait eu des témoins,
ceux-ci auraient entendu le bruit de son
crâne en train de se fendre. Plusieurs
vagues idées poétiques y flottaient
encore, en attendant qu'il vienne les
examiner de près et les développer en
vers. Tout cela s'est déversé sur l'asphalte
chaud : l'image de son chausse-pied,
celle du tablier de madras de sa maman
et de la gelée de pomme sauvage de sa
grand-maman, les étonnants plis et
replis de la terre rouge dans le canyon
de Chelly – exposés, évaporés, de l'air.*

VI

LES RETARDATAIRES

ON ATTEND encore Hal et Chloé, dit Sean au même moment.

— Qui est Chloé ? demande Katie. Non… Ne me dis pas que Hal s'est encore acoquiné avec une nymphette !

— Je vais mettre la table", dit Charles, que Myrna, au cours de leurs dix années de mariage, avait initié aux joies de la vie quotidienne (les courses, la cuisine… et surtout le soin de petits enfants) – pour les lui arracher, ensuite, dès son premier faux pas. "Dites-moi où se trouvent les assiettes. Ça me fera plaisir de mettre la table." Cela lui rappellera le temps jadis, d'avant, l'époque où il avait encore une famille à nourrir et une femme à aimer et toutes ces choses qui, s'en aperçoit-il maintenant, lui tenaient infiniment plus à cœur que sa titularisation et les chiffres de vente de ses livres ou son nom dans le *New York*

Times. Il n'écoute pas les autres parce
qu'il ne connaît pas Hal Hetherington
et ne s'intéresse donc pas encore aux
vicissitudes de sa vie amoureuse.

"Si si, dit Sean, sauf que cette fois il
l'a épousée et lui a donné un enfant.

— Non ! s'exclame Patrizia. C'est *ça*,
le mineur dont tu me parlais tout à
l'heure ? L'enfant de *Hal Hetherington* ?
Je ne te crois pas.

— J'ai horreur de cette expression
«lui donner un enfant», dit Beth. Comme
si c'était le sien qu'il donnait. Comme s'il
l'avait porté en lui d'abord, puis avait
généreusement décidé de le passer à
sa femme.

— Pas de discours ce soir, ma jolie,
dit Sean.

— Je ne suis pas ta jolie, dit Beth en
rosissant de colère. Je t'interdis de m'appeler ta jolie.

— Vous voulez bien arrêter vos cha-
mailleries, tous les deux ? dit Patrizia.
On est au beau milieu d'un ragot palpitant et j'ai envie d'en savoir plus. Sérieusement, Sean. Raconte l'histoire.

— Il est trop vieux pour être père,
marmonne Beth.

— Je ne la connais que dans ses
grandes lignes, dit Sean. Vous vous rappelez que Hal était parti à Vancouver,
il y a deux ans, en congé sabbatique,

faire des recherches pour son nouvau
roman. Eh bien, le destin l'attendait, là-
bas, sous la forme – une forme plutôt
ravissante ai-je cru comprendre – d'une
certaine Chloé.

Donc, ayant demandé et obtenu de
l'université une rallonge exceptionnelle,
il l'a épousée et amenée en voyage de
noces sur la côte ouest. Leur fils est né
à Santa Barbara, paraît-il.

— Tu n'as pas encore rencontré la
Chloé en question ? dit Leonid.

— Eh non. Il me la cache.

— Quel âge a-t-elle ? demande Rachel.

— Vingt-trois ans.

— *Vingt-trois ans ?* s'écrie Beth, ahurie. Et il a quoi, Hal, cinquante-cinq,
dans ces eaux-là ? Mon Dieu, il pourrait
être son père !

— Je croyais qu'il était trop vieux
pour être père, dit Sean.

— Va te faire cuire un œuf", marmonne Beth.

Il y a un moment de silence, au cours
duquel tous les invités (à part Aron
Zabotinsky, qui n'écoute pas mais,
l'appareil auditif baissé, fixe le feu de
cheminée en pensant à ce poème
de Pouchkine que lui récitait sa mère
quand il était petit, elle le balançait sur
ses genoux au coin du feu et lui chan-
tonnait la terrifiante mise en garde, aussi

doucement que s'il s'agissait d'une berceuse : *O gore, gore nam ! Vy deti, ty zhena !/ Skazal ja, vedajte : moja dusha polna / Toskoj i uzhasom ; muchitel'noe bremja / Tjagchit menja. Idjët ! uzh blizko, blizko vremja : / Nash gorod plameni i vetrom obrechën ; / On v gli i zolu vdrug budet obrashchën, / I my pogibnem vse, kol' ne uspeem vskore / Obrest' ubezhishcha ; a gde ? o gore, gore* !*", elle savait donc, se dit Aron, qu'on allait devoir fuir) tentent de se mettre au diapason pour se préparer à l'arrivée d'une personne jeune. Mal à l'aise, ils se demandent comment cette Chloé va les percevoir. Et ils connaissent la réponse : comme des vieux. Même Patrizia, la cadette du groupe, est plus âgée de moitié que la nouvelle épouse de Hal. Alors qu'en réalité, vieux, ils ne le sont *pas* – et s'accordent, s'entendent entre eux là-dessus. Au fil des ans, ils ont vu apparaître les

---

* "Ma femme et mes enfants ! Malheur sur nous, malheur ! / Apprenez-le : mon âme est pleine de terreur / Et d'un chagrin horrible : un lourd fardeau m'accable, / Me torture. Elle vient, cette heure inéluctable : /Notre ville est vouée à la flamme et aux vents, / Elle sera réduite en décombres fumants / Et nous périrons tous. Malheur ! Vers quel asile / Diriger notre fuite, ô destinée hostile ?"

uns chez les autres rides, bourrelets,
cernes, poches, bosses, doubles men-
tons... mais, chaque fois qu'ils se voient,
ils effacent ces marques avec magnani-
mité, les oublient, parviennent à se
faufiler derrière elles, ou plutôt en dessous, à l'intérieur, jusqu'à l'essence et à
l'âme. Et là, on vient de les condamner
à exposer, malgré eux, leur corps ce
soir : leur corps décati, objectivé, jugé.
Merde, Sean. Pas sympa de ta part, de
nous avoir réservé cette surprise.

(Mais comment Sean aurait-il pu ne
pas inviter Hal ? De grands noms sur le
campus l'un et l'autre, ayant partagé
deux décennies d'étudiants et de réunions et de débats littéraires, le frêle et
tremblant poète irlandais alcoolique et
le romancier corpulent et bruyant originaire de l'Ohio sont devenus de
grands amis presque malgré eux. En son
for intérieur, chacun en veut à l'autre
d'avoir été le témoin de son absence
de courage et d'initiative au long des
années : car tous deux ont préféré se
planquer, se cacher, profiter de leur
sinécure de luxe dans cette fac en pleine
cambrousse... plutôt que de vraiment
vivre, de vraiment sauter à pieds joints
dans l'existence. Ponctuellement, l'un
ou l'autre se lance dans une tentative de
vie de couple, échoue lamentablement

et retourne à ses bouquins ; ils n'apprécient pas trop, du reste, les écrits l'un de l'autre ; Sean trouve les romans de Hal verbeux, boursouflés et désespérément réalistes tandis que les poèmes de Sean, selon Hal, sont d'une opacité rebutante pour ne pas dire maladive ; encore moins apprécient-ils leurs conquêtes féminines respectives : les blondes idiotes dont s'éprend systématiquement Hal n'inspirent à Sean que de l'ennui, et Hal est intimidé par les brillantes femmes névrosées qui suscitent l'intérêt de Sean... N'empêche que, cahin-caha, les deux hommes sont très amis.)

Le front baigné de sueur, Katie s'est assise sur le tapis pour s'adosser contre la cuisse de Leonid, et celui-ci, de sa main droite à la peau rugueuse, lui caresse les cheveux. Il sait ce qu'elle se dit : vingt-trois ans, c'est tout juste l'âge de notre Alice, et vingt-trois ans c'est l'âge de David à sa mort, s'il avait vécu il aurait vingt-cinq ans maintenant mais étant mort il aura vingt-trois ans à tout jamais, c'est la courbe définitive de son destin, de zéro à vingt-trois, une petite courbe enserrée à l'intérieur des courbes plus longues de la vie de ses parents au lieu de les entrelacer et de s'élancer au-delà, comme elle était censée le faire.

Et voilà que cette inconnue va débarquer ici, une fausse note dans la
musique si soigneusement orchestrée
et dirigée par Sean : cette Chloé, âgée
de vingt-trois ans, la seule à ne rien
savoir de nous, la seule à ignorer que
la mère de Sean est morte d'Alzheimer
l'été dernier, que la drogue nous a enlevé
notre fils d'une façon horrible il y a
deux ans, que les tantes et les oncles de
Rachel ont été gazés à Birkenau, que
Jordan le fils adoptif de Brian et de Beth
est en prison pour vol, que Charles est
dans les affres d'un divorce... Et la présence, ici ce soir, d'une personne jeune
et innocente et pleine d'espoir main-
tiendra par nécessité la conversation à
son niveau le plus banal : météo et politique, avec de vagues commentaires de
films en guise d'épice culturelle. Une
erreur, Sean, se dit Katie, d'avoir invité
cette Chloé ici ce soir ; ou alors une
erreur, Hal, de l'avoir épousée et amenée
parmi nous. Dès qu'elle mettra les pieds
dans cette pièce, les femmes devien-
dront crispées et garces et les hommes
rivaliseront bêtement pour lui plaire...
Oh Dieu je t'en prie, fais qu'elle ne
vienne pas, fais par exemple que
leur retard soit dû à une maladie de leur
enfant – non, ne jamais souhaiter la
maladie des enfants ; fasse alors qu'il

y ait eu une urgence, le père de Chloé
est en train de mourir et ils ont dû sauter dans un avion pour Vancouver
– non, ne jamais souhaiter la mort des
parents ; mais, bon, tu vois ce que je
veux dire, Dieu, fais en sorte que cette
jeune femme ne vienne pas.

"Il est presque sept heures, dit Rachel,
sans consulter sa montre. Peut-être qu'on
devrait se mettre à table quand même ?

— Oui, sans quoi la dinde risque
d'être trop cuite, dit Patrizia. Les blancs
et les cuisses." (Elle rit toute seule, puis-
qu'elle est la seule à être au courant du
dilemme évoqué dans *Joy of Cooking*.)

Juste à ce moment, des phares balaient
les fenêtres et un klaxon retentit : TA,
ta-ta TA-TA – TA-TA.

"Voilà Hal ! dit Katie.

— Ça doit être eux", dit Charles, à
moitié pour lui-même. Il essaie de se
blinder, saisi d'angoisse à l'idée de voir
un bébé ce soir, alors que ses propres
enfants se trouvent au loin, qu'ils gran-
dissent et se transforment désormais
sans lui, "espèce de salaud", alors qu'il
s'était juré qu'il ne serait pas comme son
propre père, toujours absent, en voyage,
occupé, travaillant pour la Cause, rédigeant des discours pour le King, "Ne
repars pas, papa s'il te plaît, s'il te plaît
joue avec moi, papa"... chaque heure

passée avec Ralph et Randall précieuse, irremplaçable, sa conscience perpétuelle de cela, les questions timidement posées à l'heure du coucher, "T'avais peur du noir, toi papa, quand t'étais petit ?"... les rires qui fusaient autour de la table du petit déjeuner... Toni donnant le biberon à son dauphin en peluche... et les problèmes qui surgissaient tout à coup et leur paraissaient insurmontables, puis s'évanouissaient comme par magie le lendemain... Tu rates une journée, tu l'as ratée ; elle ne reviendra plus.

Sean se met debout et le monde tangue vers la droite, il pose une main sur le dos du fauteuil de Leonid pour le stabiliser, puis jette un œil sur la bouteille de whisky, vide aux trois cinquièmes, pas mal, je l'ai ouverte à deux heures de l'après-midi et je l'ai partagée, j'ai vu pire, nettement pire... "Chut ! fait-il. Tais-toi, Patchouli ! Ce n'est pas ainsi qu'il faut accueillir notre nouvelle amie Chloé. Tu vas lui faire une peur bleue, à aboyer de la sorte !"

Tout le monde rit, soulagé de sentir se briser le lourd silence : bon gré mal gré, il faut que la soirée avance vers son étape suivante.

En traversant la cuisine (sans tituber, sans chanceler, sans renverser de chaises,

pas encore, non : plutôt fier, au contraire, de la ligne assez droite que tra-
cent ses pas) Sean aperçoit le couteau
à légumes sur le comptoir, là où Patrizia
l'a posé après l'avoir nettoyé. Etince-
lant. Scalpel. "Il va falloir couper à travers la peau du côté du thorax", lui avait
dit le médecin. Oui, on pratiquerait dans
sa chair une longue incision en forme
d'arc, sectionnant les muscles intercos-
taux et écartant les côtes afin d'exposer la plèvre, puis on découperait et
exciserait le lobe atteint du poumon
gauche. Ou peut-être le poumon entier.
"Tout dépend. Nous aurons besoin de
faire d'autres examens. Mais la première chose à faire, monsieur Farrell,
c'est de cesser de fumer. Cessez de
fumer, vous pouvez au moins faire ça
pour vous-même ? Arrêtez de fumer."
En passant devant le comptoir, Sean
attrape le couteau et glisse le manche
entre ses dents. C'est un pirate qui sort
sur la véranda, un sourire dément aux
lèvres, pour accueillir les retardataires.
    La neige s'est mise à tomber. Déta-
chés et glacials, les premiers flocons vire-
voltent dans le rai de lumière jaune de
la lampe d'extérieur. Et voici ce que
voit Chloé tandis que, portant dans les
bras son bébé emmitouflé contre le
froid, elle avance vers la maison où elle

doit rencontrer les amis de son nouveau mari pour un repas de Thanksgiving : un fou ; un personnage légèrement voûté qui vient vers eux, hilare, un énorme couteau entre les dents. C'est une plaisanterie ou quoi, Hal ? C'est le genre d'humour qu'apprécient tes amis ? Elle s'arrête net.

"C'est Sean ? fait-elle à voix basse.

— Mmmoui.

— Bon ben, si on rentrait chez nous ?"

Déjà, l'idée de cette soirée la remplissait d'appréhension. Déjà, elle redoutait d'être présentée à ces gens qui connaissaient par cœur les faiblesses de Hal et avaient vu défiler toute la série de ses autres petites amies. Elle s'était attendue à faire face à leur condescendance, à leurs ricanements refoulés par politesse : "Alors voici le numéro 21"... mais cela... non, à cela elle ne s'était *pas* attendue. Elle est sur le point de faire demi-tour et de se diriger d'un pas ferme vers la voiture quand Hal part d'un gros rire. Il jette les bras autour de Sean, écrase l'homme plus petit contre sa poitrine et lui siffle entre deux éclats de rire : "Hé mec, range-moi ce truc, tu es cinglé ou quoi ? Non mais, c'est pas vrai, tu es déjà fin saoul avant le début du repas ? Allez, Sean, fais un effort, j'ai envie qu'elle *t'aime*, Chloé, c'est

important pour moi..." Il parle vite et
bas, laisse résonner à nouveau son rire
explosif – et, se retournant, fait un grand
geste du bras pour encourager son
épouse à gravir les marches de la
véranda – "Allez viens, Chloé, n'aie pas
peur, c'était pour rire, allez viens !" – et
Chloé, réticente, les yeux baissés, gravit
enfin les marches en portant l'enfant –
son épouse, son fils ! L'ineffable beauté
de cette paire ! Hal n'en peut plus de
fierté en les présentant : "Sean, voici
Chloé ! Et voici notre fils, Hal Junior !

— Toutes mes excuses." Passant pres-
tement du mode pirate au mode prince,
Sean saisit des deux mains la main droite
de Chloé et se penche dessus pour
y déposer un baiser galant. "Je ne sais
pas ce qui m'a pris.

— Vous vous êtes coupé avec le couteau ou quoi ? dit Chloé, déconcertée
par le pansement au pouce de Sean.

— Oh, ça ! Non non", dit Sean, gêné,
furieux contre lui-même pour ce qu'il
vient de faire : geste clairement lié au
cancer mais aussi, plus obscurément, à
Phil Green son premier beau-père,
l'homme qu'avait épousé Maisie quand
Sean n'avait que onze ans. Phil s'appli-
quait à gâcher toutes les fêtes qu'ils passaient ensemble (Thanksgiving, Noël,
anniversaires), soit en injuriant Maisie

de la manière la plus obscène, soit en délivrant à Sean un coup magistral sur la tête, allant même une fois jusqu'à sortir un revolver de sa poche et annoncer son intention de faire sauter la cervelle de tout le monde y compris la sienne. Où es-tu maintenant, Phil Green ? se dit Sean, en portant à ses lèvres la chair douce et parfumée de la main droite de Chloé. J'espère que tu pourris en prison quelque part, de préférence au Texas, dans le couloir de la mort. "Entrez, je vous prie, dit-il, en regardant Chloé avec tant d'intensité qu'elle n'a d'autre choix que de lever les yeux vers lui, et de céder. Tous les invités sont impatients de faire votre connaissance – en partie parce que vous êtes la femme de Hal, et en partie parce qu'ils meurent de faim."

Hal a l'impression d'avoir déjà vécu cet instant. Pas avec une autre femme, avec Chloé. Oui, il se souvient de *cela*, exactement : ils se débarrassent de leurs manteaux et de leurs écharpes dans le couloir de Sean et sa gorge se noue à voir la beauté si délicate de Chloé, sa robe mi-longue d'un rouge profond qui lui moule le corps et s'ouvre à la gorge, de sorte que son cou s'élance de la fleur rouge sang de son corps telle une blanche corolle gracieuse,

culminant dans la couronne dorée de
ses courtes mèches blondes ; les yeux
de Chloé, emplis d'incertitude, s'accro-
chent aux siens avant de se baisser
vers les doux replis des couvertures du
bébé dans ses bras : oui, tout cela il l'a
déjà vécu ; l'impression se renouvelle
de façon exaspérante, de seconde en
seconde, jusqu'à ce qu'ils entrent dans
le salon ; puis elle s'évanouit.

L'enfant est réveillé par le flot de chaleur, d'odeurs et de voix : il remue dans
les bras de sa mère et pousse un petit
cri de surprise. Ecartant les couvertures,
Chloé découvre sa grosse tête blanche.
Les adultes viennent plus près ; ils sou-
rient en hochant la tête ; ils forment un
cercle autour de Hal et Chloé et se
poussent du coude, rivalisant pour avoir
la meilleure vue du petit. Hal Junior
regarde autour de lui et, ne reconnaissant rien, se fige ; ses yeux aux longs
cils s'écarquillent de stupeur. Il se
tourne vers sa mère – le pôle Nord –
puis, rassuré, se retourne à nouveau
pour contempler le reste du monde. Sa
bouche s'ouvre dans une mimique de
perplexité si extrême que les adultes
éclatent de rire. Effaré par ce bruit bru-
tal, l'enfant s'agrippe convulsivement à
sa mère et enfouit le visage dans sa
poitrine, provoquant une nouvelle rafale
de rires qui le fait fondre en larmes.

Il a l'air humain comme un chim-
panzé a l'air humain, se dit Sean. Et de
conduire la petite famille jusqu'à la chambre à l'étage, où Theresa lui a préparé
ce matin un petit lit à même le sol.

On oublie, se dit Patrizia. Même si
on croit s'en souvenir, on oublie ce que
c'est vraiment que de tenir un bébé, de
serrer dans les bras et nourrir et chérir
un petit bébé à soi. Une sensation à
nulle autre pareille. (Elle-même avait
souffert aux mains d'une mère distraite
et surmenée. Elle avait été cadette, la
petite dernière, le post-scriptum, et sa
mère – déjà harassée par ses huit enfants
à elle, sans parler de ceux qu'elle gar-
dait comme nourrice pour joindre les
deux bouts – n'avait jamais de temps
pour elle : ni temps ni place ni patience,
la maison un capharnaüm… Heureusement qu'il y avait eu sa *nonna*, dont
elle se savait la préférée… C'est aux
côtés de sa grand-mère que Patrizia avait
appris à cuisiner avec méticulosité,
générosité et… "Et ? L'ingrédient le plus
indispensable, dans chaque recette ?"
"Le sel ?" "Non ! L'amour ! *L'amore*…",
à hacher oignons persil et ail très fin
avec une *mezzaluna*, à comprendre le
vrai sens des paraboles de Jésus : "Quand
il y a l'amour, il y a toujours assez à
manger, c'est l'amour qui multiplie les

pains et les poissons, *capito*?", à distinguer un merle d'un moineau : *"Venite,
venite bellissimi, mangiate !"* et un
hibiscus d'un bignonia : *"Ma si*, tu peux
parler aux fleurs aussi, le bon Dieu les a
faites belles comme toi !" C'est à travers sa *nonna*, née à Agrigente en
Sicile, que Patrizia avait imaginé, petite,
le pays de ses ancêtres, avec ses *piazze*
d'église pavées, ses temples anciens
où on pouvait jouer à cache-cache, ses
spectacles de marionnettes, sa chaleur
écrasante, ses oliviers et ses cigales ;
c'est aussi grâce à sa *nonna* qu'elle aimait
l'opéra et avait pris l'habitude, chaque
fois qu'elle faisait le ménage, de mettre
un disque de Puccini ou de Verdi, chan-
tant à tue-tête avec la Callas tout en
passant l'aspirateur... Elle chantait constamment pour ses fils aussi, de vieux
airs siciliens, certes elle leur criait dessus mais elle chantait pour eux aussi,
ils avaient le menu complet, toute la
gamme des *mamma* de la bonne fée à
la méchante sorcière, tant pis, *è così*,
mais ô comme tu m'as gâtée, ma
nonna chérie !)

Katie, elle aussi, regarde avec nostalgie l'enfant dans les bras de sa mère.
Quel plaisir érotique insurpassable que
l'accouchement ! Chacune des quatre
fois, la sensation de sa propre force au

moment d'expulser l'enfant une jouissance fabuleuse – *voilà* ! – un *être
humain* – sortant de *moi* ! – assez forte
pour faire *ça* ! – et, les jours suivants, une
impression extraordinaire de paix et
de sérénité, parce qu'on avait fait une
chose aussi inouïe – et, quelques jours
plus tard, le choc de quitter l'hôpital,
de contempler les rues de Manhattan où
se pressaient les foules et de se dire :
Dieu, se peut-il vraiment qu'un jour,
chacun de ces êtres soit... *NÉ* !!!?

Ma Toni, se dit Charles, est autrement
plus mignonne que cette espèce de nain
chauve et crayeux. Oh la soyeuse douceur de sa peau brun clair et de ses
boucles brun foncé ! ("*Black is beauti-
ful*, certes, lui avait dit Myrna une fois,
alors que leur fils Ralph n'avait que
douze mois, mais rien ne vaut le café
au lait !" "Noir sur blanc", lui avait dit
Charles dans un murmure, la couvrant
de son corps et entrant en elle, l'aimant
et la labourant avec enthousiasme. "Noir
sur blanc", lui avait-il répété, son souffle
chaud sur le visage de sa femme, et
elle avait ri en lui léchant le cou et en
nouant les jambes derrière son dos, car
tel était déjà le titre de son livre.)

A cet âge-là ils sont encore sympas,
se dit Leonid, mais ensuite ils se mettent à boire ta térébenthine, à bouffer

tes pinceaux et à mimer ta créativité en
barbouillant de peinture bleue le canapé
du salon. Ah, je suis quand même content
d'être sorti de cette phase-là. (Le matin
même, il avait téléphoné à Selma, une
de ses filles de son premier mariage, et
le bruit de la marmaille en arrière-fond
l'avait brusquement ramené à l'époque
où il était un jeune père luttant pour
s'imposer comme peintre dans le sud
de Manhattan. Trop fauché pour se louer
un atelier, il invitait chez lui des artistes
mieux établis pour leur montrer son
travail, dans le vague espoir d'entrer en
contact avec une galerie par leur intermédiaire. Il leur faisait du café dans le
coin du salon qui lui servait d'atelier,
mais il n'arrivait pas à suivre leurs élu-
cubrations sur l'art contemporain, préoccupé qu'il était à l'idée que Selma et
Melissa pourraient renverser leurs tasses,
se cogner la tête sur un coin de la table
ou plonger leurs petites mains poisseuses
dans le bol à sucre. "Ceux qui mépri-
sent la vie matérielle seront condam-
nés à s'y noyer", disait sentencieusement
Birgitta, son épouse de l'époque – était-
ce une citation, ou l'avait-elle trouvé
toute seule ? – et, petit à petit, il avait
dû se rendre à l'évidence qu'il n'était
pas un vrai artiste, qu'il n'avait ni la
cruauté ni la ténacité ni l'égoïsme qu'il

fallait pour le devenir ; les exigences de
sa famille lui paraissaient toujours plus
importantes ou en tout cas plus valables
que les siennes. Et là, ce matin, c'était
Selma qui, pas moins de sept fois au
cours de leur conversation de cinq
minutes, avait dû poser le combiné
pour s'occuper de minuscules urgences :
"Il m'a tiré les cheveux !" "Attention !"
"Fais pas ça !" "Elle a fait pipi par terre !"
"Eh ! touche pas à ça !" Pleurs, fracas.
"Combien de fois faut-il que je te le
dise ?" "Tu ne peux pas rester tranquille
trois secondes ?")

"Qui va découper la dinde ?" demande-
t-il maintenant – et, s'extrayant enfin
de son fauteuil (après avoir vérifié que
Katie était au loin, à la cuisine, et
qu'elle ne verrait donc pas ses traits se
tordre, sa main remonter involontairement au bas du dos pour le soutenir), il
est transpercé comme prévu par une
cuisante lame de douleur dans la
région lombaire.

Patrizia allume les bougies et se
rappelle comment, adolescente, elle
dérobait des cierges à la cathédrale
pour ensuite, dans la solitude de sa
chambre, mettre à l'épreuve son stoï-
cisme en laissant goutter la cire fondue
sur la peau nue de ses seins et de son
ventre...

Le festin arrive : avec soin, avec amour, les mets sont posés sur la table... Corne d'abondance ! se dit Sean, revenant momentanément à ses spéculations de tout à l'heure sur ce mot étrange de *corne*. Oui, derrière chaque corne se dissimule une trompe, car sonner d'une corne c'est sonner d'une trompe, et un mari corné est un mari trompé...

Ils sont installés maintenant, tous les douze autour de la table ; ils contemplent la peau brune luisante de l'oiseau cuit à point, peau d'où giclent les jus quand on la pique d'une fourchette, les salades vertes constellées de croûtons à l'ail – pas de danger là, se dit Leonid en regardant Katie mélanger les salades, la laitue américaine n'est pas contaminée. Aux Etats-Unis, se dit Katie, on peut manger la laitue et les tomates et les concombres sans avoir peur de contracter un cancer de la thyroïde ou de donner naissance à un bébé qui ressemble à un sac, entièrement fermé, sans la moindre ouverture. Hal brandit un couteau (pas le couteau à légumes de Patrizia, mais un couteau à découper électrique acheté sur catalogue par Maisie pour le trentième anniversaire de Sean et pas une seule fois utilisé jusqu'à ce jour) ; il tranche avec dextérité le fil qui resserrait les cuisses de la

dinde, les écarte grandement et les scie
en deux, sortant ensuite de l'intérieur
de la bête d'immenses cuillerées de
farce dans laquelle les jus charnels
de l'oiseau ont marié tous les autres
ingrédients, chapelure et oignons, céleri
et abats, foie et noix et épices. Remplis
de sauce aux airelles, les moules en
cristal étincellent comme des rubis, faisant miroiter mille promesses de douceur ; Sean a débouché trois bouteilles
de l'excellent vin français apporté par
Charles – et il y en a d'autres, plein
d'autres, à la cuisine ; le pain de seigle
d'Aron et le pain de maïs de Patrizia ont
été coupés en tranches et disposés en
éventail dans des paniers où s'amon-
cellent également de petits pains crous-
tillants aux graines de cumin ; des bols
de légumes multicolores font le tour
de la table : haricots, maïs, choux de
Bruxelles, patates douces au sirop
d'érable, pommes mousseline dorées
au beurre – oh mon *Dieu*, se dit Beth,
au comble du plaisir et de l'inquiétude,
avons-nous vraiment besoin de toute
cette nourriture, cela ne s'arrêtera-
t-il donc jamais ? – et il y a des condi-
ments divers, des chutneys et des mou-
tardes, de minuscules assiettes de
betteraves et de concombres en sau-
mure, il y a du riz sauvage aux amandes

effilées et grillées, il y a du sel, il y a
du poivre.

"Qu'est-ce qu'on a apporté, nous ?"
demande Chloé à Hal dans un chuchotement, voyant que chacun a contribué
d'une manière ou d'une autre au repas ; et
Hal de lui répondre, tout en serrant sous
la table son genou couvert de velours
rouge : "On a apporté la jeunesse, petite.
On a apporté la beauté."

Gênée, Chloé baisse les yeux – et,
aussitôt, son cerveau se met à errer dans
le motif cachemire de la nappe, tout
comme, à l'âge de cinq ou six ans, dans
les restaurants de Vancouver où sa
mère était parfois embauchée comme
serveuse, elle aimait à retracer en encre
noire, sur les serviettes en papier, les
motifs de coquilles ou de fleurs en
relief, blanc sur blanc. Oui, se noyer là-
dedans, se dit-elle maintenant, tandis
que son regard serpente parmi les
volutes rouge, orange et vert du coton
imprimé. Se perdre là-dedans, se dit-
elle. Ne plus en ressortir.

Assise entre Aron et Derek, Rachel
sent un élancement douloureux à la
base du crâne et se dit : Oh non pas
ça, pas une migraine ce soir, mon Dieu,
je t'en supplie. Elle voit Aron tirer discrètement de sa poche une petite boîte
en argent et y sélectionner trois ou quatre

comprimés... Tiens ! se dit Derek, ça
me fait penser... Oui, avant d'entamer
un repas aussi riche il devrait prendre
du calcium pour protéger les parois
sensibles de son estomac... Plusieurs
autres invités avalent à la dérobée leur
médicament respectif... Heureusement
que le Prozac est un médicament du
matin, se dit Rachel. (Sean avait toujours
exécré le mot de "Prozac" – "un mélange
de prosaïque et de mic-mac", disait-il –
et exécré, aussi, l'idée qu'elle en prenne.
"Comment puis-je savoir si je discute
avec toi ou avec ton Prozac ?" avait-il
crié une fois. "Et moi ? avait-elle crié en
retour. Comment puis-je savoir si je
discute avec toi ou avec ton scotch ?"
"Tu as raison, avait dit Sean d'une voix
soudain normale. La vraie question est
peut-être la suivante : ton Prozac peut-
il s'entendre avec mon scotch ?") Ren-
contrant maintenant par-dessus la table
les yeux de son ex-amant, Rachel lève
son verre en un toast silencieux. Sean
fume une cigarette ; il laisse Patrizia
(assise à sa gauche) entasser sur son
assiette les différentes nourritures, tandis qu'il fume et boit et regarde un à
un les invités assis autour de lui, sans
perdre de vue les cuisses de Patrizia
qui, même non croisées, sont encore
étonnamment fines.

C'est bizarre, se dit Sean. A vingt ans
on a une bande d'amis dont on est
convaincu qu'ils vous resteront proches
jusqu'à la mort mais c'est faux, en fait
aucune des personnes ici présentes
ne faisait partie de ma bande d'antan.
Tout glisse, tout se déplace, tout s'éloigne de nous ; on en gagne et on en perd
mais surtout on en perd et on en
perd encore...

Que sert-on au repas de Thanksgiving
dans les prisons de Boston, se demande
Brian. Que va manger mon Jord ce soir ?
Ou *qu'a*-t-il mangé, plutôt : il est sept
heures et demie, le repas doit être terminé depuis longtemps...

Abruptement, Katie se lève. Visage
écarlate. Déséquilibre hormonal, timi-
dité, excitation tout à la fois.

Pauvres Blancs, se dit Charles. Leur
peau trahit tous leurs états d'âme.

"Je voulais juste... fait-elle en balbu-
tiant. Euh... je sais qu'on n'est pas tous
croyants et, le serait-on, on n'aurait pas
le même Dieu. Mais j'avais envie... je
veux dire, j'étais tellement contente à
l'idée qu'on se retrouvait ce soir que j'ai
écrit une sorte de... bénédicité... si ça
ne vous dérange pas ? Ne me tue pas,
Sean."

Aron monte le volume de son appareil auditif.

"Salut Dieu, commence Katie. On est venus là pour exprimer notre gratitude. Tu dois te demander ce qui, au point où nous en sommes, pourrait encore nous rendre reconnaissants. C'est vrai, le chemin a été rude. On pleure de voir comme Tu nous as faits imparfaits. On ne comprend pas grand-chose à ce qui se passe, ici-bas. Ton troupeau s'est égaillé en tous sens et notre cerveau est pas mal éparpillé aussi, pour ne rien dire de notre âme. Mais, malgré tout, nous voilà réunis ici ce soir. Et, que Tu te trouves parmi nous ou non, l'amour sera de la partie.

— Merci, Katie, dit Aron. C'était très sympathique comme prière. Au fond, Thanksgiving est la seule fête qui convienne aux Américains dans leur ensemble car, quelle que soit leur religion, ils aiment tous s'empiffrer.

— Encore que la dinde ne soit guère notre animal totem, fait remarquer Derek. Sa mise à mort et sa consommation ne constituent pas un sacrifice. On n'a aucun sentiment particulier vis-à-vis de la dinde, aucun mythe ni légende où cet animal joue un rôle décisif.

— Non, on trouve simplement que sa chair a bon goût, dit Charles en riant, et on la shoote aux hormones pour qu'elle ait meilleur goût encore.

— C'est vrai, dit Hal. On ne peut pas dire que la dinde revête, pour les habitants des Etats-Unis d'Amérique, la même signification que l'agneau pour les israélites, ou que la vache pour les hindous.

— Ni même, ajoute avec facétie Rachel, la grenouille pour les Français.

— Peut-être qu'elle signifie quelque chose pour les Turcs* ? suggère Patrizia pour rire.

— Le mot vient bien de là, dit Sean.

— Pas possible ! dit Beth.

— Si si ! A l'origine, c'était une espèce de pintade qu'on importait de Turquie.

— Où as-tu trouvé ça ? dit Rachel.

— Dans le dictionnaire.

— Je n'avais pas fini, dit Katie.

— Eh ! silence ! tonne Leonid.

— Bref, cher Dieu, ce que je voulais Te dire ce soir, c'était juste… euh… bénis-nous, si Tu le peux. Bénis ce repas. Bénis nos vies qui s'étendent devant et derrière nous. Et, pendant que Tu y es, bénis tout le bataclan.

— *Prosit*, dit Leonid en levant son verre.

— *Amen*", dit Patrizia, et *Amen* répètent, en doux écho obéissant, deux ou trois autres.

---

* Jeu de mots intraduisible entre *turkey*, la dinde, et *Turkey*, la Turquie.

VII

DEREK

C'EST TOUCHANT *de leur part de vouloir m'inclure de temps à autre, même s'ils ont tendance à me faire à leur image. Ils croient, par exemple, que je les aime. Quel malentendu ! Que pourrait bien signifier l'amour pour un être comme moi, omniscient et omnipotent ? L'amour ne peut surgir que là où il y a failles, pertes, manques, faiblesses, myopie. A vrai dire, c'était un sous-produit imprévu de l'espèce humaine. Cela paraît évident, après coup – mais, allez savoir pourquoi, l'idée ne m'a même pas effleuré à l'époque : que si l'on fabrique des créatures physiquement et psychiquement imparfaites, elles auront tendance à s'épauler. Elles auront une soif inextinguible de totalité, un espoir indécrottable de se compléter les uns les autres. Seuls les êtres humains (et quelques*

*animaux par eux apprivoisés) savent
aimer. Peut-être est-ce cela qui me
donne cette impression insolite qu'ils
sont doués de libre arbitre, et qu'entre
eux, indépendamment de moi, il
s'échange quelque chose, cette chose
qu'ils appellent amour... Je le devine
dans leurs yeux... dans le contact de
leur peau... dans le brouhaha incohé-
rent de leurs paroles... Même s'il s'agit
en fait d'une simple réaction chimique,
reproductible en laboratoire, je trouve
palpitant de les observer en me berçant
de l'illusion* qu'une chose, *au moins,
échappe à mon contrôle.*

Mais revenons à nos moutons...
*Tout comme Charles, Derek aura de
la chance ; il ne me verra pas venir.
Comme ça le choquerait d'apprendre
qu'il ne lui reste que cinq années à vivre !*
*Ce printemps-là, il fait un saut à
Manhattan pour rendre visite à ses
filles Marina et Angela, et surtout à son
petit-fils Gabriel dont c'est le deuxième
anniversaire. Le père du petit garçon
étant marié et ayant cinq rejetons avec
sa légitime épouse, Gabriel n'est à ses
yeux qu'un malheureux accident, un
secret honteux, presque un fantôme. Il
ne passe que deux ou trois jours par*

mois avec lui – et, même là, de peur
d'être découvert et dénoncé, il ne l'amène
jamais au zoo ni dans les jardins
publics. Aux yeux de son grand-père, au
contraire, cet enfant est la huitième merveille du monde. Oui, Derek est complètement fou de son Gabriel ; il le gâte ; il
n'en a jamais assez. Que ce soit parce
que son propre père Sidney était absent
du matin au soir à superviser la confec-
tion et la vente d'habits féminins bon
marché, ou parce que Derek lui-même
n'a pas eu de fils, son amour pour son
petit-fils est si fort que ça le gêne un peu
et qu'il le dissimule de son mieux, c'est-
à-dire pas bien du tout.

Aujourd'hui, après avoir passé une
bonne partie de l'après-midi à lui chercher un cadeau d'anniversaire, il tombe
enfin, au rayon jouets de Macy's, sur
un Big Bird grandeur nature (Angela lui
a récemment dit que Gabriel raffolait
de ses vieilles cassettes de Sesame Street).
L'animal en peluche jaune vif mesure
un mètre quatre-vingts, coûte les yeux
de la tête et se montre rétif à toute tentative pour l'emballer ; Derek se doute
qu'Angela ne sera pas exactement
enchantée d'accueillir un objet aussi
encombrant dans l'espace exigu de son
appartement à Union Square... mais il
sait aussi que Gabriel, voyant surgir

*chez lui son ami télévisuel en personne,
écarquillera les yeux et poussera un cri
de joie.*

*C'est l'esprit chamboulé par des émo-
tions contradictoires – gêne et impatience, appréhension et amour – qu'il
prend la ligne R dans la 34ᵉ Rue. Il a
fini par opter pour le métro après avoir
calculé qu'à cette heure-ci (cinq heures
de l'après-midi) le spectacle d'un professeur de philosophie aux cheveux gris
valsant sur Broadway avec Big Bird ferait
tourner environ quinze mille têtes...
alors que dans un train en mouvement, le nombre serait nettement
moindre. Il n'aurait pas dû faire tant
de cas de ce que penseraient les gens. Il
est resté trop longtemps dans la cambrousse. Il oublie que les New-Yorkais
sont blasés, habitués aux excentricités
de toutes sortes, et se targuent de ne
jamais ciller, même devant les manifestations de folie les plus spectaculaires.*

*Or le hasard, comme on dit (mais
bien sûr j'avais planifié d'avance tous
ces événements afin de pouvoir les intégrer dans mon œuvre, et ce qui, vu de
près, peut apparaître aux yeux humains
comme des imperfections s'avère, avec
suffisamment de recul, être des détails
cruciaux de mon univers), le hasard veut
que, par ce bel après-midi printanier,*

dans la cinquième voiture de cette rame
de la ligne R, une fusillade éclate entre
deux proxénètes rivaux. Ils ne cessent
de sautiller et de s'esquiver, se visant
l'un l'autre autour de Derek qui,
comme tous les autres voyageurs, se
concentre sur sa lecture du New York
Times en faisant comme si de rien n'était.

Et le hasard (comme on dit) veut que
le cœur de Derek se trouve pile sur la
trajectoire d'une des balles qui va du
revolver de Mac n° 1 vers la tête de
Mac n° 2 – une demi-portion portori-
caine, mesurant à peine un mètre
soixante. "Non !" "Oh mon Dieu !" "Bon
Dieu !" "Non, non !" "C'est pas vrai !"
"Jésus Marie Joseph !" Tels sont quelques-
uns des cris de frayeur émis par les
voyageurs lorsque le train s'arrête à
Union Square dans un hurlement de
freins, que les portes s'ouvrent en glissant et que les proxénètes se fondent
dans la foule de l'heure de pointe, laissant Derek où il est : son âme valse déjà
avec moi le long de la Voie lactée, tandis que le sang chaud lui gicle du
cœur, étoilant de rouge la douce four-
rure jaune synthétique de Big Bird.

VIII

ON SE SERT

ON SE RACLE la gorge, on fait passer les bols, on échange des sourires, on remplit les verres, on brandit les couverts ; le repas commence.

"Merci pour ton bénédicité, Katie", dit Patrizia. Je devrais peut-être recommencer à aller à l'église, songe-t-elle. Ça me manque, les vitraux qui lancent des couleurs tremblantes sur les murs, les flammes vacillantes des cierges qui racontent nos pensées aux morts, les cantiques chantés à tue-tête, le petit encas de la mi-matinée… et, les rêveries, surtout, auxquelles on peut s'adonner pendant le prêche ! Après tout, c'est pas parce qu'on doute qu'il y ait Quelqu'un là-haut qu'on doit être privé d'église !

"Ah ! dit Hal en enfonçant ses incisives dans la chair tendre provenant de la cuisse gauche de la dinde. Cuite à la

perfection." C'est avec un certain soulagement qu'il fait cette constatation :
comme il vient d'acquérir une prothèse dentaire (deux fausses dents du
côté gauche et une à droite), il se méfie
pour l'instant de toute nourriture dure à
mâcher. Chloé n'est même pas au courant pour la prothèse : il peut l'enlever,
la nettoyer et la remettre en place
quand elle n'est pas là. Aucune raison
qu'elle la voie, se dit-il, pensant malgré
lui à cette blague affreuse sur le
couple vieillissant : "Oh chéri, dit la
femme un soir quand ils se mettent au lit,
ça fait si longtemps qu'on n'a pas fait
l'amour, tu étais tellement passionné
autrefois, tu te rappelles ? tu me mordais,
tu me griffais…" "Laisse-moi tranquille,
dit l'homme, je suis crevé." "Allez,
chéri, dit la femme, allez, je t'en supplie." "Bon d'accord, dit l'homme avec
un grand soupir. Passe-moi mes dents !"

"A la perfection", répète Hal. Ayant
achevé son bout de cuisse, il s'attaque
maintenant à un morceau de dos en le
poignardant, furieux de ne pouvoir
oublier cette blague.

On murmure des compliments. "Délicieuse, la julienne de légumes." "Votre
pain est vraiment excellent, Aron." "Gé-
niale, cette sauce aux airelles." Des man-
dibules malaxent, des papilles jubilent,

des langues zigzaguent, des épiglottes claquent, des œsophages font jouer involontairement leurs muscles. Beth déploie un effort conscient pour ne pas avaler ses bouchées de façon gloutonne mais les mâcher au contraire, lentement et intégralement, comme elle a appris à le faire jadis quand elle était membre des Weight Watchers. Aron, l'air absent, ne fait que tripoter avec sa fourchette le contenu de son assiette. Sean non plus ne mange pas beaucoup. Il se lève souvent et remplit discrètement les verres des autres dès qu'ils sont à moitié vides. Il a envie de... pousser cette soirée... quelque part...

Une fois apaisée la faim première, la plus urgente (du reste il s'agit plus de curiosité gustative que de faim à proprement parler), les convives commencent à chercher des sujets de conversation.

"Il est adorable, votre petit garçon, dit Patrizia.

— Merci, dit Hal en faisant disparaître quatre choux de Bruxelles d'un coup.

— Tout le mérite te revient à toi ? demande Beth.

— Vous êtes de Vancouver, c'est ça ? demande Brian.

— Quel âge a-t-il ? demande Beth.

— J'ai habité à Vancouver une fois, pendant près d'un an, dit Brian.

— Onze mois, dit Chloé.

— C'est chouette comme ville, dit Brian. Magnifiquement située… mais il y pleut beaucoup. J'y suis allé avec une bande de copains en soixante et onze, pour échapper à l'Oncle Sam.

— Ah bon, dit Chloé.

— Ils m'ont chopé quand même, les salauds… Un *25 décembre*, vous vous rendez compte ! J'étais venu passer Noël avec mes parents à Los Angeles.

— Brian, dit Beth. Elle ne sait pas de quoi tu parles. Elle n'était même pas née.

— Oh mon Dieu, c'est vrai. Vous n'étiez pas née à l'époque. Vous avez entendu parler de la guerre du Viêt-nam ?

— Ben oui. Bien sûr j'en ai entendu parler, dit Chloé, et elle ne ment pas, même si elle aurait du mal à faire la différence entre l'offensive du Têt et Pearl Harbor.

— Vous faisiez des études, là-bas ?" demande Rachel. Elle cherche le terrain commun qu'ils pourraient arpenter avec Chloé, cette mère enfantine aux yeux vides qui est probablement tombée enceinte dès que Hal l'a *regardée*. C'est injuste comme certaines femmes conçoivent sans effort, alors que l'utérus de Rachel est resté obstinément stérile

malgré de longues années consacrées
aux calculs de date, aux courbes de
température et aux injections d'hormones... Voilà trois ans qu'elle et Derek
ont renoncé à faire le saut *in vitro* :
elle avait déjà quarante-deux ans et les
futures mamans dans les salles d'attente
des gynécologues la regardaient d'un
air perplexe, se disant sans doute qu'elle
venait consulter pour des problèmes
de préménopause. "Qu'est-ce qu'elle a,
ta nouvelle épouse ?" avait demandé
Violet, sa belle-mère, à Derek, une fois,
alors que Rachel se trouvait dans la pièce
à côté. "J'étais sûre qu'elle te donnerait
un fils, enfin un fils, je meurs d'envie
d'avoir un petit-fils, et le temps passe..."
"Ce n'était pas inscrit dans notre contrat de mariage, maman."

"Encore un peu de patates douces,
Aron ? ajoute-t-elle à voix basse.
— Pardon ?
— Des patates douces ?
— Oh non ! Non merci.
— Non, dit Chloé. J'ai même pas fini
le lycée, moi." Je vais pas faire semblant, se dit-elle. Ou Hal m'aime, ou il
m'aime pas. Je vais pas passer la soirée
puis toute notre vie ici à mentir. Tant pis
s'il a honte de moi... Non, il se trouve
que j'étais pas en train de faire un doctorat quand j'ai rencontré le professeur

Hetherington. Même si on me demandait
parfois de jouer au docteur...

(La mère de Chloé était une femme
libre des années soixante-dix – trop libre,
trop femme, pas assez mère ; elle avait
eu, de deux pères différents, deux
enfants en succession rapide et sans
jamais vraiment y croire : un garçon et
une fille, Colin et Chloé. C'était Vancouver, c'était la pauvreté, une misérable
petite bicoque sur East Hastings, le
genre d'endroit où, à force d'y passer
ses journées, on ne sait même plus quoi
espérer... Les enfants avaient grandi
avec l'idée qu'ils habitaient une maison de poupée : deux boîtes en carton
superposées en équilibre instable et
toujours sur le point de basculer dans
le vide, les meubles bon marché et
dépareillés du "séjour" ne réussissant
jamais à les convaincre que cette pièce
était faite pour y *séjourner*. Une quantité ahurissante de drogue et de rap-
ports sexuels se consommaient dans
cette maison – et, comme si cela ne
suffisait pas, lorsque Colin eut neuf ans
et Chloé huit, leur mère s'amouracha
d'un camé à l'ecstasy et se mit à lui
offrir les corps de ses enfants pour son
plaisir. Le plaisir en question les sou-
mettait entre autres à de complexes
expériences de strangulation. Cet état de

choses dura plusieurs années et entama
considérablement, chez les enfants, le
sens du réel. Ils se réfugiaient aussi souvent que possible dans les jeux : cartes,
dames, morpion, billes, n'importe quel
jeu, pourvu qu'il fût doté de règles strictes
et d'une structure ferme ; enfin, vers
treize et quatorze ans, prenant leur courage à deux mains, ils étaient allés
dénoncer leur mère à la police, en
conséquence de quoi elle avait été
arrêtée, et eux placés dans des maisons
d'accueil, deux maisons différentes, aux
deux extrémités de la ville, en conséquence de quoi ils avaient fugué pour
se retrouver, négligeant l'école et maintes
autres obligations sociales dont celle
de rentrer dîner à la maison, en conséquence de quoi on les avait rattrapés
et placés à nouveau, dans deux *autres*
maisons différentes, en conséquence
de quoi, après avoir fugué encore, ils
s'étaient mis à voler dans les supermarchés et à passer la nuit dans les jardins publics, en conséquence de quoi
on les avait arrêtés et écroués dans deux
autres maisons différentes, cette fois
dites de redressement. Libérés enfin,
âgés respectivement de dix-huit et de
dix-sept ans, ils avaient loué un meu-
blé ensemble et s'étaient mis à vendre
leur corps sur le trottoir.)

"Non, je n'enseignais pas là-bas, dit Hal, venant à la rescousse de Chloé avec un grand éclat de rire. Je l'ai rencontrée, c'est tout. Je l'ai croisée par hasard sur Homer Street et je me suis jeté à ses pieds en la suppliant de me piétiner.

— Hal", dit Chloé en fronçant les sourcils, très mécontente de cette métaphore.

(Homer Street était en principe le turf des gais… mais, tels les jumeaux androgynes des comédies shakespeariennes, Colin et Chloé s'amusaient souvent à changer de rôle pour se raconter ensuite, en rentrant déjeuner au petit matin, les quiproquos les plus cocasses de la nuit. Leurs mots et leurs rires partagés étaient la mince couche d'humanité qui les protégeait contre la violence crue de leur quotidien. Malgré le découragement qui l'envahissait à mesure qu'elle apprenait l'alphabet monotone des perversions humaines, notamment la quantité invraisemblable de douleur que des hommes par ailleurs normaux étaient prêts à infliger ou à endurer pour se délester d'une cuillerée de sperme, Chloé voyait ces années, rétrospectivement, comme une période de bonheur : parce qu'ils étaient ensemble Colin et elle, et maîtres de leur destin. Ensuite Colin avait été tué à coups de couteau par un client qui ne percevait plus la frontière entre les fantasmes et le reste, et Chloé s'était retrouvée toute seule. Le tampon réconfortant des mots et des rires fraternels avait été remplacé, d'abord par le whisky, ensuite par la cocaïne. A vingt et un ans, elle était bonne pour devenir accro : c'est alors que Hal Hetherington, sillonnant les rues de Vancouver en principe pour y camper quelques scènes de son roman sur la ruée vers l'or, avait épié sur Homer Street son corps mince aux allures de jeune garçon, et s'en était violemment épris. Comme d'habitude, aussitôt après avoir payé la fille pour l'utilisation de sa chair, il avait été saisi par l'impulsion de lui sauver l'âme. Ne voulait-elle pas l'épouser ? venir vivre avec lui ? devenir la mère de ses enfants ? Et, à sa stupéfaction, contrairement aux nombreuses jeunes prostituées androgynes à qui il avait fait cette même offre au cours des années, Chloé avait répondu oui.)

"Homer Street ! dit Hal. C'est pas incroyable, ça ? Romancier américain rencontre amour de sa vie dans la rue Homère, à Vancouver !

— Ne te fais pas des idées ! dit Rachel. Il s'agit probablement d'un certain Randolph Homer, inventeur en 1862 de la mise en conserve du saumon.

— Et vous, Beth ? demande Charles, par politesse, à sa corpulente voisine d'en face. Vous faites quoi ?

— Je suis chirurgienne, dit Beth. Généraliste.

— Ah bon ? Ça doit être…

— En fait je travaille de nuit à l'hôpital de Welham. Aux urgences.

— Ah ? dit Charles. Ça doit être…" (Brusquement il est replongé dans un jour de l'été passé : il traverse le centre-ville de Chicago en ambulance, avec sa mère dans un coma diabétique. L'ambulance se fraie difficilement un chemin dans les embouteillages ; il a les mains glacées et le front baigné de sueur : "Accroche-toi maman, on va y arriver, ne me quitte pas maman, accroche-toi…" Il se rappelle les contours nets et distincts qu'avait chaque voiture et chaque immeuble au cours de ce trajet, les couleurs éclatantes des habits d'été que portaient les gens dans la rue, le message bouleversant qu'exprimait chaque visage qu'il entrapercevait depuis l'ambulance : *la vie, la vie…* toutes ces impressions se déversaient en lui, s'entrechoquaient et se mélangeaient, lui donnant le tournis… jusqu'à ce qu'ils arrivent enfin à la salle des urgences.)

"Oui, tu dois voir des choses dramatiques parfois", dit Derek. (Il pense au

chaos qui régnait à l'hôpital Saint Luke's
à Manhattan, la nuit où il y était allé
après s'être cassé l'auriculaire de la main
droite dans une ridicule échauffourée
d'étudiants dans le dortoir de Columbia.
Comme l'ordre du passage devant le
médecin était déterminé par la gravité
du cas, il avait attendu la moitié de la
nuit. De jeunes Noirs arrivaient en courant, la tête pissant le sang ; d'autres, le
bras déchiqueté par des balles, mar-
chaient avec le soutien de leurs amis ;
il y avait de petites vieilles recroque-
villées de douleur, des vieillards qui
ahanaient sur des brancards, des enfants
fébriles aux yeux voilés, inertes dans
les bras de leurs parents paniqués...
"Bon ben, je vais peut-être rentrer éclis-
ser mon doigt moi-même", avait-il
décidé, n'en pouvant plus, à quatre
heures du matin.)

"En effet, dit Beth, mais Brian profite
de ce qu'elle a la bouche pleine de farce
pour lui couper la parole.

— Il n'y a pas trop de crimes violents
à Welham, dit-il. Mais, la semaine dernière, deux fermiers ont eu une chi-
cane, l'un des deux a pris sa fourche et
vlan ! dans la tête de l'autre.

— Berk ! dit Katie.

— Il était déjà mort en arrivant à l'hôpital, dit Beth. Mais on a fait une radio
quand même, c'est obligatoire.

— C'était dingue, renchérit Brian. La fourche était littéralement *plantée* dans son crâne. Les quatre dents traversaient le cerveau de part en part.

— Elle était émouvante, cette radio, dit Beth d'une voix douce.

— Ah oui ! les soins dentaires, dit Brian, lui gâchant son effet.

— Oui, dit Beth, avalant sans la mastiquer une nouvelle bouchée de farce et enfonçant un coude dans les côtes de son mari. C'est l'autre chose qu'on voit bien sur une radio. Le type avait sept ou huit plombages. Autrement dit, il avait entretenu son corps. Il avait dépensé une certaine somme d'argent. Il avait envie que ses dents lui tiennent longtemps. Et puis un beau jour, une insulte de trop...

— Quelqu'un a lu le dernier Philip Roth ? demande Hal, mal à l'aise avec le sujet des dents.

— Ça me rappelle un type que j'ai défendu une fois, dit Brian.

— Oh Brian, pas encore l'histoire du couteau ! dit Beth. Tout le monde la connaît.

— Moi, je ne la connais pas, dit Charles, que sa récente bataille téléphonique avec Myrna a rendu hypersensible à tout ce qui ressemble, de près ou de loin, à de l'arrogance féminine. C'est quoi l'histoire du couteau ?

— Fais la version courte alors", dit Beth en poussant un soupir.

Et Brian de raconter l'histoire d'un de ses clients, un commis voyageur, dans le crâne duquel un client énervé avait plongé un couteau à la verticale, de la fontanelle jusqu'au menton. Par miracle, la lame était passée entre les deux hémisphères cérébraux et l'homme avait survécu avec un léger bégaiement pour toute séquelle. Il avait traîné son agresseur en justice parce que, ayant perdu son bagou, il ne pouvait plus exercer son métier.

Tout le monde rit sauf Chloé, qui se lève abruptement et quitte la table. Ils entendent ses pas rapides dans l'escalier.

"J'ai dit quelque chose ?" demande Brian. Comme toujours quand il est gêné, le bourdonnement dans son oreille droite se fait plus insistant.

"Oh, elle veut sans doute jeter un coup d'œil sur le mouflet", dit Hal.

Comme Chloé n'a jamais parlé à Hal de son frère, il ne peut pas deviner que les couteaux la perturbent profondément. Et comme elle ne lui a jamais parlé non plus de son attachement pour la cocaïne, il ne lui vient pas à l'idée qu'elle est en train de se faire une ligne dans la salle de bains du premier étage. Il

y a beaucoup de choses dans le passé
de Chloé qu'elle n'a pas racontées, et
ne racontera jamais, ni à Hal ni à personne.

"Mais on ne l'a pas entendu piper !
dit Patrizia.

— Peut-être qu'elle a l'estomac sen-
sible, dit Rachel.

— Oui, dit Derek, on ne sait jamais.
Les cerveaux transpercés par des couteaux et des fourches, ce n'est peut-être
pas son idéal de conversation pour
Thanksgiving.

— OK, dit Brian. Désolé." (Oui, ils
devraient changer de sujet. Il préfère
penser à n'importe quoi sauf aux dossiers qui encombrent son bureau et ses
étagères, les comptes rendus lugubres
et monotones d'effractions et d'infrac-
tions, de violations et de viols, de tabas-
sages et d'affaires de drogues – oh
mon Dieu le shit la coke les flingues et
l'obscénité constante, les corps maigres
et malsains les regards fuyants les
mains nerveuses les voix rancunières
les barres métalliques le marteau du
juge – "Mesdames et messieurs du jury"
– et ses propres efforts pour expliquer,
raisonner, contenir le chaos, délimiter la
douleur, empêcher que soient trans-
gressées les frontières du corps et de la
propriété : ceci est à vous, ceci ne l'est

pas, ne touchez pas ne pénétrez pas
ne poignardez pas ne dérobez pas –
et, malgré tous ses efforts, la douleur
sourd toujours, elle monte et déborde
toujours, des tabous sont bafoués des
barrières défoncées des hymens perfo-
rés des crânes matraqués des serrures
brisées des fenêtres fracassées... Ce
matin même, au commissariat de Roxbury, le médecin légiste lui avait montré
un sweat-shirt Harley Davidson, encore
taché et humide de sang à l'endroit du
cœur : la balle avait traversé la tête de
l'aigle cousu sur le dos du vêtement, la
victime avait seize ans et son agresseur, le client de Brian, dix-sept. *The
Legend Lives On*, proclamait le sweat-
shirt : oui, sans conteste la légende vivait
encore mais le gamin, lui, était mort, et
Brian n'avait même pas le droit de le
pleurer, il n'avait d'autre choix que de
plaisanter à ces moments-là, c'était la
seule manière de survivre, tout comme
on plaisantait en comparant les photos
d'éclaboussures de sang, encadrées et
accrochées dans le couloir aux *Nym-
phéas* de Monet, ou comme on charriait
les employés de la morgue en leur
demandant si les vers de ce matin étaient
de l'espèce sautante ou rampante.)

"Ah ! c'est merveilleux d'avoir un bébé,
je vous envie, dit Beth dans un soupir.

Parfois je monte à la maternité pendant ma pause café, rien que pour voir
des bébés. Ça me calme tout de suite.
Je ne sais pas... l'idée que chacun
d'eux est un miracle absolu, un espoir
absolu...

— Tu as raison, dit Sean. C'est étonnant de voir comme l'espoir se renouvelle
toujours. Comme les gens réussissent à
ne pas voir la forme que prend une
destinée humaine : ça monte, puis ça
descend... Avec l'apogée en moyenne
vers l'âge de... euh, trois ans ?

— Tu as vraiment envie de vivre en
enfer, n'est-ce pas, Sean ? dit Beth avec
son sourire le plus charmant. Et d'entraîner avec toi le plus de monde possible. Tu ne crois en rien.

— Bien sûr que si, dit Sean. Je crois
en Patchouli.

— Non, mais je vois ce qu'il veut
dire, dit Rachel pour défendre Sean.
Moi aussi, il y a des jours où je ne supporte pas la vue des jeunes. Surtout en
groupe.

— C'est parce qu'on les envie, non ?
dit Katie.

— Non, dit Rachel, ce n'est pas ça.
C'est leur... arrogance. Ils sont là à prendre toute la place dans les cafés et les
bistrots, à parler haut et fort, à dégouliner de testostérone et d'idées toutes

faites : «Le monde est à nous !...» alors
qu'ils n'y connaissent rien, rien, rien !"
Schopenhauer avait raison, poursuit-
elle dans sa tête. L'idée que la Vie a sa
force propre, ses exigences propres. Le
nouveau débarque, tel un rouleau com-
presseur, et écrase joyeusement le vieux,
en toute innocence. Il en a toujours été
ainsi et il en sera toujours ainsi, quelles
que puissent être les aspirations et les
opinions de chaque époque.

"Tout de même, insiste Katie, je suis
sûre qu'on en veut à la jeunesse au
moins en partie parce qu'on ne l'a plus.
C'est terrifiant de vieillir." Toi, maman,
se dit-elle, tu n'es pas devenue vieille.
Tu seras jeune à tout jamais.

"Terrifiant, pourquoi ? demande Sean.
On meurt et puis c'est tout.

— Mon fils a peur de vieillir, dit Patrizia au même moment.

— Votre *fils* ? dit Charles. Quel âge
a-t-il ?

— Neuf ans.

— Il a neuf ans et il a peur de vieillir ?

— Ben oui. Il dit qu'il n'a pas envie
d'entrer dans les nombres à deux chiffres.
Qu'il a suffisamment grandi comme ça.
Qu'il voudrait s'en tenir là."

Brian et Hal éclatent de rire.

"J'avais neuf ans quand mon père
est mort, dit Sean. Je ne permettrai à

personne de se moquer de la sensibilité d'un enfant de neuf ans.

— Il dit, poursuit Patrizia, qu'il n'arrive pas à croire que c'est *ça* sa vraie
vie. Il dit que chaque chose qu'il voit
lui brise le cœur parce que ça lui rappelle
une autre fois où il l'a vue, «quand il
était heureux». L'été dernier, il a refusé
de jouer au badminton au mois d'août
parce que ça lui rappelait les matchs
de badminton du mois de juillet. «Ce
n'est plus le bonheur, disait-il, c'est le
pèlerinage au bonheur.» Et la semaine
dernière, se rendant compte qu'il pouvait maintenant prendre un verre dans
le placard sans l'aide d'un tabouret, il
a été dévasté. Il dit qu'il y a dans sa
tête une petite voix qui répète sans
cesse : «Plus jamais.»

— C'est extraordinaire, dit Sean. Edgar
Poe a mis trente-six ans à comprendre
la même chose.

— Je suis tombée l'autre jour sur une
photo d'Alice à neuf ans, dit Katie. Notre
fille aînée, ajoute-t-elle, pour Charles.
C'était sur sa carte de bibliothèque.
Elle était là : cheveux en bataille, appareil orthodontique, sourire décontracté…
la photo d'une personne qui n'existe
plus."

Je croyais qu'ils avaient perdu un fils,
se dit Charles. Il ne connaît la tragédie

des Korotkov que par fragments, gla-
nés au hasard des conversations en ville.

(Beth, pour sa part, songe à Vanessa à
quatre ans : fillette espiègle et affectueuse
aux joues rouges… oh, à l'époque, elle
m'aimait encore de façon aveugle et
inconditionnelle à l'époque, oui de
l'intérieur, elle était encore la chair de
ma chair… Quand est-ce que ça a
changé ? A quel moment ton regard sur
mon corps est-il devenu négatif, mépri-
sant, objectivant ? Et quand je pense au
bonheur que j'avais de te porter, au
plaisir que mon corps m'a donné pendant les neuf mois merveilleux de la
grossesse. Pour une fois je pouvais
donner libre cours à mon appétit sans
culpabiliser parce que je mangeais pour
te nourrir *toi*, pour que tu grandisses
bien, chair de ma chair, moi terre mère,
et quand tu es née je n'étais pas pressée
de maigrir parce que j'étais toujours de
la nourriture pour toi, j'avais les seins
énormes et lourds, gonflés à bloc,
débordant de lait, et je me réjouissais
d'être là pour toi, de te suffire… Tu te
rappelles comme tu te cachais le visage
entre mes seins en pouffant de rire ?
Quel âge avais-tu alors ? Deux, trois ans ?
Terrible de ne pas s'en souvenir. On se
roulait sur le lit toutes les deux, tu jouais
avec mes cheveux et me grimpais sur

le ventre… j'étais une montagne pour toi, mon adorée, quand est-ce que ça s'est arrêté ? Et pourquoi ? Maintenant ton régime est scotché sur le frigo et je le reçois comme une gifle chaque fois que je prends un petit en-cas… Mais il *faut* que je mange en rentrant de l'hôpital, comprends-tu, après la tension de la nuit, où je dois faire face toutes les cinq minutes à une nouvelle forme de souffrance, des patients gémissants, prostrés, hystériques… cette nuit, par exemple, la petite vieille qui est arrivée avec tous les symptômes de l'occlusion intestinale : abdomen enflé, douleurs et vomissements… Mais quand je lui ai demandé si elle avait eu des gaz au cours de la journée elle a fondu en larmes : "Je n'ai jamais été aussi humiliée de ma vie !" Ou le chauffeur d'ambulance à trois heures du matin : "Je croyais que vous aviez parlé d'un *môme*, moi j'étais convaincu que je venais chercher un *môme* !" "Mais non, disait l'épouse du malade, j'ai dit *hématome*, c'est un *hématome* à la tête, j'ai rien dit d'autre !" "Vous avez dit *môme*, j'en mettrais ma main au feu, c'était pour me faire arriver plus vite !" "Pourquoi j'aurais dit *môme* quand il s'agit d'un *hématome* ?…" Ils en sont presque venus aux mains, alors que le

pauvre homme perdait connaissance
sur son brancard à attendre la prise en
charge... Ou la petite fille qui est tombée du sixième étage l'été dernier...
encore vivante quand on l'a amenée,
mais les os en miettes... On a fait l'impossible pour la sauver, avec sa mère
qui se cognait la tête contre la cloison
de verre, encore et encore... Et quand
on l'a perdue, tout le service a sombré
dans la déprime, pendant des semaines
on n'a pas pu se regarder dans les
yeux... Oh, Vanessa ! Chaque nuit je
sens la tension monter dans mon corps
et pour la dissiper je *dois* me faire un
bon petit déjeuner en rentrant le matin...
Ah ! je sens le plaisir de la nourriture
me courir dans les veines, la souffrance se dissoudre petit à petit... Tu
ne veux même pas *essayer* de me comprendre ?)

"C'est une jeune femme ravissante,
dit Aron de but en blanc.

— Qui ça ? demande Katie en sur-
sautant.

— Chloé.

— Vous avez déjà vu Hal avec un lai-
deron ? dit Beth.

— Non, reconnaît Aron. Mais elle a
quelque chose de spécial, cette Chloé.

— Ce n'est pas moi qui vous dirai le
contraire, dit Hal.

— Eh Sean ! dit Leonid. Tu veux qu'on garde les os pour Patchouli ?

— On lui a déjà demandé, dit Katie.

— Qui est Patchouli ? demande Chloé, revenant à ce moment dans la pièce.

— C'est le chien de Sean, dit Hal. Comment va le petit ?

— J'ai pas vu de chien... Il y a un chien ici ? demande Chloé, inquiète.

— Oh ! Patchouli ne ferait pas de mal à une mouche, dit Hal, et les autres éclatent de rire.

— Mais il est là ? dans la maison ? demande Chloé.

— Il n'a jamais mordu personne, que je sache... ? ne peut s'empêcher de glisser Rachel.

— Pas de blondes en tout cas, fait Patrizia avec un petit gloussement.

— Arrêtez de l'embêter ! dit Beth.

— Faites passer le maïs et SUFFIT !" rugit Hal en tapant du poing sur la table. Mais, comme Beth a déjà terminé le maïs, il doit se contenter de patates douces et de choux de Bruxelles.

"Comme ça, tu travailles à un roman sur la ruée vers l'or ? dit Leonid. Quelle époque palpitante ça a dû être !"

Ravi, parlant la bouche pleine, Hal se lance dans une longue description de la région du Klondike dans les années 1890, tandis que Chloé se retire dans le monde privé et parfait qu'elle partage encore avec son frère Colin.

Regarde-moi tous ces vieux schnocks, Col, se dit-elle. Tu te demandes ce que je suis venue foutre parmi eux ? Ah je vais pas passer beaucoup de temps avec ces amis de Hal, ça je te le garantis. Laisse-moi te le dire, Col, c'est des gens de la haute. Tout est haut chez eux : leur QI, leur salaire, leur opinion d'eux-mêmes. Mais *nous*, on sait, hein ? Elle est pas haute, la vérité, elle est basse. Ras des pâquerettes, n'est-ce pas ? Ou encore mieux : sous terre, comme toi. Non, mais regarde-moi ce barbon, là. Qu'est-ce qu'il fout là, d'ailleurs ? Les autres sont vieux, déjà, mais lui est carrément croulant. Doit avoir cent ans. N'ouvre jamais la bouche. Yeux bleus vides, cerveau vide. Cent ans sur la Terre, et voilà la conclusion qu'il en tire : rien.

Chloé ignore tout de Sean et ne peut donc deviner la logique qui a présidé à son choix : ont été invités tous ses amis du coin qui, en cette soirée de réjouissances obligatoires, risquaient de souffrir de la solitude.

Quant au cerveau d'Aron, il n'est pas vide, il est seulement loin. (Impressionné comme toujours par la quantité de nourriture que les Américains peuvent ingurgiter au cours d'un seul repas,

il est retourné dans son esprit à Pretoria,
cet après-midi brûlant du mois de
février 1933, un an et demi à peine
après leur arrivée, quand ils avaient eu
vent de la nouvelle famine en Ukraine :
famine entièrement due à la soigneuse
planification soviétique. Un cousin ger-
main du père d'Aron, parti vivre aux
Etats-Unis après la première vague de
pogroms en 1905, était rentré brièvе-
ment à Odessa pour l'enterrement de sa
mère et ce qui se passait au pays
l'avait traumatisé. Aron, âgé alors de
dix-huit ans, ne devait jamais oublier le
choc de voir son père effondré, en sanglots, sur la lettre de son cousin. En tant
que boulanger, il avait eu des échanges
constants avec les cultivateurs et,
même si l'on était loin de connaître
toute l'étendue du drame, les effets
étaient déjà là, palpables et horrifiants :
les Soviétiques avaient réquisitionné la
quasi-totalité de la récolte annuelle,
assassiné ou déporté vers l'est en tant
que "koulaks"des centaines de milliers
de paysans... et maintenant, pour
punir ce pays de son déviationnisme
nationaliste, son manque d'enthousiasme marxiste-léniniste, sa lenteur à
se plier à la collectivisation forcée, ils
allaient laisser, non, encourager, non,
aider six millions d'Ukrainiens à mourir

de faim... *oui six millions, oui mourir...*
Ah, se dit Aron, mais personne ne s'intéresse à ces six millions-là ; il y a de fortes chances pour qu'ils ne figurent même pas, au mot "Ukraine", dans l'encyclopédie de Sean, là-bas sur l'étagère... A la suite de cela, les Zabotinsky avaient abandonné le russe, même à la maison ; cette langue qui, pour les juifs d'Odessa, avait symbolisé la poésie et la culture était celle dans laquelle l'Ukraine était maintenant humiliée et affamée. En Afrique du Sud la mère d'Aron avait donc cessé de réciter Pouchkine et Akhmatova à son fils. Délaissant sa peau de jeune juive charmante, romantique et poétique, elle s'était muée en une Blanche agressive, capitaliste et sioniste. La langue anglaise était venue se glisser entre eux, pragmatique et progressiste, évinçant le russe avec ses sombres associations d'intimité et de mystère...)

Rachel n'écoute pas Hal non plus parce qu'elle n'a jamais été friande de ses romans et doute qu'elle lira celui-ci au moment de sa parution. (Sclérose et squelettes, se dit-elle, même racine – *skeletos, sklêros* : dureté, sécheresse ! On se durcit, on se dessèche. Comment se fait-il que, sur le visage au repos des gens d'un certain âge, quand ils ne sont

animés par aucun sentiment particulier,
c'est la *tristesse* qui ressort ? Tristesse et
défaite. Lettre aux jeunes. Mise en garde.
Les lourdes paupières pendantes de
Leo… sa bouche qui dessine un sourire à l'envers, creusant deux plis qui lui
descendent jusqu'aux bajoues. Les sourcils de Katie : froncés, plissés comme
un rideau de souci permanent sur ses
yeux. Mes joues à moi : ridées, hachu-
rées par l'angoisse. Les profonds sillons
horizontaux dans le front de Derek :
résultat, dirait-on, de plusieurs décennies de tourment ininterrompu. Et cet
air imbécile, presque mongolien que
prend Aron, dès qu'il s'absente de son
regard… Aucun d'entre nous n'est beau,
quand on y pense. Sauf Chloé, bien
sûr, mais ça ne compte pas ; Chloé
n'est belle que parce qu'elle est jeune.
Peut-être que personne n'est beau en
dernière analyse. Peut-être que la beauté
humaine n'est qu'une illusion hormo-
nale, utile à la perpétuation de l'espèce ?
A quoi ressemblerait la beauté *vraie*,
Platon ?)

   Et Katie, malgré elle, a glissé une fois
de plus vers le 2 août 1998, jour fatidique
où elle avait compris que sa vie était
sur le point de basculer. Puis elle avait
basculé. A jamais. (Depuis trois jours le
téléphone de David avait sonné occupé

de façon obstinée, affolante, provoquant chez Leonid et Katie d'abord la
surprise puis l'inquiétude puis l'insomnie et des grincements de dents, les
poussant enfin à appeler les réclama-
tions en désespoir de cause : *"Que se
passe-t-il ?"* "Désolée, il a dû laisser le
combiné décroché par erreur, je ne
peux rien faire pour vous." .... Katie :
"Tu ne crois pas qu'on devrait faire un
saut à Boston ?" Leonid : "Il nous a dit
de le laisser tranquille." .... Leonid :
"Peut-être qu'on devrait aller à Boston ?"
Katie : "Il nous a *ordonné* de le laisser
tranquille." David avait été le benjamin
de la fratrie... jusqu'à l'arrivée inopi-
née de Sylvia six ans plus tard. Les
photos dans l'album de famille mon-
traient un petit garçon joufflu, joyeux
et plein d'entrain... jusqu'à quand ? *Où
est-ce qu'on s'est trompés ?* se demande
Katie. Son chagrin nourrit sa culpabilité, et tous les mets qu'il lui apporte
sont avariés ; chaque bribe de souvenir peut être repêchée et étudiée sous
un angle nouveau ; même les images
les plus lumineuses peuvent être conta-
minées par le doute et la méfiance : n'y
avait-il pas là, même à l'époque, un
soupçon de moisissure, un relent de
putréfaction... la vie de David n'était-
elle pas déjà en train de s'assombrir ?

Sur le point d'achever son doctorat en musicologie à la célèbre école de musique Berkley, David avait abandonné ses études pour se défoncer à l'héroïne, claquemuré dans une minuscule chambre crasseuse sur Power Street, en face du trafic rugissant de la route surélevée General Pulaski. "On ne peut pas t'aider ?" "La seule façon de m'aider c'est de me laisser vivre ma vie." "Il n'y a vraiment *rien* qu'on puisse faire pour t'aider ?" "Je ne pourrai pas grandir si vous êtes toujours là à me tenir la main." Où avaient-ils pris le mauvais tournant, comment avait pu éclore chez leur fils cadet ce besoin de se dénigrer et de se détruire ?)

"Tu aurais pu apprendre tout ça sans aller jusqu'à Vancouver, dit Beth.

— C'est-à-dire… ? dit Hal, mécontent d'être abattu en plein vol d'éloquence.

— Mais dans des bibliothèques, dit Beth. Ou sur Internet…

— Non, dit Sean d'une voix ferme. Pas de ça chez moi, merci. Pas ce soir.

— Allons, Sean, dit Beth. Tu ne vas pas nous refaire ton laïus anti-modernité, j'espère ?

— Non. Je vais simplement demander qu'on s'abstienne de prononcer ce mot-là ce soir.

— Tiens donc, dit Beth. Et peut-être aurais-tu la bonté de nous dire quels *autres* mots tu as choisi de proscrire ?

— Je propose, dit Sean après une brève hésitation, repoussant son assiette et allumant une cigarette avec des mains qui tremblent de façon visible, je propose que chacun de nous précise maintenant, d'entrée de jeu, quel mot il aimerait exclure de la conversation. Réfléchissez."

Le silence fait sursauter Aron.

"Quoi ? Quoi ?" dit-il en lançant des regards à droite à gauche.

Rachel se penche vers lui et lui dit, directement à l'oreille : "Un mot que vous préféreriez ne pas entendre.

— Non non, j'entends très bien, dit Aron, remontant discrètement le volume de son appareil auditif.

— Un mot par personne, dit Sean. Katie ?"

Il compte sur Katie pour le soutenir, lui montrer de l'indulgence, et elle ne le déçoit pas.

"Clone, dit-elle. Pas de clones ni de clonage ce soir, vous voulez bien ?

— Excellent ! dit Sean. Leo ?

— Nucléaire, dit Leonid. Si possible.

— D'accord ! dit Sean. Pas d'Internet, pas de clones, pas de nucléaire. Quoi d'autre ? Patrizia ?

— Cancer.

— Sauf en tant que signe astrologique.
Brian ?

— Palestine, dit Brian, provoquant
un grand éclat de rire.

— Si on censure la Palestine, dit Aron,
qui entend très bien maintenant, il nous
faudra censurer Israël aussi.

— Et comment ! dit Sean en vidant
son verre, heureux de la tournure que
prennent les choses. Et toi, Charles ?

— Peut-être pourrait-on supprimer
toute allusion au divorce ?

— Aïe aïe aïe, ça ne va pas être
facile ! dit Brian qui, comme toujours
quand il boit, rit et transpire à l'excès
(les lunettes embuées, le nez et le front
rougis à force de rire). On pourrait peut-
être l'appeler «le mot-en-D» ? A toi, Beth,
ajoute-t-il en se tournant vers sa femme,
conciliant. Toi aussi, tu as le droit d'interdire un mot.

— C'est ridicule", dit Beth. Elle croise
les bras sur son ample poitrine et rougit, elle aussi. Elle déteste le rôle dans
lequel elle se trouve cantonnée, chaque
fois, face à Sean : le rôle d'une femme
moralisatrice et intolérante, alors qu'au
fond d'elle-même ce n'est pas du tout
celle qu'elle croit être.

"Allez, supplie Brian. Ce n'est qu'un jeu.

— Bon, ben alors… calories !"

Nouvel éclat de rire.

"Woody Allen ! dit Rachel.

— Saddam Hussein ! dit Derek.

— Viagra ! dit Hal, et plusieurs d'entre eux approuvent, applaudissent. Et toi, Chloé ? demande-t-il avec tendresse à sa jeune épouse. Il y a une chose dont tu préférerais ne pas parler ?

— Oui, dit Chloé.

— Quoi ? demande Patrizia.

— La luzerne", dit Chloé, avec un petit sourire provocant qui lui vaut l'affection de Sean tout de suite et à jamais. (Elle a appris le mot "luzerne" d'un de ses clients ; elle leur demandait toujours ce qu'ils faisaient dans la vie, pour qu'ils pensent qu'elle s'intéressait à eux comme individus, c'était mieux ainsi, ça allait plus vite ; ils prétendaient tous être de riches médecins ou avocats ou hommes d'affaires et leurs propres mensonges les faisaient bander, mais celui-là lui avait répondu qu'il était cultivateur de luzerne – ça, il n'aurait pas pu l'inventer ! – et, comme elle avait fumé plusieurs joints dans l'après-midi, l'idée l'avait fait hurler de rire : "Cul-cul-cultivateur de lu-lu-luzerne !" avait-elle bégayé, tout en rangeant dans son sac la liasse de billets de dix qu'il lui avait donnée. "Et c'est comment, la luzerne ?" Par bonheur, au lieu

de s'offusquer, l'homme lui avait expliqué que la luzerne était une jolie plante
fourragère aux fleurs violettes, et qu'il
en possédait des centaines d'hectares
dans la province voisine d'Alberta – oui
des champs de minuscules fleurs violettes à perte de vue – et l'image de cette
mauve douceur illimitée avait procuré
à Chloé une sensation de paix inhabi-
tuelle.)

IX

RACHEL

QUE DEVIENDRA RACHEL ? Eh bien, en règle générale, les gens normaux dépriment un peu en prenant de l'âge et ceux qui sont déjà déprimés le deviennent encore plus. Rachel ne fera pas exception à cette règle.

Elle est en deuil depuis sa naissance : d'abord il lui a fallu pleurer ses oncles et ses tantes zyklonés, les juifs d'Europe, ensuite les enfants qu'elle n'a pu concevoir... puis Sean Farrell, l'être qu'elle aimait le plus au monde... puis Derek, qu'elle avait non seulement aimé mais épousé. Malgré tous ces deuils et à vrai dire malgré elle, Rachel vivra vraiment très vieille. Et le plus surprenant, c'est qu'elle restera jusqu'au bout un professeur de philosophie tout à fait remarquable. Elle sait éveiller l'enthousiasme de ses étudiants. Susciter leur soif de compréhension, puis la désaltérer un peu... pour mieux leur faire voir à quel point ils restent assoiffés. Elle sait faire vivre et verdoyer non seulement les dialogues de Platon, dont elle connaît bon nombre par cœur, mais les paysages mentaux à première vue plus arides de Kant, de Hegel et de Leibniz. Ses étudiants la vénèrent. Ils la remercient. Ils lui dédient leurs livres et leurs thèses. Ils l'érigent en modèle de bonté et de lucidité. Quand survient son soixante-cinquième anniversaire, personne ne songe à prononcer le mot de retraite. Elle est bien plus qu'un pilier du département : un monument national. Son esprit reste vif et sa langue, agile ; les décennies n'émoussent en rien son humour noir. A l'âge de quatre-vingt-trois ans, elle donne encore des conférences magistrales, et les amphithéâtres sont encore bondés.

Il y a une autre raison pour laquelle, malgré des velléités dans ce sens, Rachel ne se jette pas dans les bras toujours ouverts et accueillants de la mort. Une raison double : Angela et Marina, les filles de Lin et Derek. Elles sont quasiment orphelines maintenant, leur père étant décédé et leur mère n'ayant plus donné signe de vie depuis vingt, trente, quarante ans. Rachel se dit que les filles – Marina, surtout – ont besoin d'elle. C'est là une

*des rares surprises agréables que vous
réserve la vie, songe-t-elle : les gens s'at-
tachent réellement les uns aux autres.
A soixante ans, Marina aime passionnément sa belle-mère octogénaire, désillu-
sionnée et éloquente. Tous les quinze
jours environ, les deux femmes se retrouvent à Manhattan pour boire un verre,
aller au cinéma, au ballet, au restau-
rant, au musée...*

    *Le jour où je viens la chercher, par
contre, Rachel se trouve chez elle. Tout
à fait seule dans la grande et vieille
maison que Lin et Derek avaient achetée, dans les années soixante-dix, peu
après leur mariage. La maison a subi de
nombreuses transformations depuis
que Rachel la connaît. Longtemps, Lin
a dansé dans son grenier. Angela et
Marina y ont fait leurs premiers pas.
Après le départ de Lin, Rachel est venue
y vivre. Angela s'est envolée, puis Marina.
Ensuite Derek est mort, et son service
funéraire a eu lieu dans la grande et
vieille maison. Après quoi, pendant de
longues années, Rachel y a habité seule.
Et voilà qu'aujourd'hui elle va y mourir.*

    *Elle s'est fait couler un bain. Elle
dénude son vieux corps maigre et noueux
et entre précautionneusement dans la
baignoire, en s'agrippant au rebord. Lui
revient soudain en mémoire ce jour*

*lointain où, à la suite de sa seule vraie
tentative pour mettre fin à ses jours
(elle venait de se rendre compte qu'ajuster ses névroses à celles de Sean n'était
peut-être pas le chemin le plus direct
vers le bonheur), Lin lui avait donné
un bain. Ah comme l'eau chaude lui
avait fait du bien ce jour-là, versée par
son amie la plus chère sur sa peau croû-
tée de vomissures et d'excréments... Et
là, toutes ces années plus tard, déstabi-
lisée peut-être par ce souvenir ancien
qui a ressurgi à l'improviste dans son
cerveau, elle perd l'équilibre. Tombe. Se
cogne la tête contre le robinet d'eau
froide. S'évanouit de douleur. Glisse
sous l'eau, à la surface de laquelle flottent des bulles parfumées.*

*Telle est la fin de l'âme de Rachel.
Mais les aventures de son corps ne sont
pas tout à fait terminées. Elle a une voisine, voyez-vous, une femme très gentille
du nom de Sarah. Sarah est nettement
plus jeune que Rachel, septuagénaire
seulement, mais déjà en train de déva-
ler à toute vitesse la pente d'Alzheimer.
Ce soir-là, Sarah apporte chez Rachel
une lettre qui a été livrée par erreur
chez elle. Elle frappe à la porte, pas de
réponse, elle voit que les lumières sont
allumées alors elle frappe plus fort,
appelle, pas de réponse, elle essaie la*

porte et la trouve ouverte – "Rachel ?
Rachel ?" –, jette un coup d'œil dans les
différentes pièces – "Rachel ?" –, entre
enfin dans la salle de bains, voit le
cadavre dans la baignoire, pousse un
cri d'effroi, se précipite chez elle et
oublie ce qui s'est passé avant d'y arri-
ver. "Mais… dit son mari, pourquoi tu
n'as pas donné sa lettre à Rachel ?"
"Ah oui", balbutie Sarah en rougissant
de honte – elle sait que sa mémoire
commence à lui jouer des tours –, alors
elle se ressaisit, retourne à la maison
voisine, trouve la porte grande ouverte,
entre dans la salle de bains, voit le
cadavre, pousse un cri d'effroi et rentre
chez elle en courant, la lettre toujours
à la main. "Ne me dis pas que tu as
encore oublié de la lui donner !" dit
son mari avec un sourire indulgent…

Et ainsi de suite, et ainsi de suite, pen-
dant cinq ou six aller et retour…

S'ils avaient pu assister à la scène, Sean
et Rachel se seraient probablement tenu
les côtes de rire.

X

LE TEMPS PASSE

LE PUNCH et le vin commencent à faire leur effet, les convives se décontractent peu à peu, leurs auras s'étendent autour d'eux et se chevauchent. Sean est fier de son degré d'ébriété : juste ce qu'il faut, se dit-il, écrasant une cigarette dans le cendrier et en allumant aussitôt une autre, juste ce dont j'avais envie, cette chaleur intérieure régulièrement alimentée au long de l'après-midi ; et qui brûle maintenant avec l'égalité tranquille d'un feu de tourbe – pas ces saloperies de chaudières qu'ils ont par ici, hein m'man, qui tombent toujours en panne au beau milieu d'un blizzard, tu n'as jamais pu t'habituer aux hivers de la Nouvelle-Angleterre…

"Dis donc, c'est une vraie tempête de neige ! dit Chloé, comme si elle se trouvait dans la tête de Sean à lire ses pensées. Il neige des cordes !

— On ne peut pas dire qu'il neige
des cordes, dit Hal, la reprenant d'une
voix douce. Il ne neige presque jamais
à Vancouver, explique-t-il aux autres.
On pourrait dire qu'il neige... je ne sais
pas, moi... des Moby Dick par exemple... ou des bébés phoques..."

Mais Chloé ne l'écoute plus. (Elle a
flotté loin en arrière, jusqu'au mois de
juin 1996. Une journée sublime à Vancouver. Colin est encore en vie. Il a vingt
ans, elle dix-neuf, et ils vivent ensemble,
à cette époque de leur vie dont elle se
souviendra plus tard comme de celle
du bonheur. Ce jour-là, comme souvent,
ils dorment jusqu'à trois heures de l'après-
midi, chacun sur son canapé-lit. En se
réveillant, ils se lèvent et prennent une
douche, Chloé d'abord, puis Colin, pour
se purifier le corps. Ils s'habillent de
blanc, elle une robe d'été toute simple,
lui une chemise indienne et un pantalon ample en coton. Ensuite ils prélè-
vent d'une petite boîte métallique une
cuillerée de la coûteuse et excitante
poudre blanche qu'ils gardent pour les
occasions spéciales. Se penchant, ils
l'aspirent par les narines, Chloé d'abord,
puis Colin, pour se purifier l'esprit. Maintenant ils sont parfaitement immaculés,
des dieux jumeaux de l'Inde : debout
face à face, ils se prennent les mains et

se regardent au fond des yeux tandis que montent et s'intensifient peu à peu leur force et leur pureté, leurs mains se mettent à bouger et, lentement, avec une extrême douceur, ils se caressent les bras, le cou, le visage et la poitrine, leurs sensations, refoulées au fond de leur corps pendant la nuit pour les protéger, remontent à la surface et sourdent de leurs pores comme de l'or fondu, ce sont des dieux, oui des dieux jumeaux et c'est de façon divine qu'ils caressent maintenant les hanches et le dos l'un de l'autre, le simple frôlement de leurs lèvres déclenche en eux pâmoison, extase, orgasme, la langue mouillée est d'une suavité indicible, ils ont les membres tendus et cependant sans poids, le cerveau inondé de lumière, et ils tournent l'un autour de l'autre dans une danse de cocaïne sinueuse et sophistiquée, deux jeunes dieux amoureux et seuls au monde, la drogue est un trémolo blanc et brillant dans leur cœur, chaque note pure et frissonnante, leurs mains sont pures lorsqu'ils s'en servent pour ôter les habits l'un de l'autre, et le battement du sexe de Colin contre le ventre de Chloé est pur, comme est pure sa façon de prendre sa petite sœur dans les bras et de la poser sur son lit, et lorsqu'il s'allonge lentement gravement sur elle et entre en elle, ce qui luit dans leurs regards soudés c'est l'amour le plus pur et le plus sacré.)

Non et non et non, se dit Beth. Je ne dirai pas à Sean d'éteindre sa cigarette. Je suis son invitée, j'ai accepté son hospitalité, c'est lui qui fait la loi dans sa maison... pourtant il sait que je souffre d'asthme et d'emphysème, sait que je déteste la fumée parce qu'elle pue, m'étouffe, me gâche l'appétit, non je ne le lui dirai pas, ça lui ferait trop plaisir, ça lui permettrait de plaisanter sur l'immense service qu'il me rend en me gâchant l'appétit, ah il me l'a déjà chanté ce refrain-là, également celui sur les insanités que nous fait avaler la Ligue contre le cancer en nous racontant que le tabagisme coûte chaque année des milliards de dollars au pays en soins médicaux... comme si le fait de ne pas fumer vous garantissait une mort bon marché ! Comme si les non-fumeurs ne mouraient pas ! ne coûtaient pas un rond au contribuable ! (Jordan fume deux paquets par jour, plus encore quand il est en prison, oh Jord mon bébé aux yeux brillants, mon garçonnet aux boucles brunes... *que t'est-il arrivé ?*)

"J'ai pensé à toi la semaine dernière, Hal, dit Rachel. J'étais dans un vol de nuit pour La Guardia et à côté de moi il

y avait un homme qui écrivait. Un type
énorme, casquette de base-ball, T-shirt,
blue-jean, canette de Coca. Tout en poussant des soupirs terribles, il griffonnait
avec fébrilité sur un bloc-notes de papier
jaune... Jamais je n'ai vu quelqu'un
écrire aussi passionnément. Je me suis
penchée pour voir de quoi il s'agissait
mais il faisait exprès de me le cacher.
J'ai essayé de ruser, faisant mine de
fouiller la poche du siège devant moi et
glissant subrepticement les yeux vers
la gauche, mais à chaque fois il levait
un bras adipeux pour dissimuler sa
page... Au bout d'un moment ça a commencé à me taper sur les nerfs.
    — Bien sûr ! dit Hal. Comme si ça
le regardait, que tu veuilles te mêler de
ses affaires !"
    Sean et Brian rient, mais Derek est
mal à l'aise. Cette scène dans l'avion lui
rappelle quelque chose, ce vol fatidique
à Madison, il y a huit mois. (Il avait
accepté de participer à un colloque à
l'université du Wisconsin sur le thème
de "L'Idéal épicurien dans le monde post-
moderne". En soi, cela n'aurait posé
aucun problème, n'était le fait que son
père Sidney se trouvait alors à l'hôpital
et s'apprêtait à subir un triple pontage.
"Ça devrait se passer comme une lettre
à la poste, avait dit le chirurgien à Derek.

Il n'y a pas la moindre raison de s'inquié-
ter." "Comment peux-tu abandonner
ton père à un moment pareil ? avait
glapi sa mère. Et me laisser m'en occuper toute seule ? J'ai déjà entendu parler d'égoïsme mais un égoïsme aussi
éhonté, et de la part de mon propre
fils... ça me dépasse." Préférant écouter le médecin, Derek avait décidé de ne
pas annuler son départ. En allant voir
Sidney à l'hôpital la veille, il lui avait
trouvé la main bizarrement flasque et
le teint livide, presque gris sous les
néons de sa chambre. Mais, tout en lui
parlant d'une voix calme et rassurante,
il n'arrêtait pas d'élaborer de nouveaux
paragraphes pour sa conférence à Madison, sur la perte de plaisir qu'entraîne
le gain de temps : "Dans l'Amérique
contemporaine, la communication est
instantanée mais elle est insignifiante",
ou bien : "Plus personne ne passe la
journée aux fourneaux, mais nos repas
sont insipides." "Qu'avons-nous perdu ?
L'art de la conversation, l'art de la correspondance, l'art de préparer et de partager la nourriture... en un mot, l'art
de la *présence*." "Bon papa, faut que j'y
aille." "Vas-y, fiston", avait dit Sidney
d'une voix rauque, et il s'était détourné
de Derek pour regarder par la fenêtre...
Derek avait remarqué que ses yeux

bleus larmoyaient... Pleurait-il ? Mais
non, pourquoi aurait-il pleuré, ses yeux
larmoyaient, c'est tout – donc Derek
avait pris l'avion pour Madison et, pendant le vol, il avait tapé comme un fou
sur le clavier de son ordinateur un tas de
notes sur la perte d'intensité, la perte
de vrai contact, la perte de ce sens aigu
de *l'ici et maintenant* qui était l'essence
même de l'épicurisme : car, la techno-
logie moderne nous permettant de
fonctionner avec l'esprit dans un endroit
et le corps dans un autre, nous deve-
nons de plus en plus indifférents aux
lieux et aux êtres qui nous entourent.
Le voisin de Derek, un homme d'affaires sikh affublé d'une barbe et d'un
turban, jetait de brefs regards vers l'écran
de son PowerBook pour savoir sur
quoi il travaillait. Sa curiosité insistante
empêchait Derek de se concentrer...
tout comme, refoulée au fond de son
esprit mais le rongeant néanmoins, la
troublante contradiction entre le sujet
de sa conférence et le fait qu'on ouvrait
le thorax de son propre père pendant
qu'il l'écrivait... De fait, il ne revit
jamais Sidney. Le coup de fil de Violet
arriva le lendemain matin, peu avant
l'heure fixée pour sa conférence, et il
comprit, désespéré, que tout était perdu,
qu'il n'aurait ni le beurre ni l'argent du

beurre, ni le droit de lire sa communication ni celui d'assister au décès de son père... ah ! Sa mère avait eu raison, une fois de plus !)

"Toujours est-il, dit Rachel, que j'ai fini par me décourager et retourner à ma lecture. Mais plus tard... je l'entends qui se met à ronfler, je regarde, il dort à poings fermés et je vois que le bloc-notes a glissé sur ses genoux mais qu'il est éclairé par sa lampe de lecture... Alors je me penche pour le regarder de près...

— Et c'est quoi ? demande Patrizia.

— Rien, dit Rachel.

— Comment ça, rien ?

— Pas un mot, même pas une lettre reconnaissable. Page après page de gribouillis indéchiffrables. Rien qui appartienne à une langue humaine.

— Et ça t'a fait penser à moi, dit Hal. Je suis touché.

— Vous vous habituez bien à la vie ici ? demande Derek en se tournant vers Charles, exactement comme Charles avait redouté qu'il ne le fît tout à l'heure. Les gens du coin ne sont pas réputés pour leur hospitalité.

— Oh ! réplique Charles. J'ai eu l'autre jour un assez bel exemple de l'hospitalité locale. J'étais à la cuisine. Mon évier se trouve juste devant la fenêtre,

comme celui de Sean, ici. Alors je suis
en train de laver la vaisselle et quand je
lève la tête, je vois la voisine d'à côté
qui fonce droit sur moi "

(Patrizia pense à son rebord de fenêtre à elle, où il y a toujours des pots de
fleurs et des fines herbes et même, en
été, des plants de tomates cerises ;
comme elles sont pauvres, les cuisines
des intellectuels ! Comme il est triste et
vide, le réfrigérateur de Sean, depuis le
départ de Jody ! Et dans son jardin, pas
une seule mangeoire pour les oiseaux...)

"C'est une femme dans la trentaine,
poursuit Charles. Une blonde frisée,
toujours à moitié hystérique, qui court
dans tous les sens et hurle constamment
après son fils pour qu'il fasse son
piano... Bref, la voilà qui arrive sur
moi, alors je fais mine d'être absorbé
par le nettoyage de mon presse-ail avec
un cure-dent, mais elle tape sur la vitre
donc je suis bien obligé de lui ouvrir...
«Excusez-moi», qu'elle fait..."

Son imitation impeccable de l'accent
des yuppies bostoniens provoque l'hi-
larité autour de la table.

«Excusez-moi... Salut, je m'appelle
Maggie, j'habite à côté.» «Oui ?» «Eh bien,
ma mère m'a toujours dit qu'il fallait
souhaiter la bienvenue aux nouveaux
voisins en leur apportant des muffins.

Et… euh… je sais que vous êtes là depuis
six mois et je n'ai pas encore eu le temps
de vous faire des muffins, alors… Voilà,
c'est tout ce que je voulais vous dire :
considérez-vous comme muffiné !»

— Ah ! c'est fabuleux ! s'écrie Hal en
se tapant sur les cuisses de rire. Tu m'au-
torises à le mettre dans mon roman ?

— Tu es sûr qu'ils avaient des muffins dans le Klondike ? demande Beth,
pince-sans-rire.

— Eh oui ! le temps passe, dit Leonid, avec le soupçon d'accent slave dont
il n'a jamais pu se défaire. On voudrait
faire des muffins, et puis les heures
s'égrènent, et un beau jour on se dit
mais non, il est trop tard pour faire des
muffins.

— Je pourrais être votre grand-père,
dit Aron soudain, se tournant vers
Chloé avec un sourire. Vous vous rendez compte ?

— Vous pourriez être mon arrière-
grand-père, dit Chloé, non sans raison.
Mais vous ne l'êtes pas.

— Non, je ne le suis pas", acquiesce
Aron en se demandant ce qu'il trouve
de si irrésistible chez cette jeune fille.
Peut-être lui fait-elle penser à une femme
qu'il a connue autrefois, ou vue au
cinéma, mais qui, mais non, rien, c'est
ça, personne, ce doit être ça, il n'a *jamais*

vu une fille aussi fraîche que celle-ci,
"pure comme neige poudreuse", est-ce
de Shakespeare, ça ? Même son nourrisson est moins frais qu'elle, se dit Aron,
refrénant l'envie de tendre le bras devant
la bedaine de Hal pour lui caresser la
main gauche qu'elle a posée gracieu-
sement sur le bord de la table, alerte et
délicate comme un cygne blanc, un rubis
étincelant à l'annulaire… mais elle me
l'arracherait sûrement, révulsée par le
contact de ma peau jaune parchemi-
née et squameuse… Plus d'amour de
peau pour nous autres vieillards, plus
de contact ni de caresses… Se peut-il
qu'elle me rappelle ma propre mère ?
(Une blonde au long cou, elle aussi, à
Odessa, en cette lointaine époque d'avant
l'exode, oui cet autre monde… La sen-
teur de lilas qui émanait d'elle quand
elle s'asseyait sur mon lit le soir et, à la
lumière vacillante de la lampe à pétrole,
elle faisait danser l'ombre de ses mains
sur le mur, les resserrant en mâchoires
de loup, les faisant battre comme des
ailes de corbeau… tandis qu'au-dehors
la guerre civile faisait rage. Tant de cham-
boulements, tant de peur et de confu-
sion, tant de questions qui, pour sortir,
devaient contourner la boule dans ma
gorge : "Que se passe-t-il, papa ?" "Eh
bien, avait dit son père, il y a en ce

moment six armées différentes déployées
sur le territoire ukrainien…" Toutes ces
années après, Aron peut encore compter les armées ennemies sur les doigts :
les Ukrainiens, les bolcheviks, les Blancs,
l'Entente, les Polonais, les anarchistes.
"Chacune d'elles déteste toutes les
autres, poursuivait son père en abais-
sant au rouleau la pâte à pain. Elles ne
s'accordent que sur une chose : qu'il
faut massacrer tous les juifs." "Mais
– cette question-là n'avait jamais réussi
à franchir la boule – *pourquoi*?")

"Toute façon, mon grand-père s'est
suicidé, ajoute Chloé comme pour elle-
même.

— Ah bon ? dit Beth, tandis que se
bousculent dans sa tête les dizaines de
suicides réussis et ratés qu'elle a vus
aux urgences : visages bleus, poignets
taillés, ventres boursouflés… C'est
affreux.

— Non non. Je veux dire, pour moi
c'était pas affreux parce que je l'ai jamais
rencontré, mon grand-père. C'est juste
une histoire que ma mère racontait. Je
la trouvais pas mal comme histoire. Il
avait le cafard parce qu'il se faisait vieux
et qu'il avait rien fait de sa vie, alors un
jour il a décidé de se pendre dans le
garage. Mais ce qu'il y a de marrant,
c'est qu'il a laissé des petits mots pour

dire aux gens comment marchait tel et
tel truc dans la maison… On en a trouvé
un peu partout, même sous les essuie-
glaces de la voiture : "Attention ! le
frein a tendance à se coincer !"

— C'était délicat de sa part", dit Rachel
tout bas, se demandant si elle-même
aura la prévoyance, lors de son ultime
accès de désespoir, de laisser un mot
sur la cuisinière : "Feu avant droit ne
marche pas." (Rachel n'a jamais senti
qu'elle avait le droit de fouler la terre de
ses pieds. Son grand problème, comme
elle l'a expliqué une fois à un psychiatre,
c'est qu'elle était née. Aussi loin que
remontent ses souvenirs, c'est le message que lui transmettaient tacitement
ses parents à Brooklyn : comment
avait-elle osé venir au monde alors que
tant d'êtres plus dignes qu'elle étaient
morts ? Tu aurais dû être un garçon un
garçon un garçon tu aurais dû être un
garçon être un garçon, comment oses-tu
n'avoir pas les attributs masculins, un-
pénis-sans-prépuce-des-papillotes-et-
une-kippa ? Et, à défaut d'*être* un
garçon, au moins aurais-tu pu en *avoir*
un – ou deux, trois, quatre, cinq garçons pour renflouer les rangs de notre
race décimée… et non, même pas ça !
Totalement inutile ! Un être humain
superflu ! Pas un homme, et pas une

vraie femme non plus ! Une pseudo-
homme, voilà ! Regardez-moi ça : elle
s'est décroché une flopée de diplômes
prétentieux et elle passe son temps à
débiter de la philosophie *grecque* !
Comme si Dieu ne nous avait pas
transmis *à nous* sa vérité, une fois pour
toutes ! Une "femme instruite" – ha !
Pas étonnant qu'elle n'ait pas réussi à
faire d'enfants ! Tu vois bien : trop de
matière grise, pas assez d'œstrogène !
Bien fait pour toi ! L'épouse est censée
se soumettre à son mari et le servir
– pas discuter philo avec lui tous les
matins au petit déjeuner ! O les sublimes
esprits virils de ses oncles et ses grands-
pères, imprégnés de connaissance et
de tradition, de savoir et d'apprentis-
sage, ô la beauté millénaire de l'érudi-
tion, le commentaire infini du Livre,
les mains noueuses les têtes grises les
barbes blanches et les yeux irradiant la
sagesse… tout cela réduit en cendres,
dispersé dans l'air, anéanti ! Et elle,
une pauvre femmelette maigrelette aux
cheveux sombres, avait eu le culot et
le toupet de *vivre* ? Personnellement,
Rachel n'éprouvait que de la hargne
envers les hassidim, ces hommes obsédés par la crainte de Dieu, la crainte des
femmes, la crainte de la vie en somme,
se soumettant à des règles maniaques

en matière de nourriture, de coït et
d'hygiène... Mais, étant d'une honnê-
teté totale, elle ne peut s'empêcher de
constater à quel point elle leur ressemble.)

Ça commence à devenir carrément
morbide, se dit Charles, se levant et se
dirigeant vers la cuisine pour y prendre
trois nouvelles bouteilles de vin. Novembre c'est le mois des morts, le mois du
déclin et des ténèbres. Il en veut aux
autres d'avoir aiguillé son train de pensées sur la voie du suicide, car cela le
conduit de façon inéluctable à la mort
de son frère Martin... également un mois
de novembre, il y a combien d'années,
quinze déjà, j'avais vingt-cinq ans à
l'époque et lui vingt, c'était un *gosse*,
nom de Dieu ! Il aurait eu largement le
temps de s'amender, Martin, pauvre
petit mec nerveux agité baratineur toujours en train de déconner, nommé
d'après le King et incapable de passer
deux mois de suite hors de prison, se
laissant toujours entraîner dans des
coups foireux, vente de shit, vols de voiture (peut-être que si Charles l'avait aidé
à se faire la belle après ce vol de voiture, tout se serait passé différemment), Martin la brebis galeuse, salissant
le nom familial, source de honte pour
leur père l'orateur, l'apôtre de la liberté,

tournant en dérision l'éloquence paternelle en déblatérant contre les Blancs,
hurlant que le crime était légal dans un
pays fondé sur le génocide et l'esclavage... jusqu'au jour où, après s'être
laissé embarquer dans une nouvelle
histoire de vol avec effraction, et ayant
entendu le pas des policiers dans l'escalier de la maison de Sedgewick
Street qu'il partageait avec Charles
(choisie par celui-ci pour sa proximité
de la fac où il achevait son doctorat en
littérature comparée), Martin avait sorti
son revolver, embouché le canon et
appuyé sur la détente, éclaboussant de
sa cervelle les murs de la cuisine : murs
que, plus tard, une fois le suicide enre-
gistré par les flics et le cadavre envoyé
à la morgue, Charles avait lavés de ses
propres mains. "Hélas ! pauvre Yorick !
n'avait-il pu s'empêcher de marmon-
ner tout en rinçant l'éponge. Où sont
passés tes bonnes blagues ? tes gam-
bades et tes chants ?" Dans quels morceaux de matière grise sur le carrelage
se trouvaient les souvenirs d'enfance
de son frère ? son orthographe incertaine ? son désespoir existentiel ?

Quand Charles revient poser les bouteilles de vin sur la table, Leonid est au
milieu d'une histoire. Tous l'écoutent
attentivement, même Katie qui connaît

par cœur le répertoire de son mari mais
ne se lasse jamais de l'entendre.

"... la piscine municipale de Minsk,
dit Leonid. Je savais à peine nager mais...
il y avait une fille. Quelle fille ! Valentina, elle s'appelait. Valentina Sagalovitch. La lumière de ma vie. Comment
vous dire. Une fille comme ceci : jolis
cheveux blonds, jolie peau bronzée,
très jolis seins dans un bikini rouge, joli
tout, et elle était toujours entourée par
les HOMMES, les vrais, ceux qui avaient
dix-huit ans. Ils la faisaient glousser avec
leurs gros biceps et leurs voix graves,
et moi je me tenais à l'écart avec mes
quinze ans, ma poitrine maigrichonne
et glabre, mes jambes-allumettes, ma
voix fluette et chevrotante, et je n'arri-
vais même pas à *approcher* Valentina.
Ça me tuait de la voir rejeter en arrière
ses cheveux blonds et ajuster les bre-
telles de son bikini rouge et battre des
cils devant ces hercules et pouffer de
rire. Valentina, Valentina Sagalovitch.
J'en rêvais la nuit, je rêvais qu'elle venait
en bikini dans ma chambre et m'em-
brassait sur les lèvres, doucement, oh
si doucement...

— Et ? demande Patrizia.

— Eh bien, dit Leonid, le temps a
passé, selon sa fâcheuse habitude.
Beaucoup, beaucoup de temps. Et puis...

le mois dernier, on a eu un problème
de tuyauterie et j'ai fait venir un plom-
bier. Il vient, il fait le boulot, et sur l'en-
tête de la facture je vois – mon cœur
saute avant que mon cerveau ait fini de
lire – Sagalovitch. «Sagalovitch, je dis.
C'est vous, monsieur Sagalovitch ?»
«Oui, pourquoi ?» «Oh c'est idiot… c'est
parce que… quand j'étais petit… à
Minsk…» «Quoi ? Vous êtes de Minsk ?»
Et cetera, et cetera, jusqu'à ce qu'on
tombe dans les bras l'un de l'autre.
Vous me croirez ou non, ce type est le
propre *frère* de Valentina. «Et votre
sœur ? que je lui dis. Comment elle va ?
Qu'est-elle devenue ?» «Elle va bien,
qu'il me répond, elle est là aussi, elle a
épousé un Américain. Vous voulez que
je vous donne son numéro ?» «Pourquoi pas ?» je dis. Puis je me mets à
réfléchir… je ressemble à quoi ? Plus
pertinent : *elle* ressemble à quoi, ma
blonde Valentina au bikini rouge ? Ce
ne sont pas cinq ou dix ans qui ont
passé, ce sont cinquante-trois ans. C'est
ridicule. Mais je n'y peux rien. Je pense
à elle jour et nuit. Je suis à la piscine
de Minsk et je souffre de la voir flirter
avec les hercules. Katie s'énerve, je ne
l'écoute plus quand elle me lit ses
poèmes. Alors, je téléphone à Valentina."

Il y a une assez longue pause.

"Je téléphone, répète Leonid dans un soupir. Bien sûr, elle n'a aucun souvenir de moi, elle n'a jamais été au courant de mon existence. Mais ça lui fait plaisir d'entendre la langue. «J'ai quatre enfants», qu'elle me dit. «Et alors ? je réponds. Moi j'en ai six.» «J'ai même des petits-enfants», qu'elle me dit. «Sans blague, je réponds. Moi aussi. Alors on se voit ?»

— Erreur, dit Charles.

— Comme vous dites, dit Leonid.

— Toujours une erreur de rendre visite au passé, dit Charles, sans savoir pourquoi il le dit ; aucun exemple particulier ne lui vient à l'esprit.

— Alors ? dit Patrizia (qui trouve déjà déplaisant de croiser des amis perdus de vue depuis deux ou trois ans). Comment était-elle ?

— Que vous dire ? soupire Leonid. A côté de Valentina Sagalovitch... pardonne-moi, Beth... Beth, c'est Twiggy. Valentina doit peser dans les deux cents kilos. Elle déborde de partout. La seule partie de son corps qui n'est pas obèse, c'est ses yeux. Ils ne sont pas obèses mais ils sont de travers. Se sont-ils mis de travers pendant la traversée ou ont-ils toujours été ainsi, je n'en sais rien. A Minsk je ne l'avais jamais approchée

d'assez près pour voir qu'elle louchait.
Mais… bon… comment dire ? Moi-
même je ne suis pas Leonardo DiCaprio,
je ne suis même pas Clint Eastwood,
mais… comment dire ?

— Alors vous lui avez dit quoi ?
demande Charles, qui trouve que cette
histoire a suffisamment duré.

— Je ne sais plus, dit Leonid. Je
crois que je me suis contenté de lui
donner une boîte de chocolats, puis
j'ai décampé au plus vite.

— Moralité de l'histoire ? dit Sean.
Ecoutez bien, ma chère Chloé : il ne
faut pas vieillir." Et de la dévisager avec
tendresse, avec admiration, avec tout
le charme dont il est encore capable.

Chloé rencontre son regard et baisse
aussitôt les yeux vers son assiette. Il ne
sait rien de moi, se dit-elle, à part le
fait que je suis l'épouse de son meilleur
ami, et il croit qu'il a le droit de me dra-
guer. J'ai horreur de sa façon de me
jauger, de me scruter avec ses yeux de
crapaud cynique, en plissant les paupières derrière son nuage de fumée…

Och… se dit Sean. Celle-là, je ne
l'aurai pas. Ça ne se passe plus comme
avant… Il y a vingt ans, au cours d'une
soirée chez Derek, j'ai fait céder Lin
rien qu'en plongeant mon regard dans
le sien – oui, on a fait l'amour comme

ça, par-dessus la table – et plus tard, à la cuisine, je l'ai possédée par un simple frôlement de doigt sur la joue. Même si je ne l'ai jamais déshabillée, elle s'est donnée à moi, je pouvais faire d'elle ce que je voulais... On peut réussir ce genre de chose quand on est jeune, sûr de sa capacité de les faire tomber et de les attraper en pleine chute... terminé. Même Jody, il a fallu que je la persuade, que je la cajole, que je la mérite ; pas question d'écarter les cuisses avant d'avoir lu mes poèmes ; pas question de m'épouser avant d'avoir compulsé mon testament. Voilà ce qui arrive quand on a les cheveux qui tombent et le bide qui ramollit, on est obligé de compenser avec de la bonté humaine, prouver sa nature optimiste et constructive. Tant qu'on avait ses cheveux, un peu de sadisme passait très bien ; une goutte de nihilisme était parfaitement acceptable. Quel veinard, ce Hal. Peu importe de savoir si sa nouvelle idylle sera durable ou non ; l'important c'est que, tout récemment encore, il a connu la joie de serrer contre lui le corps d'une belle inconnue en se disant qu'il lui ferait l'amour sous peu. Quand me suis-je trouvé pour la dernière fois avec une belle inconnue – courant libres et insouciants sur la plage, main

dans la main, s'embrassant sauvage-
ment, s'arrachant les vêtements, plongeant nus dans les vagues, se jetant
corps contre corps ? (A dire vrai il ne
s'est jamais adonné à ce genre d'activités, mais il tient à aller jusqu'au bout
de son idée.) De nos jours, on ne sait
plus faire l'amour, on ne sait faire
qu'attention. Attention au sida, attention à la grossesse, attention surtout au
plaisir de votre partenaire : les femmes
ne veulent plus s'envoler avec vous au
septième ciel, non, elles veulent que
vous suiviez un stage de six semaines
en stimulation clitoridienne, après
quoi, ayant rédigé votre mémoire et
vous sentant prêt à passer l'examen,
elles vous annoncent qu'elles aiment
autant faire ça avec une femme. (Cela
non plus, Sean ne l'a jamais vécu, mais il
est emporté par ses propres effets rhé-
toriques.) Ah, Hal. Le veinard. Le veinard, d'avoir trouvé une fille si simple
et si douce à épouser.

XI

HAL

*J*USQUE-LÀ *je me suis montré plutôt magnanime avec ce groupe d'amis, vous ne trouvez pas ? J'ai réussi à cueillir la plupart d'entre eux sans même qu'ils s'en aperçoivent. Mais le petit triangle familial – Hal, Chloé et Hal Junior – connaîtra, j'en ai peur, un sort moins folichon.*

Hal Senior, quinze jours à peine après le repas de Thanksgiving : une attaque cérébrale. Non, je ne l'embarquerai pas encore. Il doit d'abord faire le bilan de sa vie. (Il est peut-être opportun de mentionner ici que son vrai nom n'est pas Hal mais Sam ; Hal s'est imposé à lui quand il a pris la décision de devenir écrivain, car les noms allitératifs lui semblaient dotés d'un pouvoir quasi magique : son idole Walt Whitman, par exemple. Et, en effet, il ne fait pas de doute que "Hal Hetherington" s'inscrit

mieux dans la mémoire que "Sam Hetherington"...)

Il revient de l'hôpital sonné, en proie
au vertige. Chloé est ahurie. Où est passé
l'homme qui, si récemment encore, lui
paraissait solide, vigoureux et rassu-
rant ? l'homme sur qui elle comptait pour
la protéger de la folie et de la violence
qui, jusqu'à ce qu'elle le rencontre,
avaient été son pain quotidien ? D'une
puissante figure paternelle, son mari
s'est transformé du jour au lendemain
en un vieux débris poussif. Il est mécon-
naissable. Repoussant. Terrifiant.

Elle le quitte. Emmenant avec elle Hal
Junior et sept grosses malles remplies de
vêtements, de fourrures et de bijoux
(toutes choses acquises depuis son
mariage), elle déménage à Londres.
Elle a un accès illimité à la fortune de
son époux, puisque ses comptes ban-
caires ont été mis à leurs deux noms et
que leur contrat de mariage a confondu
leurs richesses (ou plutôt la richesse de
Hal et sa pauvreté à elle).

Hal se retrouve seul. Cela lui est déjà
arrivé plusieurs fois, mais jamais en
tant que malade. Maintenant, depuis le
premier cillement de l'aube jusqu'au
dernier frémissement de minuit, chaque
journée est une accumulation inima-
ginable de souffrances. Le pire n'est ni

*l'essoufflement ni la douleur, ni l'abru-
tissement ni le vertige ; c'est le sentiment
d'étrangeté. Il est étranger à lui-même.
Il ne reconnaît comme siens ni son corps
ni son esprit. Non seulement sa femme
et son enfant l'ont plaqué, il s'est plaqué lui-même. Le soi à qui il a désormais affaire est un personnage maussade
et paresseux. Il passe ses journées au lit,
indifférent à la nature, à la poésie et à
la musique, sans le moindre désir. De
temps à autre, transpercé par le souvenir d'une autre époque, d'un autre
monde, il se secoue.* Carpe diem, *dit son
moi d'antan, au comble de l'angoisse.
Tu devrais* faire *quelque chose ! Qu'est-
ce qui te prend ? Tu devrais être en
train d'*écrire *! Mais son nouveau moi
se contente de grogner et de se retourner
dans le lit. Il a le cerveau commotionné
par des bruits bizarres, des élancements
électriques de désespoir, plus terrifiants
que tout ce qu'il a vécu jusque-là.*

*Il vit au ralenti. Il se regarde traîner
dans la maison et exècre sa léthargie,
sa maladresse, le refus obstiné de son
corps de se soumettre aux ordres de
son esprit. Il lui faut plus de deux heures
pour venir à bout de son rituel matinal,
qu'il expédiait naguère en trente minutes.
Chaque étape de la série de gestes jusque-
là bien huilée, automatique (se lever, se*

raser, s'habiller, prendre le petit déjeuner, débarrasser la table) est un labeur
exténuant. Je suis comme un personnage dans un roman de Beckett, se dit-il,
et c'est tout sauf drôle. Il s'empêtre affreu-
sement dans les manches de sa chemise. Egare sa mousse à raser. Oublie de
mettre de l'eau dans la cafetière, de sorte
que l'air chaud souffle sur le café moulu
et l'éparpille aux quatre coins de la pièce,
après quoi il lui faut passer une demi-
heure à nettoyer les dégâts. A genoux
sur le sol, il sanglote tout en essuyant le
café à l'aide d'une éponge. Puis il s'effondre en un tas. Braille comme il n'a
pas braillé depuis l'âge de cinq ans,
quand, devant ses yeux, son chien était
passé sous les roues d'un camion.

Il retourne au lit et se recouche.
A quoi bon faire quelque chose ? A quoi
cela pourrait-il servir ?

Mais le désœuvrement apporte une
nouvelle forme de torture. Derrière ses
paupières, des bribes de son passé remontent et il est peu à peu submergé par des
souvenirs chaotiques. C'est comme si
son cerveau, à l'instar de son estomac,
avait oublié comment digérer et régur-
gitait en vrac les images et impressions
absorbées au long de cinquante-cinq
années d'existence. Il replonge dans les
interminables déjeuners dominicaux

*chez sa grand-mère à Columbus : du
rosbif aux haricots verts... suivi de parties de Scrabble mortellement ennuyeuses,
où il perdait à chaque fois. Il retrouve
son blue-jean préféré, déchiré au genou
gauche, avec une pièce rouge qui avait
fini par se déchirer elle aussi. Il a treize
ans, sa mère surgit à l'improviste dans sa
chambre et s'arrête net parce qu'il est
en train de jouir en gémissant... et comment se débarrasser ensuite de la substance poisseuse qu'il a dans la paume ?
Sa mère est assise derrière le tiroir-caisse
de la quincaillerie, la tête hérissée de
bigoudis, elle feuillette un magazine
féminin. Sa mère vient dans sa chambre
le soir, lui ébouriffe les cheveux, l'embrasse et, d'un mouvement ferme du
pouce sur sa joue, efface la trace de
rouge à lèvres laissée par son baiser. Sa
mère ramène du supermarché des sacs
en plastique remplis de margarine inco-
lore et c'est le travail de petit Sam d'ap-
puyer sur la petite capsule orange vif
au milieu du sac, libérant la teinture,
puis de malaxer l'écœurante substance
blanche jusqu'à ce qu'elle soit jaune
homogène et ressemble à du beurre (ils
l'appellent "beurre", d'ailleurs; chez eux
la distinction n'est pas entre "margarine" et "beurre" mais entre "beurre" et
"vrai beurre", ce dernier étant réservé*

aux grandes occasions) ; ensuite il doit découper un coin aux ciseaux et presser le sac pour faire dégouliner sur une assiette la répugnante spirale jaune. Il revit une sortie en bateau à voiles dans la baie de Sandusky, avec un camarade de classe à la famille aisée... chaque détail de cette journée imprimé dans sa mémoire avec la même netteté que le triangle blanc de la voile contre le ciel cobalt. Inutile, tout cela, totalement inutile pour la fiction. Il joue avec ses excréments dans le pot et reçoit une fessée de sa mère. Avec six autres scouts adolescents dans un camp d'été à Hocking Hills, il enfonce des piquets de tente dans le sol dur, se bousille l'ongle du pouce avec un coup de maillet mal placé et rougit de honte quand, en chœur, les autres éclatent de rire. Il déteste cette corvée, de même que toutes les corvées, et n'aspire qu'à se réfugier sous la tente, loin des moustiques et des moniteurs, pour se perdre dans la lecture d'Evelyn Waugh ou de Stephen Crane. Il écrit son premier roman, la nuit, à Cincinnati, après avoir passé la journée à livrer des pizzas ; au bout d'un moment le manque de sommeil lui donne des hallucinations ; il décide d'incorporer celles-ci à son roman et, plus tard, sur l'insistance de son agent, doit les supprimer...

*Des scènes de sa vie d'écrivain, aussi,
s'animent et luisent d'une lumière
vacillante au milieu du fatras. Ses
voyages à l'étranger, sa carrière, sa précieuse célébrité... en lambeaux. Un
pont sur un canal à Leyde, près d'une
minuscule église : image parfaitement
calme et paisible dans la brume matinale... Un mouton écorché, suspendu
par les pattes arrière dans le marché
musulman de Baalbek au Liban, sa
queue un monstrueux triangle de gras
blanc. La lugubre salle de bal de l'hôtel*
Europejski *de Varsovie, dans les années
quatre-vingt : ses néons, son orchestre
décati, ses colonnes en faux marbre,
ses fontaines qui fuient, ses plantes
vertes artificielles, et ses clients − des
hommes et des femmes aux vêtements
ternes − dansant sur la piste avec une
lenteur et une tristesse infinies, comme
si la Seconde Guerre mondiale durait
encore... Les garçons du samedi matin
dans le quartier du Marais à Paris :
vêtus avec une élégance naturelle et
nonchalante, leur chemise en coton mal
enfoncée dans leur pantalon en toile
ou en velours, les cheveux encore emmê-
lés par le sommeil, il les regardait acheter le journal, s'installer pour le lire à
une terrasse de café, se commander un
grand crème et des croissants, puis allumer une Gauloise... Dieu comme il les*

*a désirés, ces garçons du samedi matin !
A Cochin, en Inde, les danseurs mâles
du kathakali se livrant à leur longue
préparation rituelle pour le spectacle
du soir, roulant les yeux, s'assouplis-
sant les poignets, s'enduisant le visage
d'épaisses couches de maquillage aux
couleurs criardes, enroulant autour de
leurs hanches étroites des jupes faites de
plusieurs dizaines de mètres de papier
crêpon, puis se mettant à ânonner des
prières au rythme des tablas, se laissant
peu à peu envahir, occuper, habiter par
des dieux mâles et femelles... Il revoit
Gerhard, le jeune poète allemand dont
il avait fait la connaissance lors d'un
festival d'auteurs à Barcelone, et qu'il
avait fait monter dans sa chambre...
mais le courage, cette fois-là comme
toutes les fois, lui avait manqué. Il revoit
les nombreux étudiants qui, au long de
trente années d'enseignement, lui ont
donné des érections douloureuses : ils
défilent l'un après l'autre dans son
bureau pour leur consultation indivi-
duelle, vêtus de ce qu'ils imaginent être
une tenue d'écrivain : jean serré et T-shirt
noir, et lui racontent avec ferveur leurs
personnages et intrigues, leurs heures
d'angoisse et d'inspiration, tandis que
Hal sourit et hoche la tête pour les encourager, contrôlant sa respiration, leur
prodiguant des conseils au sujet de la*

structure, des dialogues, du symbolisme
et de la condensation, tout en les ima-
ginant dressés derrière lui en train de lui
perforer l'anus jusqu'à l'âme. Les jeunes
prostituées androgynes qu'il a achetées,
dans les grandes villes de par le monde,
pour pouvoir se raconter que c'étaient
des garçons, alors qu'avec les garçons il
n'arrivait à rien...

Cela n'aide pas, ne s'arrête pas, ne s'or-
ganise pas en quelque chose de signi-
fiant ; la machine à souvenirs tourne
comme une bétonnière et lui envoie
sadiquement à la figure des paquets de
son passé : voilà ta vie, voilà à quoi ressemble ton séjour sur Terre, tant pis, rien
à faire, tu n'auras pas de deuxième
chance, voilà la totalité de ton vécu
comme être humain... N'en pouvant
plus, sur le point de hurler, Hal arrache
violemment le cours de ses pensées à ce
maelström d'êtres et d'événements qu'il
a connus et perdus et s'efforce de revenir
au présent, au hic et nunc de sa chambre,
au rectangle blanc de son lit... Du reste, il
devrait le faire, son lit, il devrait se lever !
Il se met donc à lisser les draps, à tirer les
couvertures, à rajuster le dessus-de-lit...
tâche d'une redoutable complexité qui
l'occupe un bon quart d'heure... après
quoi, épuisé, il se recouche.

Theresa vient faire le ménage deux
fois par semaine, comme elle le fait

*(dirait-on) pour la moitié de la popula-
tion de cette petite ville. Des amis passent
lui rendre visite : Sean, Rachel, Derek,
Patrizia, Katie. Quand ils ne sont pas
là, il se sent désespérément, honteuse-
ment seul ; mais, dès qu'ils arrivent, la
fatigue le submerge et il est impatient
de les voir repartir. Ils lui apportent des
fleurs, des disques, des nourritures ori-
ginales. Ils lui conseillent la patience.
"Faut être patient, Hal. Tu retrouveras
la santé, ne t'inquiète pas."*

*Hal n'est pas patient mais il retrouve
quand même la santé. Cela prend près
d'un an. Il envisage même de reprendre
l'enseignement, bien que l'université
lui ait concocté un généreux plan de
retraite. C'est alors qu'il a une deuxième
attaque.*

Et, peu après, une troisième.

*Maintenant c'est un invalide. Il vit
dans une maison de retraite. Le lieu est
peuplé par des malades qui, de l'extérieur,
lui ressemblent beaucoup : impossible
de le nier. Mais, se dit-il, à l'intérieur ils
n'ont rien à voir avec moi. La plupart
d'entre eux passent leur temps à flotter
dans le flou, à manger de la gélatine
sucrée, à se faire pousser en chaise rou-
lante dans les corridors et à fixer, la
bouche ouverte, l'œil apathique, les
jeux télévisés. Comme ils ont perdu*

*l'habitude de mettre leurs dentiers, leur
visage s'est effondré, les faisant ressembler aux terrifiants hommes-oiseaux aux
joues creuses de Jérôme Bosch. Hal ne
supporte pas l'idée que tous ces individus, jadis, pétaient le feu autant que
lui – et que certains d'entre eux, malgré les apparences, ont peut-être le cerveau intact.*

*"Hal Hetherington, dit l'une des infir-
mières, jetant un coup d'œil sur la
fiche médicale au pied de son lit. Va
savoir pourquoi, ce nom me dit quelque
chose.*

*— D'après son dossier, dit une autre,
il était romancier.*

*— Ah bon ! Un romancier, c'est ça ?"
dit la première. Elle se penche sur lui et
prononce les mots d'une voix forte,
comme si elle cherchait à initier un
Martien retardé aux subtilités du langage humain. "Eh bien ! ajoute-t-elle
(cette fois comme s'il était sourd, se tournant vers sa collègue avec un énorme
clin d'œil), vous aurez besoin de beaucoup d'imagination pour vous amuser
ici, ça, je peux vous le dire !"*

*Hal entend tout. Il comprend tout.
Mais il ne peut ni parler ni marcher.
L'humiliation de se voir traiter comme
un enfant ou un idiot, ajoutée à la frus-
tration de ne pouvoir obéir à ses propres*

*ordres intérieurs, lui donne envie de
mourir.*

   Personne n'y peut rien.
   Sauf moi.
   Alors je le fais.

XII

ON SE RESSERT

*Q*UI EST la vraie Valentina Sagalovitch ? insiste Leonid, en hochant la tête avec tristesse.

— Je me dis la même chose à propos de Jordan, dit Beth. Je me souviens qu'une fois, quand Jord avait à peu près trois ans, je l'ai emmené faire une balade au bord de la rivière et on a vu un papillon mort sur le pont. Vous me croirez ou non, mais il y avait une *foule* de papillons autour de lui comme pour l'éventer, le ranimer ! Jord était bouleversé... Et ce soir-là, au moment de se mettre au lit, il m'a dit : «La mort, c'est quand on tombe par terre et que la lumière se casse.» C'est fou, non ? Tu t'en souviens, Brian ?

— Oui, dit Patrizia dans un murmure, compatissant avec Beth et essayant (sans succès) de se rappeler une phrase de son propre fils Gino au sujet de la mort.

— La beauté de cet instant était-elle
fausse, poursuit Beth, sous prétexte que
nous nous en sommes éloignés ? Ou la
beauté de Valentina ?

— C'est intéressant comme question,
dit Rachel. Y a-t-il un seul moment dans
notre existence où nous pouvons dire :
voilà, c'est *maintenant* que je suis pleinement et entièrement moi-même ? En
d'autres termes : la manière dont on
évolue constitue-t-elle la *vérité* de ce
que nous sommes ?

— Justement : la criminalité est-elle
la *vérité* de mon fils Jordan ?" dit Beth.
Maintenant qu'elle a commencé, elle
est incapable de s'arrêter ; elle feint de
ne pas voir Brian qui la fusille du regard,
la suppliant silencieusement d'arrêter :
s'il te plaît Beth ne parlons pas de ça,
ne lavons pas notre linge sale en public,
je t'en prie… "La *prison* est-elle sa vérité ?
Quel est le vrai Jordan ? celui qu'il est
maintenant, bouillonnant de rage et de
haine, ou celui qu'il était *avant*, quand
il a vu le papillon mort, ou quand il
me ramenait des coquillages au bord
de la mer, les yeux pétillant de joie ?"

Je suis paumée, là, se dit Chloé. J'ai
dû manquer quelque chose. De quoi
ils causent ? Impression de respirer
sous l'eau. Ah j'aimerais bien glisser de
ma chaise et me cacher sous la table,

comme on faisait avec Col quand on
était petits et que les grandes personnes
se tapaient dessus. Le monde fait moins
peur comme ça, vu à travers les mille
petits trous d'une nappe en dentelle,
découpé en minuscules fragments. C'est
comme quand on danse dans une boîte
avec des lumières stroboscopiques, et
que les gens se brisent en petits morceaux tressautants et clignotants.

"Jordan, c'est votre fils ? dit Charles.
Excusez-moi… je ne suis pas au courant…

— Oui, dit Brian, Jordan est notre
fils. Un garçon noir. On l'a adopté dans
un hôpital de Roxbury quand il avait
quinze jours. Sa mère était encore au
collège, elle ne pouvait pas le garder.

— Je ne comprends pas, dit Beth en
se mordant les articulations des doigts.

— Qu'est-ce que vous ne comprenez pas ? dit Charles, d'une voix qu'il
s'efforce de garder basse et douce pour
faire ressortir la violence des mots.
Vous voulez dire, étant donné que vous
l'avez adopté tout petit, et élevé comme
s'il était votre propre enfant, en l'expo-
sant exclusivement à vos idées éclai-
rées et libérales, vous ne comprenez
pas comment il a pu régresser jusqu'à sa nature primitive et violente de
Noir ?

— Non, ce n'est *pas* ce que je veux
dire, dit Beth.

— Les Blancs ne devraient pas adopter des Noirs, dit Charles.

— Ouais ! dit Hal, levant son verre.
Vive la ségrégation ! Les Blancs et les
Noirs devraient aller dans des écoles
différentes ! S'asseoir dans des parties différentes des bus ! Avoir des toilettes différentes dans les lieux publics !

— La haine raciale ne disparaît pas
sous prétexte qu'on la rend technique-
ment illégale, dit Charles, la voix toujours suave comme une brise d'été. Votre
Jordan en prend plein la gueule chaque
jour dans le monde extérieur, et puis il
rentre le soir et vous voudriez qu'il fasse
comme si tout baignait… Vous ne voyez
pas comme il est coincé ?

— Je reprendrai bien un peu de farce,
dit Leonid.

— De la dinde avec ça ? demande Hal.

— D'accord… un peu seulement.

— Quelqu'un d'autre reveut de la
dinde ?"

"Oui…" "Moi aussi…" "Et comment !"
disent les autres, et les bols de légumes
refont le tour de la table.

"Pourquoi il est en taule ? demande
Chloé, intéressée.

— Oh ! des vétilles, dit Brian. Des vols
à l'arraché, c'est tout. C'est sa septième

condamnation en quatre ans pour la
même chose. J'en ai eu marre de payer
ses cautions. Les premières fois, il était
encore mineur et je pouvais m'occuper
moi-même de sa défense. Là, je ne
peux plus rien pour lui. Il a écopé de
six mois, cette fois ; j'espère que ça lui
servira de leçon.

— Mais bien sûr ! dit Charles, qui
revoit les matières cervicales de son frère
Martin collées sur les murs de la cuisine et serre les mâchoires pour obli-
térer cette image. Les jeunes Noirs
apprennent un tas de choses palpitantes
en prison !

— A qui il s'en prend ? demande
Chloé.

— Des petites vieilles, essentielle-
ment, dit Brian. Du boulot à haut risque.
Avec un ou deux potes, ils entourent
une petite vieille assise seule dans un
jardin public, ils la secouent un peu,
ils arrachent son sac et ils déguerpis-
sent. Brillant, non ? Vraiment coura-
geux comme truc. Des petites vieilles
noires, blanches, hispaniques, peu importe, ils ne sont pas racistes.

— Peut-être qu'il a besoin de fric ?
dit Chloé.

— C'est ça. Il a besoin de fric, dit
Brian, rougissant de colère tandis que la
stridulation dans son oreille augmente

encore pour atteindre un niveau insoutenable. Nous lui payons son loyer plus
une jolie mensualité, mais non, ça ne lui
suffit pas. Non, il a de grosses dépenses,
Jordan. Le jour de visite la semaine dernière, je lui ai justement demandé pour
quels besoins urgents il lui fallait cet argent. Vous voulez connaître sa réponse ?"

Silence. Katie et Leonid se raidissent
contre le mot *héroïne*.

(C'était un dimanche matin, se souvient Katie. Ce matin-là, comme ils prenaient le café ensemble après une nuit
blanche, ils s'étaient regardés l'un
l'autre et, sans un mot, sans même un
hochement de tête, avaient pris la décision d'aller à Boston. Ils avaient besoin
de savoir. Ils ne pouvaient continuer
ainsi. Ils avaient roulé en silence pendant les deux heures du trajet, Leonid
au volant et Katie assise à ses côtés,
regardant droit devant elle, les mains
croisées sur les genoux. Comme la chaleur était déjà forte et promettait de devenir accablante, ils roulaient toutes vitres
baissées ; vers la mi-chemin, une grosse
mouche était entrée dans la voiture par
mégarde et avait commencé à se jeter
contre le pare-brise, échouant une, deux,
quinze fois, mais refusant d'en tirer les
conséquences, espérant stupidement
que la *seizième fois*, peut-être, le verre

dur se ferait soudain perméable et lui permettrait de s'envoler vers la liberté. Dans l'esprit de Katie, le bourdonnement répétitif et intermittent de la mouche inéducable était lié à la tonalité "occupé" qu'elle avait entendue des centaines de fois depuis trois jours... sans compter les fois imaginaires, pendant ses rares heures de sommeil agité. Ils avaient garé la voiture sur Dorchester et, passant sous la route surélevée, étaient arrivés enfin à Power Street. Là, ils avaient grimpé les trois étages d'un petit immeuble délabré aux fenêtres bouchées, immeuble où ils n'étaient encore jamais venus et dont leur fils était apparemment l'unique occupant. Déjà à ce moment-là, chaque pas de Katie était conscient, délibéré, lesté d'un poids dramatique. Déjà elle se voyait de l'extérieur : Ce jour va transformer ta vie, se disait-elle. Il va se passer une chose immense, une chose après laquelle tu ne seras plus jamais la même. Une crise majeure, cette fois-ci : le genre d'événement auquel tu as toujours pensé pour te rassurer lors des crises mineures. Les mauvaises notes d'Alice en maths, la jambe cassée de Marty, les mensonges et l'insolence de Sylvia, le refus de tes poèmes par les revues de poésie, les disputes avec Leo au sujet

des factures d'électricité... Ne t'en fais
pas, tu t'es toujours dit, tout ça ce sont
de *petits* problèmes. Pas des tragédies.
Pas la fin du monde. Aujourd'hui, en
revanche, c'est gravissime. Il y aura un
Avant et un Après aujourd'hui. Prépare-
toi, ma cocotte.)

"Une dent en or, dit Brian. Voilà pourquoi il a besoin de tant de fric. Voilà ce
qu'ils ont trouvé, lui et ses potes, comme
projet d'avenir. Tous, ils meurent d'envie de se faire sauter une incisive et de
mettre une dent en or à la place. Comme
ça coûte dans les mille deux cents dollars l'une, et comme ils sont quatre, il
leur faut quelque chose comme cinq
briques... ce qui veut dire beaucoup,
beaucoup de petites vieilles.

— Quelqu'un d'autre reveut de la
dinde ?" fait Hal, l'interrompant. Faut-il
absolument que la conversation revienne
sans cesse aux dents ? se dit-il. Sont-ils
incapables de parler d'autre chose ?
("Bon d'accord, passe-moi mes dents...")
Encore que... tiens... ça me donne une
idée pour mon roman, oui c'est pas mal
ça, le héros pourrait devenir un meur-
trier, il pourrait buter toute une série
d'orpailleurs, surtout si c'est des vieux,
ce serait facile là-haut, dans les vastes
étendues de glace et de neige, sans le
moindre flic à l'horizon et sans autres

témoins que les chiens de traîneau, il
pourrait les assommer avec une hache
et les laisser mourir de froid, puis arracher leurs dents en or avec une tenaille,
bazarder la partie dent et ramener les
pépites avec lui à Dawson City en pré-
tendant les avoir trouvées dans la rivière,
oui, il ferait fortune comme ça, c'est
génial comme idée, le seul problème
étant la possible sensibilité des lecteurs
juifs, ils pourraient m'en vouloir pour
le thème des dents en or arrachées aux
cadavres, mais bon, ils n'ont pas le
monopole de ce thème jusqu'à la fin
des temps, tout de même... ? Hm...
faudra y réfléchir.

Tous font non de la tête, non merci,
plus de dinde, on a très bien mangé, il
faut laisser un peu de place pour le dessert. Katie et Patrizia commencent à
entasser les assiettes et les couverts sales
et, l'espace d'un instant, plane un léger
malaise : où aller à partir de là ? S'ils
interrogent maintenant Beth et Brian
au sujet de Vanessa, il faudra interroger ensuite tous les autres parents sur
leurs rejetons à eux, ce qui les entraî-
nera dans un grouillement inextrica-
ble de détails sur les petits-enfants,
les études et les emplois, détails qu'ils
auront oubliés d'ici demain.

Derek, ressentant une douleur cuisante
au duodénum, avale à la hâte plusieurs

comprimés (silicate de magnésium et
carbonate de calcium) et, pour pouvoir
grimacer à son aise en attendant qu'ils
produisent de l'effet, se dirige vers les
toilettes. Il s'y enferme à clef, saisit des
deux mains le bouton de la porte, et,
la tête rejetée en arrière, la bouche et les
yeux grands ouverts, se met à hurler
en silence. Tout en souffrant le martyre, il remarque que dans un coin du
cabinet, tout près du plafond, le papier
peint a été déchiré et le trou autour du
tuyau d'eau élargi, puis grossièrement
rebouché avec de l'enduit, il a dû
y avoir une fuite, on a dû remplacer une
partie du tuyau… Cela lui fait penser à
la vagotomie sélective qu'il a subie
voici six mois… O braves créatures que
nous sommes, se dit-il tandis que des
larmes de douleur lui jaillissent des yeux
– grattant et collant sans cesse, reta-
pant nos maisons et nos corps, nous
acharnant à limiter les dégâts du temps
mais la pourriture avance quand même,
inexorable, les cheveux blanchissent,
la peau se ride, la rouille et la poussière s'accumulent, le papier peint se
tache et se déchire, les pieds se défor-
ment, le bois gauchit, les articulations
se bloquent… Au bout d'un moment,
constatant que la douleur a enfin dimi-
nué, Derek tire la chasse et retourne à

la salle à manger, un sourire fermement installé sur le visage.

"Quelqu'un veut un cigare ?" demande Hal. Il se lève et se dirige vers l'autre extrémité du salon. "Excellent pour la digestion. J'ai ramené six boîtes de havanes du Canada." Se rendant compte au bout de quelques pas qu'il est bien gris déjà, il trouve une idée brillante pour dissimuler à Chloé son équilibre instable. "*Merde*, Patchouli ! dit-il, s'arrêtant au milieu du tapis pour ôter sa chaussure gauche. Il y en a marre ! Pour l'amour de Dieu, Sean, quand vas-tu apprendre la propreté à cet animal ?" Il ouvre la porte d'entrée pour essuyer sa chaussure sur le tapis du perron ; aussitôt, une rafale glaciale souffle en trombe à travers la table, soulevant un tollé général.

"Bon Dieu ! dit Hal. C'est pas une tempête ça, c'est un vrai blizzard !

— Qu'est-ce que c'est que cette histoire de Patchouli ? demande Chloé, très énervée.

— Je t'ai déjà expliqué, dit Hal. C'est le chien de Sean." Il reprend place près d'elle, mord dans son cigare, en recrache le bout, l'allume.

"Mais il est *où* ?

— Il est dans une pièce avec tous ceux que j'aime, dit Sean. Mon père, ma mère...

— Ça veut dire quoi, qu'il est mort ?
demande Chloé.

— Non… non, il n'est pas mort."

Encore un silence.

C'était quand, se demande Sean, les
vraies expériences ? Quand est-ce qu'on
a vraiment *vécu* notre vie, au lieu de la
voir comme une source possible d'écriture, une répétition générale, le faible
écho ou la pâle photocopie ou les restes
rancies de la Chose même ? Où est passé
la vie ? Comment nous a-t-elle échappé ?

"Et vous, Aron ? Vous avez des enfants ?
demande Patrizia pour changer de sujet.
Je viens de me rendre compte que je
ne le sais même pas.

— Pardon ?

— Vous avez des enfants ?

— Oh ! oui. Oui. Trois filles", répond
Aron. Il se demande lequel d'entre eux
s'exclamera, comme l'ont fait tant de
ses interlocuteurs au cours des années :
"Tiens ! comme le roi Lear !" Mais personne ne le dit car tous les regards sont
soudain attirés par Katie, qui revient
de la cuisine en portant cérémonieuse-
ment les desserts, le gâteau au chocolat de Rachel dans une main et sa tarte
à la citrouille dans l'autre… Aron ressent le vide laissé par la phrase man-
quante, le ressent si vivement qu'il finit
par prononcer la phrase lui-même,

dans un chuchotement : "Tiens ! comme le roi Lear !

— Quel âge ont-elles ?" demande Patrizia… Et de se reprendre intérieurement : Idiote ! se dit-elle, ses filles sont évidemment des adultes lancées dans la vie.

"Soixante, cinquante-quatre et cinquante-deux ans, répond Aron, coopératif. Et n'allez pas croire que vos soucis disparaîtront du jour au lendemain quand vos enfants quitteront la maison. On reste parent jusqu'à la mort… Ma fille aînée me donne encore des nuits blanches.

— C'est pas vrai ! A *soixante ans* ?" dit Derek… Et de se reprendre intérieurement : Idiot ! se dit-il. Comme si Violet n'avait pas de l'hypertension à cause de moi.

"Bien sûr, insiste Aron. On se demande sans cesse ce qu'on aurait dû faire différemment. On voudrait tellement se glisser entre ses enfants et la vie, prendre les coups à leur place. Les déceptions, les désillusions, le divorce… mais c'est impossible, bien sûr."

Il leur dit cela, mais il ne leur dit pas que ses filles sont nées et ont grandi en Afrique du Sud. Il ne leur dira jamais rien là-dessus, d'abord parce que les Américains ont au sujet de ce pays des

opinions tranchées qui l'horripilent (tout
est noir et blanc, avec les Blancs tout
noirs et les Noirs tout blancs) ; et aussi
parce que, même à part lui, il préfère
penser le moins possible à sa vie là-
bas. (Enfermé toutes ces années dans sa
jolie villa blanche avec sa jolie famille
blanche dans le joli quartier blanc du
Berea, entouré de bougainvilliers et de
frangipaniers, bercé par les trilles des
oiseaux et du piano, gagnant un joli
salaire blanc pour les cours qu'il donnait à la jolie université presque exclusivement blanche de Durban-Natal,
envoyant ses filles dans les meilleures
écoles privées et consommant la nourriture préparée pour lui par les invisibles
mains noires de la bonne... Jeune
homme, il avait calmé un peu sa mauvaise conscience en optant pour l'esprit contre la matière, l'anthropologie
contre la manufacture, la lucidité dou-
loureuse contre l'aveuglement commode. Choqué par le matérialisme du
milieu de ses parents, puis par le racisme
de ses professeurs à Pretoria – de
quasi-nazis pour qui "l'anthropologie
sociale" signifiait la mensuration des
cerveaux pour prouver la supériorité
naturelle des Blancs sur les "Cafres"–, il
était parti en 1939 pour Durban, où l'université était réputée plus progressiste.

C'est là qu'il avait rencontré Nicole, récemment engagée par le département des langues modernes... Mais ensuite... eh bien, ensuite... ayant acheté la villa et fondé une famille, le jeune couple s'était trouvé dans l'obligation d'adopter le mode de vie qui correspondait à leur situation. Certes, ils avaient été consternés quand l'apartheid était devenu la politique officielle du gouvernement en 1948 ; mais, cette même année, Nicole s'était trouvée enceinte pour la troisième fois et, vu les exigences croissantes de leur carrière, ils avaient dû se résigner à embaucher une "maman noire" pour les enfants. Après avoir interviewé et rejeté une dizaine de candidates, ils étaient tombés sur Currie : une vraie perle. Ils s'étaient tout de suite mis d'accord pour l'engager. Si gaie, si énergique ! Elle avait le même âge que Nicole, trente-cinq ans, la même pointure et presque le même gabarit... un avantage pour tout le monde. En plus, Currie aussi attendait un bébé ! Les deux femmes s'entendaient à merveille : en leur apportant le thé au lit à six heures du matin, Currie appelait Nicole "Madame", fière de mettre l'accent sur la deuxième syllabe, à la française. Le système fonctionnait si bien, et c'était si facile de le laisser fonctionner. Certes,

Aron se tenait au courant de l'actualité :
un an à peine après la naissance des
nouveaux bébés, par exemple, il lut
dans le journal que de violentes que-
relles avaient éclaté entre Africains et
Indiens à Cato Manor, juste derrière le
campus... mais ces événements n'avaient
aucune incidence sur sa vie quotidienne.
Il était bien plus préoccupé par les travaux d'agrandissement de l'université,
notamment la construction de la Memo-
rial Tower destinée à abriter une bibliothèque sur cinq niveaux. Tout comme
leur villa, l'université était triomphalement perchée en haut de la colline ;
elle donnait sur le front de mer et tour-
nait le dos aux conflits sanglants des
quartiers plus au nord... Ainsi, le nombre élevé des victimes à Cato Manor
n'avait en rien infléchi ses horaires de
lecture et d'enseignement. Currie avait
ses horaires, elle aussi. Elle se levait à
cinq heures du matin et travaillait jusqu'à la tombée de la nuit : elle devait
allaiter la petite Anna, préparer tous les
repas, astiquer le sol, faire la lessive et
le repassage, chanter des chansons et
raconter des histoires à Sheri et à Flore,
après quoi elle partait dormir seule dans
sa *kaïa*, une minuscule pièce attenante
au garage, équipée d'une douche froide
et d'un w.-c. à la turque. Elle travaillait

quatre-vingts heures par semaine et les Zabotinsky lui versaient un salaire plus élevé que la moyenne : vingt rands par mois au lieu de quinze. Comme il fallait plus de deux heures, à pied et dans des bus bondés, pour faire le trajet entre KwaMashu et le Berea, Currie ne rentrait chez elle que le samedi ; ses propres enfants étaient élevés par leur grand-mère. A Noël, quand il faisait une chaleur accablante sur la côte, les Zabotinsky lui donnaient quinze jours et remontaient à Pretoria, passer les fêtes dans la fraîcheur des montagnes. Tous leurs collègues vivaient ainsi, comptant sur de courageuses ombres noires, efficaces et fredonnantes, pour gérer la vie du foyer. Cela ne provoquait aucun ressentiment. Ils tenaient sincèrement les uns aux autres. Quand Currie perdit un neveu dans le massacre de Sharpeville en 1960, Aron lui accorda une semaine entière, glissant même un peu d'argent dans la poche de sa robe pour la cérémonie des funérailles. Il savait l'extrême importance des funérailles chez les Zoulous. Il avait lu des livres làdessus. Il avait même donné un cours de philosophie morale zouloue une fois, dans le nouveau département d'études africaines...)

"Elle est divorcée ? demande Rachel pour être polie.

— Qui ?

— Votre fille aînée, dit Rachel.

— Ah oui, dit Aron. C'est récent. Il y a deux, trois mois seulement. C'est dur, à son âge."

(Les filles avaient grandi, pris leurs distances peu à peu, brusquement Sheri s'était mariée et avait disparu de l'horizon... Mais Currie, elle, était inamovible : elle s'occupait de tout, faisait le ménage, portait les vieux habits de Nicole, grondait gentiment Anna quand elle ne prenait pas le temps de manger... Aron et Nicole auraient trouvé grossier de dire qu'elle était "presque un membre de la famille" : elle l'*était*, un point c'est tout. Du moins le croyaient-ils. Et puis... le destin avait frappé. En 1964, de façon saugrenue, Nicole et Currie avaient manifesté les mêmes symptômes : palpitations cardiaques, maux de tête, enflement des ganglions lymphatiques. Aron les avait conduites ensemble, Nicole à ses côtés et Currie sur le siège arrière, à l'hôpital Edouard VIII, où elles s'étaient entendu prononcer le même diagnostic : leucémie myéloïde. Et par la suite, chacune avait été traitée selon la médecine de son peuple. Aron savait bien ce que cela voulait dire, et

il n'avait rien fait pour intervenir. Il
avait ramené Currie, encore et toujours
sur le siège arrière, chez elle à KwaMashu ; c'était la première fois de sa vie
qu'il mettait les pieds dans une maison
de bantoustan et ce fut un choc : les
murs en contreplaqué, les bibelots
kitsch du deux-pièces pitoyable où
habitait depuis tant d'années ce "membre de sa famille". Il savait que le mari
de Currie la conduirait tout droit chez
le *sangoma*, qui lui donnerait des
remèdes *thakatha* à base d'ongles et de
cheveux humains. Pendant ce temps,
Nicole avait bénéficié d'une longue et
coûteuse chimiothérapie dans un hôpital parisien. Six mois plus tard, Currie
était morte et Nicole, guérie. Elle vivrait
encore quatorze années belles et pleines : assez longtemps pour voir Anna
devenir une militante fervente de l'ANC
et prendre part aux grèves de Durban
en 1973 ; assez longtemps pour profiter des sept petits-enfants que lui don-
neraient Sheri et Flore…)

"Oh ! tout le monde est divorcé de
nos jours, dit Derek en hochant triste-
ment la tête.

— Hé ! dit Charles, irrité. C'était mon
mot interdit, ça !

— Aïe ! pardon ! font Rachel et Derek
en se couvrant la bouche d'une main.

— Qu'est-ce que je peux leur donner comme gage ? demande Charles,
se tournant vers Sean.

— Eh bien, suggère Sean, tu peux
raconter une histoire dans laquelle
Woody Allen fait un film sur Saddam
Hussein.

— Pardon, dit Aron. C'est moi qui ai
commencé.

— En Israël, ajoute Sean.

— Vous connaissez l'histoire du
couple de quatre-vingt-dix ans qui va
voir un avocat pour demander le mot-
en-D ? demande Leonid.

— Oh ! j'adore cette histoire ! dit Katie.

— L'avocat leur dit : «Vous êtes sûrs ?
Je veux dire, vous avez passé votre vie
ensemble, ça vaut vraiment le coup de
tout casser maintenant ?» Et ils disent :
«Ecoutez, on voulait le faire il y a un
demi-siècle et tout le monde nous a dit
de rester ensemble à cause des enfants.
Bon, ben, maintenant tous nos enfants sont morts...»"

Plusieurs convives rient, Brian à
gorge déployée, Charles en serrant les
dents.

"C'est affreux comme blague !" dit
Beth. Elle se rappelle comment, adolescente, elle avait nourri le rêve secret
qu'un jour son père divorcerait de sa
mère pour l'épouser, elle.

(Tout comme sa propre fille Vanessa, Beth a toujours eu honte de sa mère. Pas pour les mêmes raisons, toutefois ; ce n'était pas son corps qu'elle rejetait mais son esprit : son cerveau béotien, la manière fruste et grossière dont elle se servait du langage. Son père Mark Raymondson était docteur en médecine, alors que sa mère Jessie Skykes était la fille d'un rustaud, un porcher des Appalaches que le docteur avait soigné pour la goutte. Comment avaient-ils... ? Chaque fois qu'elle avait tenté de leur poser la question, les réponses de ses parents avaient été vagues jusqu'à l'insignifiance. Toujours est-il qu'un soir, se retrouvant seuls à la maison – le reste de la famille parti où ? aux vêpres ? –, le respectable médecin célibataire de Huntsville et la pisseuse quasi analphabète de dix-sept ans l'avaient conçue, elle, Beth. Un accident. Pire, une faute. Mais on était en 1957, l'avortement était encore un crime et les filles-mères un scandale, alors le Dr Raymondson avait pris la décision honorable : il avait épousé Jessie Skykes et acheté dans les faubourgs de Huntsville une maisonnette où s'installer avec elle et leur future enfant. A la vérité, le bon docteur attachait peu d'importance à la vie intime et à la domesticité... Il n'avait qu'une passion : la

science médicale ; les découvertes les
plus récentes au sujet des germes et des
gènes, des nerfs et des nécroses, des
cancers et des coliques. Toute petite
déjà, Beth comprit que la seule façon
d'attirer l'attention de son père était de
manifester de l'intérêt pour son travail.
Ainsi, dès l'âge de six ans elle apprit à
réciter par cœur la table des éléments
chimiques ; à dix ans elle savait démon-
ter et remonter une maquette de sque-
lette humain, chaque os à sa place ; à
quatorze ans elle était capable de soutenir une conversation sur n'importe
quel article dans *American Medicine.*
Ce qu'elle aimait le plus au monde,
c'était de rester tard le soir à discuter
science dans le bureau de son père,
longtemps après que sa mère avait fini
de laver la vaisselle et s'était abîmée
dans le sommeil. Ce n'est pas que Jessie
ne fût pas gentille ; elle l'était, très ; mais
elle était bête, aussi. Son corps était
ferme et souple mais elle n'avait aucune
notion en matière de vêtement, de coif-
fure, de maquillage. Du matin au soir,
elle portait la même robe informe en
coton imprimé. Et si c'était une cuisinière hors pair, elle ne déployait jamais
d'effort, comme le faisaient toutes les
autres mères, pour donner du charme
à son "intérieur". Le pire, aux yeux de
Beth, c'est qu'elle n'avait pas d'ambition.

Elle n'aspirait pas à se cultiver, à lire
des livres, à comprendre le monde. Elle
passait le plus clair de son temps dehors,
à fourrager dans le potager ou le pou-
lailler. Pliée en deux, grognant et rougissant, elle enfonçait des piquets
dans le sol, éclaircissait les rangées de
légumes, courait après les poulets pour
leur briser le cou, puis s'installait sur un
tabouret pour les plumer, les cuisses
obscènement ouvertes, un grand sourire
vide sur le visage. Beth s'abstenait d'inviter des amis chez elle, de peur qu'ils
ne ricanent en voyant sa mère ainsi
exhibée... ou en découvrant, à l'intérieur de la maison, les rideaux en plastique, le faux parquet en lino et les
comptoirs en Formica. Elle avait une
soif ardente de culture. Elle aspirait aux
bonnes manières. Au savoir. A la distinction. Au monde des bibliothèques,
des universités, des musées et des
laboratoires de recherche. Au fond
d'elle-même, elle refusait de croire
qu'elle était réellement, biologique-
ment, l'enfant de sa mère – et non,
telle Athéna, le rejeton miraculeux du
cerveau de son père.)

Entre-temps, voit-elle avec effroi, avec
délice, les assiettes à dessert ont été
distribuées : il y en a une devant chaque
convive.

XIII

CHLOÉ

A LONDRES, *Chloé vivra pendant quelques années des droits d'auteur de son célèbre mari romancier mort ; puis elle jettera l'éponge. Me penchant sur le trottoir, là où son corps s'est écrasé avec un floc !, je ramasserai son âme de trente ans et la ramènerai chez moi. Elle n'a jamais eu de vrai chez-soi, la petite. On pourrait trouver irresponsable, de la part d'une mère, de sauter du dix-septième étage de l'hôtel quatre étoiles où elle habite avec son fils de huit ans, et de laisser celui-ci se débrouiller tout seul dans l'existence. Mais la vie de Chloé elle-même, comme on l'a vu, a été brisée en deux lorsqu'elle avait huit ans, et l'inconscient humain est friand de ce genre d'écho ironique.*

Elle avait cru que son mari lui tiendrait lieu de chez-soi. Et l'attaque cérébrale

de Hal avait confirmé ses pires terreurs :
que la vie n'était que sables mouvants,
espoirs bafoués et trahisons brutales ;
que chaque lieu qu'elle tentait d'habiter se muerait en maison de cauchemar
ou de foire, aux planchers qui glissent
et se dérobent sous vos pieds, aux murs
qui s'écroulent, aux portes qui vous claquent au nez, aux couloirs qui ne sont
que des miroirs et les toits des passoires.
Face à l'impotence de Hal, elle n'avait
d'autre possibilité que de prendre la
poudre d'escampette avec son bébé.

Mais... comment faire pour construire
une vie, quand on ne sait pas vivre ? Il
ne suffit pas d'être riche. Chloé n'est
personne. On ne lui a jamais permis
d'être enfant et, du coup, elle ne sait pas
être parent. Elle vit seule avec Hal Junior
et, au lieu de le materner, elle découvre
ce que l'enfance devrait être. Elle suit son
fils de près et, à mesure qu'il apprend à
marcher, puis à parler, à courir, à explorer le monde, à jouer avec les écureuils
dans Hyde Park, à pépier de joie pendant les promenades en barque, les
spectacles de guignol, les comptines et
les jeux dans son jardin d'enfants...
Chloé se rend compte de tout ce dont
on l'a privée. Tanguant entre les différentes époques de sa vie, elle lâche peu
à peu sa prise, déjà incertaine, sur la

*réalité. Et vient le jour où, balançant
une jambe puis l'autre par-dessus la
barre de leur balcon, elle quitte la réalité une fois pour toutes.*

XIV

LE DESSERT

ARON ÉTUDIE les onze paires d'yeux qui l'entourent, dont presque tous sont derrière des lunettes et la plupart, baissés. Ces gens sont mal à l'aise, ça ne fait pas de doute, même s'ils auraient du mal à dire pourquoi ; ils sont comme à la pêche au lancer, tout à l'espoir de ramener des sujets de conversation gros comme ça, de bonnes histoires à raconter. Ce silence… Les Zoulous ne se demandent jamais de quoi ils vont parler. Ils jacassent, chantent et se chicanent sans cesse : qu'ils se trouvent au bistrot ou au cimetière ou dans une manifestation politique, les paroles coulent de leurs lèvres aussi naturellement que l'eau d'une source. Pas une fois au Kwazulu-Natal, se dit Aron, je n'ai été témoin d'un tel silence entre Noirs. Et là, même Charles Jackson a appris à se comporter comme un Blanc, à peser ses mots… Oui, les mots de l'homme blanc sont comme des pierres : précieuses parfois, mais lourdes.

Ses intestins se mettent soudain à bouillonner et à gargouiller : sensation qui ne lui est que trop familière, ces derniers temps. S'excusant, il se hâte le long du couloir vers les toilettes, ferme la porte à clef et se débat avec la boucle de sa ceinture – ah ces maudites boucles modernes, les anciennes fonctionnaient très bien, pourquoi les a-t-on changées, bon Dieu est-ce que je vais souiller mon caleçon une fois de plus ; enfin il parvient à la défaire et à tomber le pantalon, juste à temps.

"Ouais, dit Hal, quand Aron revient dans la salle à manger. Ouais, répète-t-il… et, éteignant son cigare, il porte à la bouche une grosse fourchettée de gâteau au chocolat. J'ai entendu, Sean, pour ta mère. Je suis navré. Ça a dû être dur, à la fin."

(Hal avait bien connu Maisie parce qu'à de nombreuses reprises Sean avait sollicité son aide pour un "déménagement" de sa mère. Maisie "déménageait" sans cesse, non d'une maison à l'autre mais à l'intérieur de la même maison : certainement, se dit Hal, la maison la plus encombrée dans ce continent encombré. Il a toujours eu envie de

mettre un personnage comme la mère
de Sean dans un de ses romans mais,
de peur que Sean n'en prenne ombrage,
il ne l'a pas encore fait. A vrai dire, il se
demande si Sean lit encore ses romans ;
ses commentaires, bien qu'enthousiastes,
se font de plus en plus vagues : "Tu t'es
surpassé cette fois-ci, mon ami... *six
cents pages* !" ou : "Elle est superbe,
l'illustration de la couverture, tu l'as
trouvée où ?" et Hal est trop fier pour
lui demander sa réaction spécifique à
telle scène, tel personnage... Mais,
sérieusement, peut-être pourra-t-il mettre
un personnage comme Maisie dans ce
roman sur le Klondike, il la flanquerait
sur la côte ouest, la ferait trapue plutôt
que maigre, et Sean attribuerait le reste
à la licence poétique... "le reste" étant
la folie de Maisie, maintenant qu'elle
n'est plus de ce monde il peut appeler
les choses par leur nom, voire inventer
un terme pour sa pathologie particulière : "l'accumulomanie", peut-être.
Maisie Farrell avait vécu seule au rez-
de-chaussée d'une maison modeste à
Somerville, et son appartement avait
été tellement bondé de meubles, boîtes,
bouteilles, sacs, magazines, habits, bibelots, nourriture en conserve et bric-à-brac
de toute sorte que ses invités n'avaient
pas de place pour respirer, sans même

parler de s'asseoir. Maigre, oui, "maigre comme un clou" était la seule description possible pour Maisie ; il suffirait peut-être de la flanquer sur la côte ouest sans la rendre trapue parce que, sans cette maigreur, elle n'aurait jamais pu se faufiler parmi les téléviseurs et réfrigérateurs, lave-linge et canapés d'occasion, armoires et fauteuils à dossier réglable qui occupaient son salon-salle-à-manger-parloir. "Vous n'avez qu'à poser ça là-bas, merci, vous êtes adorable", disait-elle par exemple à Hal, qui venait de hisser sur l'épaule gauche un futon nouvellement acquis. "Ce n'est pas trop lourd, au moins ?" – toujours doucereuse et insinuante dans ses suggestions, comme si c'était lui et non elle qui avait tenu à se lancer dans cette entreprise. Elle lui fichait les jetons, le rendait maladroit, le rendait triste. C'était une forme de naufrage : l'engloutissement total d'un être humain sous ses possessions matérielles, un cancer proliférant d'objets comme dans *Les Chaises* de Ionesco. Une fois, ayant égaré un bon de vingt-neuf cents pour une bouteille de sauce de salade au roquefort, elle avait passé la matinée entière à fouiller dans les tiroirs à sa recherche... pour décider, finalement, qu'il valait mieux mettre les tiroirs en ordre...

mais elle y avait découvert une plé-
thore de vieux papiers jaunis – lettres,
factures et relevés de comptes – et, ne
sachant où les mettre, s'était mise à
feuilleter les catalogues des grands
magasins à la recherche d'une nouvelle
commode à prix réduit. Après avoir
attendu une demi-heure au téléphone
pour la commander, tapant du pied
pendant qu'une musique pop préenre-
gistrée lui taraudait le tympan, elle
s'était mise, une fois de plus, à se
plaindre des piles de "courrier" – en
fait des imprimés publicitaires et des
prospectus – qui, furtivement, sournoi-
sement, pendant qu'elle avait le dos
tourné, s'étaient accumulées sur sa table.
Hal devait parfois se retenir d'exploser :
"Mais enfin ! il suffit de résilier vos
abonnements !" ou : "Laissez-moi balancer toute cette merde à la poubelle !"
Mais il avait réussi à garder son calme
avec la mère de Sean, se répétant à
part lui que ce n'était pas son problème, ni même le problème de sa
mère, et qu'il pouvait bien faire ça pour
son ami : sacrifier quelques heures
de sa vie ennuyeuse pour mettre un
peu d'ordre dans la vie encore plus
ennuyeuse de Maisie Farrell. Alors,
voyant approcher à toute vitesse l'heure
du déjeuner, Maisie avait raccroché le

téléphone pour aller inspecter le contenu de son monstrueux réfrigérateur ;
elle avait ouvert et refermé des dizaines
de boîtes Tupperware, reniflant les
divers restes et jetant ceux qui pourris-
saient, jusqu'à ce qu'elle trouve enfin
celui qu'elle cherchait – une soupe de
tomate vieille de trois jours – après
quoi elle avait passé le reste de la journée à chercher un certain produit net-
toyant pour se débarrasser de la tache
orange qu'avait laissée la soupe sur
son pantalon blanc immaculé. "Une
tasse de café – ça vous dit, Hal ?" lui
avait-elle demandé, une autre fois, en
les entendant arriver à onze heures du
matin, alors qu'elle n'était pas habillée
mais s'affairait encore dans sa chambre,
en peignoir et en bigoudis, à choisir
une tenue pour la journée. "J'en ai au
frigo, je peux vous le réchauffer en cinq
sec !" "Avec plaisir !" avait répondu
Hal, spontanément et sincèrement, mais
Sean lui avait délivré un magistral coup
de pied au tibia. Oui : car si Maisie devait
lui servir un café, un nouvel éventail
de choix affolants s'ouvrirait devant
elle : dans quelle tasse le mettre ? le
réchauffer au micro-ondes ou au bain-
marie ? sucre blanc ou roux ? et qu'ai-
je bien pu faire de la crème ? pourvu
qu'elle n'ait pas tourné… Alors Hal s'était

empressé d'ajouter : "C'est parfait tel quel, madame Farrell. J'adore le café froid !" Elle lui avait donc rempli une tasse et, portant le liquide brun foncé aux lèvres, il avait dû prendre sur lui pour ne pas le recracher en mille gouttelettes sur les piles de courrier – car ce n'était pas du café du tout, mais, surprise écœurante à cette heure de la journée, du bouillon de bœuf. Il l'avait versé dans l'évier sans qu'elle le voie, espérant avoir choisi le bon tuyau d'écoulement parmi le redoutable nombre de possibilités qu'offrait son purificateur d'eau... mais, plus tard dans la journée, ayant découvert le vrai café au réfrigérateur et compris que Hal lui avait caché son erreur, Maisie lui avait fait la tête une demi-heure durant. "Et dire qu'elle était une jeune Irlandaise si jolie et pimpante, avait soupiré Sean en fin de journée alors que lui et Hal, épuisés, reprenaient la voiture pour aller dans un des pubs de Cambridge, tout près. Rouquine aux yeux verts. Et pieuse, avec ça. Ne ratait jamais une messe le dimanche. Ses jolies mains jointes pour la prière... et une voix d'une douceur angélique, pour chanter les cantiques... Enfin... c'est encore quelqu'un de bien, non ?" "Bien sûr que c'est quelqu'un de bien, avait dit Hal, tendant son verre

de Jameson's par-dessus la table pour
trinquer avec Sean. Elle est juste un
peu… toc toc, c'est tout." "A Pâques, l'an
dernier, avait dit Sean, songeur, fixant
d'un air morne les glaçons dans son verre
vide, j'ai proposé de l'amener à l'église
pour qu'elle puisse chanter les vieux
cantiques, mais elle a refusé sous prétexte qu'elle n'aurait pas le temps de se
préparer. Pourtant, je lui en avais parlé
le Vendredi saint pour le dimanche.")

"Mm, dit Sean maintenant, pendant
que Hal avale sa bouchée de gâteau
au chocolat. Elle était dans une "maison",
je crois que c'est ainsi qu'on nomme ce
genre de lieu. Pas loin d'ici. J'allais la
voir chaque jour ou presque. Mais elle
n'arrivait pas à trouver ses repères sans
ses… euh… ses biens matériels, pour
employer un euphémisme. Sa mémoire
était restée chez elle à Somerville, je
crois ; l'Armée du Salut a dû l'embarquer avec le reste. Elle a des possibilités littéraires intéressantes, la maladie
d'Alzheimer, si on est porté sur l'école
de Gertrude Stein. «Pendant toute cette
période Melanctha était toujours de
temps à autre avec Jem Richards», ce
genre de chose. Mais même ça a disparu au bout d'un moment, et elle ne
disposait plus que de deux phrases,
qu'elle répétait sans arrêt : «Qu'est-ce

que je fais là ?» et «Où est la sortie ?».
Surtout «Qu'est-ce que je fais là ?».
— Bonne question, dit Hal.
— Exactement. C'est ce que je lui
disais. «Bonne question, m'man. Moi
aussi je me la pose souvent.» Alors elle
disait : «Où est la sortie ?»
— Et vous lui avez montré ? demande
Chloé.
— Par exemple je lui disais : «Si on
allait faire une promenade dans le jardin ?» et elle était ravie : *«Oh, oui !»*
Mais, le temps que je l'aide à mettre son
manteau, elle avait oublié l'idée de la
promenade et était convaincue qu'on
partait pour de bon, donc elle faisait le
tour de la pièce en prenant congé de
tout le monde, les larmes aux yeux : «A
l'année prochaine… peut-être !» «Oh, non,
disaient les autres, l'air anxieux… Sûrement avant ça !» «Eh bien je ne sais pas,
disait m'man, et je la voyais aux prises
avec une redoutable logistique imagi-
naire. Ce ne sera pas facile de se revoir,
vous comprenez, parce que j'habite…
ah… j'habite… Clonakilty.» Elle n'habitait
plus Clonakilty depuis 1945. Et les autres
la regardaient, l'écoutaient de toutes
leurs forces, essayant d'attraper au moins
une bribe de ce qu'elle voulait dire…"
(Sean avait frémi de voir ces esprits
brisés patauger, fouiller leur mémoire

à la recherche de noms et de dates, réitérer les mêmes phrases avec le même enthousiasme à quelques secondes de distance... "Quand est-ce qu'on rentre à la maison ?" "Tu habites ici maintenant, mamie." "Je pourrais avoir une cigarette ?" "Plus personne ne fume, papi." "Et comment vont les enfants ?" "Ils ont des enfants à eux maintenant, maman." "Quelles fleurs magnifiques ! Ce sont des..." "Des glaïeuls, je te l'ai déjà dit." "Je fais quoi, exactement, comme métier ?" "Eh bien, tu es à la retraite maintenant, mais autrefois tu étais ingénieur." "Ingénieur ? Tu en es sûr ? Je croyais être éditeur." "Non, papa, c'est moi qui suis dans l'édition." "Toi ? Ah bon ? Pourtant j'aurais juré que j'étais éditeur..." "Et comment vont les enfants ?" "Quelles fleurs magnifiques !" "Je pourrais avoir une cigarette ?..." S'acharnant à sortir de l'enfer du présent pur, et échouant. Déplorant leur propre mollesse, les chemins bouchés, le labyrinthe des sanglots muets. Luttant pour préserver une cohérence minimale. Il s'agissait de suivre d'abord une phrase, la leur ou celle d'autrui, du début jusqu'à la fin – et ensuite, plus ardu encore, de maintenir en place son sens accumulé. L'effort se lisait dans leurs yeux angoissés.)

"Non, insiste Chloé. La *vraie* sortie, je veux dire." Comme les effets de la cocaïne

commencent à s'estomper et qu'elle a
légèrement mal au cœur, elle essaie de
penser à l'odeur de l'essence. (C'est son
odeur préférée ; elle l'a souvent utili-
sée pour combattre la nausée. Non
seulement l'odeur mais la vue de l'essence la ravissent, reluisant sur le bitume
près des pompes, ses couleurs froides
et iridescentes comme des plumes de
pigeon. Depuis toujours, Chloé est atti-
rée par les contours nets des stations
d'essence, concessions de voitures, par-
kings extérieurs ; elle adore leur haut
rectangle de fil de fer, orné de mille trian-
gles en plastique qui brillent et palpitent dans le vent. Les voitures aussi, elle
adore. Conduire. L'idée d'aller quelque
part. C'est seulement une idée, bien sûr.
On peut jamais arriver, hein Col. C'est
comme le mirage de l'eau qu'on voit,
juste là, devant, sur la route, toujours
devant, jamais atteint. Mais bon, on est
bien obligé de courir après.)

Ah, les jeunes, se dit Sean. Partent
toujours du principe romantique que
les mourants ont envie de mourir au
plus vite. "Elle n'avait pas envie de
mourir, dit-il. Elle avait envie de sortir
de cette foutue maison, c'est tout. Aussi
simple que ça. Et aussi impossible." (Il
passe sous silence sa dernière visite à
Maisie, quand elle était réellement en

train de mourir, et le savait peut-être…
Se tournant vers Sean agenouillé à son
chevet et le regardant droit dans les yeux,
elle avait tendu un bras émacié pour
lui caresser le front et, d'une voix très
douce et comme étonnée, lui avait dit
tout bas : "Comme tu es beau !" – mots
qui l'avaient sidéré, lui plongeant jusqu'au fond de l'estomac, lui emplissant
le cœur de douleur et les yeux de
larmes. "Toi aussi, m'man. Toi aussi, tu
es belle", lui avait-il dit alors, et, à
contempler son corps décharné, ses
cheveux blancs épars, ses yeux enfoncés dans leurs orbites et ses extrémités
tordues par l'arthrose, il savait qu'il
n'avait jamais prononcé une phrase
aussi vraie : "Toi aussi, tu es belle…")

"Katie, dit-il abruptement, il faut nous
pardonner nos insinuations malveillantes de tout à l'heure à l'endroit de ta
citrouille : ceci est l'une des tartes les
plus délectables qui aient jamais glissé
le long de mon gosier. Hal, tu pourrais
faire passer la crème fraîche par ici ?"

Beth intercepte le bol en passant,
prélève une grosse cuillerée de la crème
épaisse et la dépose sur sa tarte en se
disant : Voilà, c'est la dernière chose que
je me mets dans la bouche d'ici le mois
de décembre, je le jure – oui, comme
devant le tribunal de Brian, je le jure –,

que Dieu me soit témoin, oh ! mais
qu'Il m'aide un peu, aussi !!

Rachel voit le geste et entend presque la pensée qui l'accompagne. Pauvre
Beth, se dit-elle. Il y a une chanson
comme ça, non, *Pauvre Beth* ? Non je
confonds avec *Mad Bess*... une chanson de Purcell...

Avide d'alléger l'atmosphère, Brian
se lance dans l'arène : "Et ceci, Rachel,
dit-il, est la Forme platonicienne du
gâteau au chocolat. La Quintessence.
La Chose même."

Rachel le gratifie d'un sourire mais
Brian regrette d'avoir prononcé cette
phrase parce qu'il a dit la même chose,
récemment, dans un tout autre contexte,
à propos non d'un gâteau au chocolat
mais d'un *prosciutto con melone*, et il
sent que la répétition de la phrase
vient de la banaliser. (C'était à Ottawa,
au mois de juin dernier, lors d'un colloque de l'Association des libertés civiques : à la fin de la longue journée de
travail, Celia Torrington, une avocate
canadienne aux yeux et aux cheveux
sombres, était venue le rejoindre en haut
des marches du tribunal pour discuter
de l'embargo contre Cuba, après quoi
elle l'avait invité à partager avec elle un
souper froid à la maison – maison dont
son mari, de façon aussi providentielle

que provisoire, était absent. Ils avaient
installé une table dans le jardin et, tout
en allant et venant pour y apporter bougies et verres, vin blanc frais et *grissini*,
melons et jambon fumé – "Ah, Celia !
Ceci est la Forme platonicienne du *prosciutto con melone*!" –, Brian s'était senti
de plus en plus triste. Se souviendrait-
il de cela ? de la bouleversante tristesse
qui s'était emparée de son âme parce
que, tout en écoutant gémir le vent d'été
dans les sapins et en voyant la robe
blanche de Celia fouetter ses genoux
étroits et s'aplatir contre son ventre, il
savait qu'ils passeraient la nuit ensemble
à célébrer la nudité l'un de l'autre et
que, le matin venu, ils s'embrasseraient et
ne se verraient plus... ? Se souviendrait-
il de ce repas unique avec Celia Torrington, de l'égrènement de ces secondes,
aussi suaves que le melon, ou n'en
retiendrait-il que le souvenir des mots ?
*Prosciutto con melone, grissini, sapins,
robe blanche, genoux étroits...* mots que,
dans un premier temps, il avait choisis
et savourés parce qu'ils avaient le pouvoir de ressusciter cette réalité dans son
cerveau, mais qui, maintenant, s'étaient
mis à l'évincer... *Oh ! qu'est-ce qu'un
souvenir ?*)

"Ma mère aussi a perdu la mémoire,
dit Leonid. Ça a commencé tout de suite

après la mort de mon père. Je n'étais pas là, mais ma sœur m'écrivait pour me tenir au courant de son déclin. On aurait dit qu'elle avait pris la décision consciente de se délester de ses souvenirs.

— Oui, renchérit Katie (alors qu'elle n'a jamais fait la connaissance de sa belle-mère). Elle s'en est débarrassée, en quelque sorte. Comme un alpiniste qui, un jour de grande chaleur, lâcherait un à un ses habits superflus.

— D'après ma sœur, poursuit Leonid, quand des amis passaient la voir, elle jouait celle qui a toute sa tête. Par courtoisie, vous comprenez, elle faisait semblant de les reconnaître... alors qu'elle ne savait plus distinguer sa voisine d'une vache. Et, bizarrement, disait ma sœur... sa perte de mémoire l'a... rendue plus légère, plus joyeuse. Elle a oublié toutes les déceptions de son existence. Ses enfants ne pouvaient plus la blesser, elle ne savait même plus leurs noms. Pendant quelques mois elle s'est rappelé la mort de son mari, puis même cela a disparu. A mesure qu'elle lâchait ses souvenirs, l'amertume et le ressentiment se sont évaporés aussi. Ses yeux se sont remplis de lumière et son sourire est devenu chaque jour plus éclatant."

Je ne vois pas l'intérêt, se dit Beth,
de lui fournir l'explication médicale de
cette euphorie. La dégénérescence des
cellules du cerveau l'ayant rendue incapable de se situer dans le temps, sa
mère ne redoutait plus l'avenir.

"Et à la fin, conclut Leonid, la voix
rauque d'émotion, un bel après-midi
d'octobre, n'ayant prévenu personne
de ce qu'elle comptait faire, elle est partie se promener le long de la Berezina,
semant ses habits comme les cailloux
du Petit Poucet... C'est ainsi qu'on a
pu la suivre à la trace... On l'a retrouvée parmi les feuilles mortes au bord de
la rivière, toute nue, un sourire enfantin
aux lèvres.

— C'est une image extraordinaire,
n'est-ce pas ? dit Katie dont la propre
mère est morte de façon moins romantique, d'un cancer du colon, quand elle
avait treize ans. C'est comme si elle
avait... je ne sais pas, moi... lévité. Je la
vois devenir de plus en plus éthérée,
transparente... puis pouf ! plus rien..."

Je n'étais pas là, se dit Leonid. Je n'ai
jamais été là. (Non, il n'était pas une
seule fois rentré, pas avant qu'il ne fût
trop tard. En quittant la Biélorussie, il
s'était rêvé futur grand peintre : il était
certain, si seulement il réussissait à
atteindre New York, de figurer parmi

ceux qui laissent leur empreinte sur le
monde de l'art… Et le voilà maintenant,
la soixantaine largement entamée, en
train de choisir entre l'ocre-orange et
l'ocre-jaune pour la cuisine de Mme Fos-
ter à Welham… tu parles d'une empreinte ! Quand il leur avait annoncé
son intention de quitter illégalement le
pays, et l'adverbe était superflu, ses amis
de l'académie d'art de Minsk lui avaient
"prêté" de l'argent pour l'aider à démarrer sa nouvelle vie… Il était sorti de
Biélorussie planqué à l'arrière d'un
camion de munitions, ayant graissé
la patte du chauffeur pour qu'il le
conduise de l'autre côté de la frontière
polonaise. Ensuite, se glissant dans un
bateau à Swinoujście, il avait fait en
passager clandestin la traversée jusqu'à
Malmö, puis en auto-stop la route jusqu'à Stockholm. Une fois dans la capi-
tale, il avait erré dans le vieux quartier
de Gamla Stan, l'air à la fois affamé et
artistique, jusqu'à ce qu'une gentille
libraire aux cheveux blonds du nom
de Birgitta le prît en pitié et finît par
l'épouser. Quand le couple débarqua à
New York en 1960, il avait vingt-sept ans
et croyait encore passionnément en son
rêve. Mais la vie en Amérique était
d'une dureté déconcertante : il lui fallait apprendre la langue, payer le loyer

et, plus dur que tout le reste, continuer
de croire en sa peinture au milieu du
brouhaha familial. Car, presque tout de
suite, Birgitta avait mis au monde des
jumelles, Selma et Melissa… Leur mariage
avait capoté cinq ans plus tard et Leonid avait eu de plus en plus de mal à
joindre les deux bouts… Le temps passait et il pensait souvent, avec un pin-
cement de culpabilité, à ceux qu'il
avait laissés derrière lui en Biélorussie,
ses proches qui, en raison de son
départ, avaient vu s'exacerber les tra-
cas de la vie quotidienne. Oui, il savait
bien que l'on persécutait ceux qui avaient
des parents à l'étranger, qu'on les sou-
mettait à une surveillance intensifiée,
qu'on restreignait leurs libertés déjà
restreintes, qu'on les privait de tout espoir
de promotion et de privilège. Le temps
passait… et cela le torturait de sentir
l'écart se creuser entre eux. Sa petite
sœur Ioulia devint une femme, épousa
un ingénieur du nom de Grigori et mit
au monde une petite Svetlana. Ses
parents perdaient peu à peu la jeunesse, la force et la santé. Ces nouvelles
ne le laissaient pas indifférent, au contraire, mais il ne se résolvait toujours
pas à retourner au pays, même en
visite. D'une part, c'était risqué : le gouvernement pouvait le retenir, le détenir,

voire l'écrouer ; c'était le cauchemar de toutes ses nuits. Mais il n'y avait pas que ça. Il y avait... eh bien, qu'il ne pouvait plus partir à la légère, il avait de lourdes responsabilités aux Etats-Unis : lors d'une manifestation des SDS* en 1968 il avait fait la connaissance de Katie, jeune femme idéaliste et pétulante aux longs cheveux noirs, et il en était tombé amoureux comme il n'avait pas été amoureux depuis Valentina Sagalovitch à la piscine municipale de Minsk, sauf qu'il s'agissait cette fois d'un amour réel et réciproque. Malgré leur différence d'âge (quinze ans), ils s'étaient lancés joyeusement dans la vie conjugale, puis parentale, de sorte que maintenant, entre les deux enfants de Birgitta et les quatre de Katie, Leonid n'avait pas moins de *six* bouches à nourrir ! Oui, c'était beaucoup ; personne ne pouvait le nier ; même pas Ioulia, à qui il téléphonait deux fois l'an, pour son anniversaire et pour le Nouvel An. Certes, comme il le lui avouait au téléphone, tout en remarquant comme la langue biélorusse glissait mal sur ses

* Students for a Democratic Society, groupe radical important aux Etats-Unis à la fin des années soixante qui organisa notamment de nombreuses manifestations contre la guerre du Viêtnam.

lèvres et sonnait étrangement à ses
oreilles, certes, il n'avait pas encore réussi
à s'imposer comme peintre. Ç'avait été
plus difficile que prévu de pénétrer
dans le monde artistique de Soho. Il
avait été obligé de faire quelques com-
promis et, à dire vrai, il travaillait à plein
temps en ce moment comme peintre
en bâtiment. N'empêche que... là, il se
mettait à atermoyer... n'empêche que...
eh bien, qu'il était devenu américain.
D'accord, pas un *citoyen* à part entière,
il devait encore renouveler sa carte verte
chaque année mais ce n'était là qu'un
détail, l'essentiel était qu'il se *sentait*
américain et se comportait en Américain ; du reste, sa femme et ses enfants
ne parlaient que l'anglais et n'avaient
jamais mis les pieds à l'étranger. Il avait
tout vécu aux Etats-Unis : Kennedy,
Nixon, la guerre du Viêtnam, les hippies, le Watergate, Carter, les yuppies,
Reagan... Ses enfants étaient nés ici et
chaque facette de leur existence était
américaine, depuis l'école jusqu'aux
sports en passant par les jeux vidéo...
comment pouvait-il rentrer "chez lui" ?
Plus le temps passait, plus il redoutait
de faire le voyage : non en raison de
ce qui aurait changé depuis son départ
mais en raison de ce qui n'aurait *pas*
changé. Ses parents habitaient encore

la maison même où il était né... Ses
amis, le reconnaissant, lui ouvriraient
les bras pour fêter son retour au sein
du groupe... et ses décennies de vie
aux Etats-Unis fondraient comme neige
au soleil ; Katie et les enfants deviendraient les bribes flottantes d'un rêve
oublié ; les mille péripéties de son histoire américaine seraient nivelées, ba-
layées, anéanties. Ainsi, quand Ioulia lui
décrivait, année après année, l'inexorable déclin de la santé de leurs parents,
il tentait désespérément de la rassurer,
même si ses phrases sonnaient faux à
ses propres oreilles. Puis était venu le
jour où leurs parents ne pouvaient
plus se débrouiller seuls : à contrecœur,
Ioulia et Grigori s'étaient résignés à
quitter Minsk pour Choudiany, et Grigori avait trouvé un emploi à la cen-
trale nucléaire toute proche.)
    "Tu as de la chance, lui dit Brian. Ta
mère c'est l'exception. Mon père c'est
la règle. Tous ses défauts se sont exa-
cerbés avec l'âge. Il est devenu para-
noïaque, volubile, détestable. Persuadé
qu'on cherchait à l'arnaquer, il a passé
les cinq dernières années de sa vie à
hurler contre ma mère. A *hurler*. Déjà,
avant, ce n'était pas quelqu'un de cha-
leureux, mais... son comportement à la
fin a bousillé tous les bons souvenirs

que j'avais de lui." Dans la glace, le matin, je lui ressemble chaque jour un peu plus, ajoute-t-il à part lui. Ça me fout la trouille.

Une lourde chape de silence descend à nouveau sur la table, tandis que les convives rendent visite à leurs chers et à leurs moins chers disparus.

"Ça me fait penser à Tolstoï, dit Hal.

— Ça me fait penser à ma mère, dit Aron.

— Votre mère était comme ça ? demande Rachel.

— Elle *est* comme ça.

— Quoi ? dit Chloé, incrédule. Votre mère est encore en vie ?

— Eh ! oui, dit Aron dans un soupir. Elle n'avait que dix-sept ans quand je suis né ; à votre âge elle était déjà mère de quatre enfants ! Maintenant elle a cent deux ans et, malheureusement, ça ne semble pas près de s'arrêter. Elle habite Jérusalem. *A* la maison, plutôt que *dans* une maison. Elle refuse d'entrer dans une institution. Quatre personnes travaillent à plein temps pour la maintenir en état de marche : une cuisinière, une femme de ménage, une infirmière et une secrétaire. Mais, comme elle a des sous, ça peut durer.

— Mon Dieu ! dit Beth. Vous allez la voir parfois ?

— Je ne l'ai pas vue depuis vingt ans, dit Aron. Mais on se dispute au téléphone une fois par semaine.

— A quel sujet ? demande Derek.

— La politique, bien sûr, dit Aron. Par bonheur je suis devenu dur d'oreille, alors ses opinions me dérangent moins qu'avant." (Mme Zabotinsky avait quitté Pretoria pour Jérusalem à la mort de son mari, emportant avec elle les profits très considérables de son usine de montres. Depuis, elle consacrait la quasi-totalité de son temps et de son argent à soutenir l'expansionnisme d'Israël, ses partis politiques les plus réactionnaires, son occupation militaire de la Palestine, son *chutzpeh* incorrigible. Aron s'est disputé avec elle sur ces thèmes au cours d'un bon millier de conversations transatlantiques, sans que l'un ait fait bouger d'un iota les opinions de l'autre.) "Non, elle est encore fringante. Son petit ami est décédé l'an dernier, mais ça n'a pas l'air de l'avoir abattue.

— Son… petit ami ? dit Derek.

— Oui. Crise cardiaque.

— Et lui avait quel âge ? demande Rachel.

— Oh… la soixantaine, dans ces eaux-là. Il aurait pu être son petit-fils, mais ma mère ne s'est jamais souciée du qu'en-dira-t-on.

— Je trouve ça admirable, déclare Beth.

— Ah bon ? dit Aron.

— Mais oui ! On entend toujours parler des hommes âgés qui sortent avec des femmes plus jeunes, jamais l'inverse.

— En effet, dit Aron. Quand elle a commencé à sortir avec cet homme, je me suis dit bon, pourquoi pas ? Au moins elle n'aura pas de soucis de contraception.

— Vous voulez dire qu'ils... ? dit Rachel.

— A vrai dire, je n'en sais rien. J'aime autant ne pas me poser la question.

— Ma mère a eu une crise cardiaque le mois dernier, dit Patrizia, mettant fin à son silence. Elle est *incapable* de se détendre. Elle transforme tout en psychodrame, chaque événement dans la vie de ses enfants et petits-enfants. Ça fait des années qu'elle souffre d'hypertension, mais là, une crise cardiaque... Ça me fait peur.

— Je te comprends, dit Beth. Le cœur est un organe important.

— Le cœur est un organe important, répète Sean en écho sarcastique. Tu n'hésites jamais, Beth, avant de dire de pareilles platitudes ?

— Qu'as-tu contre les platitudes, Sean ? demande Katie, se précipitant au secours de Beth. La répétition des banalités est un des rituels les plus anciens et les plus réconfortants de notre espèce. Que serions-nous devenus sans nos clichés ?" C'est vrai en plus, se dit-elle tout bas, songeant avec gratitude aux lieux communs proférés toutes ces années passées par ses amis. "Ne t'en fais pas : les crises de rage c'est classique à deux ans" ; "Un adolescent qui se rebelle, quoi de plus normal ?", "Il faut de tout pour faire un monde", "Tu ne perds pas une fille, tu gagnes un gendre", "Nos parents deviennent nos enfants"… Voilà des siècles que ça dure, se dit-elle, et pourvu que ça ne s'arrête jamais ! Les clichés sont des baguettes magiques qui transforment nos terreurs intimes en vérités éternelles.

"Le cœur est un organe important, répète Beth entre ses dents, pour tout le monde *sauf* pour Sean Farrell, qui n'en a pas et semble ne pas en avoir besoin. Par ailleurs, ajoute-t-elle, effarée par la quantité de nourriture qu'elle a ingurgitée depuis trois heures, je trouve significatif que Sean n'ait invité aucune femme écrivain à ce repas.

— Oh, je t'en prie, dit Brian tout bas. Ne commence pas…

— Je suis la seule a trouver ça significatif ?" insiste Beth. Elle sent ses joues
s'empourprer et sa voix devenir stridente mais elle tient quand même à
enfoncer le clou. "Il y a trois écrivains
autour de cette table, tous des hommes…
c'est par hasard ? Pourtant ça pullule
par ici, les écrivaines de talent."

Son cœur bat de plus en plus vite et
sa respiration se fait sifflante… Oh
mon Dieu, se dit-elle, pourvu que je
n'aie pas une crise d'asthme, là, devant
tout le monde… (Elle n'a pas eu de
crise véritable depuis l'âge de douze
ans, depuis ces lointaines impressions
de salpêtre et de sueur mâle, mêlées à
la voix basse et urgente de son jeune
oncle Jimmy qui lui soufflait dans
l'oreille ce jour-là, au sous-sol de la
maison de sa grand-mère à Decatur
dans l'Alabama, sa joue mal rasée lui
mettant le cou à vif, le rendant rouge
et brûlant tandis qu'il ouvrait sa braguette pour sortir son machin et le frotter lentement puis de plus en plus vite
contre le tissu jaune de sa robe de
Pâques, pressant ses lèvres tremblantes
sur sa bouche, la regardant avec timi-
dité, les yeux étincelants, et, tandis que
la moite moisissure du mur suintant de
salpêtre s'était mêlée à la sensation
chaude de l'haleine de Jimmy sur son

visage, il haletait : "Tu le diras à personne, hein Beth, faut pas le dire, j'y
peux rien moi si t'es si jolie", la voix
âpre, les mains plaquées avidement
sur ses seins presque inexistants et la
queue s'agitant maintenant très fort
contre le tissu bon marché de sa robe
jaune transparente – elle avait été surprise de la voir si grosse et sombre et
poilue, n'ayant aperçu jusque-là que le
minuscule truc blanc de son neveu
bébé –, et quand il s'était exclamé "Oo-oh
mon Dieu oo-ohh !" avant de s'affais-
ser contre elle en riant presque, elle lui
avait caressé la tête jusqu'à ce qu'il
reprenne son souffle et que son cœur
se calme. Ce soir-là elle avait eu sa première crise d'asthme, terrorisant sa grand-
mère par ses ahans et ses haut-le-cœur,
incapable de faire entrer dans ses poumons la moindre parcelle d'air… et,
depuis ce jour, sur ordre médical, elle
ne se déplaçait jamais sans inhalateur.)

"Ça me barbe, les romans de femme,
dit Sean avec un mauvais sourire. Au
XIXe siècle ils parlaient tous de jardins
et de mariage ; de nos jours ils racontent tous l'histoire d'une jeune femme,
abusée par son père pendant l'enfance,
qui, après de multiples vicissitudes dont
un avortement, trouve enfin le bonheur dans les bras d'une autre femme…

appartenant de préférence à une mino-
rité raciale.

— Tu es ivre mort, mon cher, lui dit
Rachel dans un murmure. Si tu allais
faire du café pour tout le monde ?"

Sean se met à tousser : d'abord poliment, puis de façon incontrôlable.
Reprenant enfin son souffle, il sort un
mouchoir de sa poche, le porte aux
lèvres et recrache, avec une dignité
surprenante, le flegme de sa gorge

"Brian, dit Beth en se mettant debout
avec un air de détermination. Je crois
qu'il est temps que nous partions."

Katie regarde sa montre. (Ah ! les
milliers de fois qu'elle a regardé sa montre quand les enfants étaient petits,
avant de dire : "On devrait y aller, Leo,
il se fait tard et il faut qu'on raccompagne la baby-sitter", un excellent prétexte pour partir, mais maintenant il n'y
avait plus ni baby-sitters ni bébés, Sylvia leur cadette avait dix-neuf ans et
rongeait déjà son frein, après la mort
de David elle avait redoublé son
année de lycée donc elle vivait toujours
avec eux, mais en ce moment même elle
remplissait des dossiers d'inscription
pour des universités situées dans l'Ore-
gon, le Colorado, la Floride... Comment se fait-il, se demande Katie,
désespérée, que tout le monde dans ce
maudit pays aspire à la *solitude* ?)

Brian a le sentiment que lui et Beth se sont déjà trouvés souvent dans cette situation : elle debout et lui assis ; elle piaffant pour partir et lui désireux de rester... Si son éclat féministe gâche la soirée cette fois, se dit-il, je ne le lui pardonnerai pas. Mesdames et messieurs du jury – il lance un coup d'œil à la ronde, conscient qu'il est sérieusement éméché et n'arrive plus à enchaîner ses pensées de manière cohérente –, êtes-vous parvenus à un accord, ou bien devons-nous rendre une ordonnance de non-lieu ? Tiens, on est bel et bien douze ce soir, comme un jury en effet, mais pour juger... quel crime ? Ou peut-être sommes-nous les douze apôtres et c'est la Cène... mais dans ce cas, où est le Christ ? Patchouli, peut-être ? ou Hal Junior, là-haut ? Oh là là, je suis mal fichu.

"Désolée, Beth, dit Sean. Je retire ce que je viens de dire. Très mauvais goût, vraiment. Rassieds-toi, je t'en prie... Personne ne doit partir avant qu'on ait tiré cette affaire au clair.

— Quelle affaire ? demande Leonid. J'ai raté quelque chose ?" Il a mal, il a mal, ses lombaires le martyrisent, le tirent vers le bas : quand on souffre c'est vraiment *soi* qui est *dans* la souffrance et non l'inverse, se dit-il, contemplant

avec envie le fauteuil confortable près
de la cheminée. "De quoi s'agit-il, Sean ?
— Moi aussi je suis larguée, dit Katie.
— C'est justement ça la question, dit
Sean d'un air énigmatique. *De quoi
s'agit-il ?*"

Décontenancée par la contrition de
Sean, Beth se rassoit – mais, juste à ce
moment, Brian se lève précipitamment.

"Excusez-moi, dit-il. J'ai besoin de
prendre l'air, je reviens tout de suite."
(Il sait très bien quel crime ils sont en
train de juger, ce jury-ci et tous les jurys
du monde, oui il est dans la jungle à
nouveau, vingt-huit ans plus tôt, il a
dix-neuf ans et il est au Sud-Viêtnam
en train de suivre les méandres du fleuve
Sa Thây. La verdure laisse percer de
douloureux éclairs de lumière déchi-
quetée mais l'air est lourd, lourd, tout est
lourd et détrempé, leurs casques, leurs
sacs à dos, leurs armes, leurs bottes...
leurs cœurs aussi, lestés par la peur et
la fatigue. Ils sont une patrouille de sept
– quatre Noirs et trois Blancs, plus un
énorme chien-loup du nom de Zack –
et ils ont passé la journée à tourner en
rond dans ce ravin, comme dans un
cauchemar luxuriant et mortifère. Depuis
une demi-année que Brian est arrivé
au pays, tout participe d'un même cauchemar de verdure et de violence : la

pluie, les ordres aboyés, la vase infecte,
les courses effrénées, la diarrhée, la
marijuana, les moustiques. Il a oublié
les subtiles analyses politiques de la
situation qu'il avait débitées dans les
bistrots de Vancouver avec ses copains,
insoumis comme lui, autour de tables
chargées de bouteilles brunes de bière
Molson. Maintenant, des lianes col-
lantes lui obstruent le cerveau, d'épaisses tiges de bambou lui bloquent la
vue intérieure, une puanteur de maré-
cage, de boue et de sang lui bouche le
nez. Lors des marches comme celle-ci,
sur la piste des Viets, n'importe quoi peut
le plonger dans la frayeur : les serpents, et les sinueuses traces de lumière
qui ressemblent à des serpents, et ces
salopards de Viets qui se comportent
comme des serpents, sournois et meur-
triers, enfouissant des mines qui transforment ses copains en de frémissants
monceaux de bouillie rouge. La politique de son pays ne l'intéresse plus
du tout ; la seule chose qui l'intéresse
est de savoir s'il rentrera ou nons chez
lui en un seul morceau...) Le ventre et
le cerveau soulevés, retournés, l'atroce
sonnerie dans l'oreille droite le poussant au bord du vomissement, il se
dirige à grands pas instables vers la
cuisine.

Soudain, à l'étage au-dessus : un braillement.

"Eh ben bravo, le môme ! s'exclame Hal, jetant un coup d'œil à sa montre. Pile à l'heure pour sa collation de minuit."

Dans un bruissement de jupes, Chloé monte l'escalier d'un pas rapide et les autres, se levant, la suivent des yeux. Les pleurs d'un bébé qui a faim : un bruit que beaucoup d'entre eux n'ont pas entendu depuis des années. La conversation s'interrompt et tous tendent l'oreille, écoutant avec intensité cette déclaration ouverte, éhontée, flagrante, du besoin : *Viens, je t'en prie !* supplie leur cœur en même temps que le cri du nourrisson. *Viens, mère ! Viens, réconfort ! Viens, lait, miel, paix absolue ! Viens, présence qui bannira tout manque, colmatera toute brèche, pansera toute plaie, guérira tout mal, redressera tout tort, en cet instant et à jamais.*

Les pleurs prennent fin abruptement et la merveilleuse Chloé ressurgit en haut de l'escalier. Longue, blonde, svelte, rouge et crème, elle descend les marches avec le bébé dans les bras, au sein, oui elle a dénudé la rondeur de l'un de ses seins blancs, les lèvres de l'enfant se sont emparées fermement du mamelon et elles sucent... mais oui ! regarde !

son terrible besoin total est en train de s'assouvir ! Chloé s'assoit précaution-neusement dans un coin du canapé et, émus et fascinés, les autres convives s'assemblent autour d'elle en un cercle de révérence.

Même Beth oublie qu'elle était sur le point de s'en aller.

Puis Brian refait irruption dans la pièce, les lunettes embuées, la barbe mouchetée de neige fondante : "Dites donc ! s'écrie-t-il en tapant du pied. Il est tombé quelque chose comme cin-quante centimètres de neige et ça n'a pas l'air de s'arrêter. On ne voit déjà plus les voitures. Vous savez quoi, les amis ? On est bloqués là pour la nuit."

XV

HAL JUNIOR

*T*OUT COMME *Chloé petite, Hal Junior sera "placé". Mais à la différence de sa mère il aura la chance de tomber dans une famille nourricière aimante et chaleureuse : une diplomate suédoise à la voix douce et son époux, qui finiront du reste par l'adopter. (Personne ne s'apercevra jamais de la coïncidence, mais le père adoptif de Hal n'est autre que le cousin au deuxième degré de Birgitta, la première femme de Leonid.)*

Cela ne dispensera pas Hal du besoin de se faire artiste. Il fera des études de théâtre et deviendra un immense acteur, parmi les plus célèbres et les mieux aimés du Royaume-Uni. Vers le milieu du XXIᵉ siècle, cependant, il commencera à oublier ses répliques, à égarer ses accessoires, à confondre ses différents rôles... Eh oui ! c'est la faute à

Alzheimer, une fois de plus. Mais son lent déclin vers l'état de légume sera interrompu à l'âge de soixante ans par un fulgurant cancer de la prostate. Je l'emporterai en quelques semaines, épargnant ainsi à son public le spectacle navrant d'un Macbeth amnésique.

XVI

NEIGE ET CHANSONS

HAL JUNIOR est toujours au sein mais, plutôt que d'en tirer du lait, ses lèvres et sa langue ne font plus que jouer avec le mamelon gauche de sa mère. Chloé lui soutient la tête de la main mais elle a le regard lointain et ne sourit pas. Ils nous vident, se dit-elle. Tous, ils nous bouffent, nous boivent jusqu'à la dernière goutte. Des vases de douceur, qu'ils nous appellent. Lait de la tendresse humaine. Foutaises. Ils nous vident, c'est tout. Des bébés. De gros bébés affamés velus méchants et pleurnichards. Donne-moi une fessée, maman. Fais-moi mal, maman. Punis-moi, maman. Embrasse-moi, baise-moi, donne donne donne. Sois toute à moi. J'ai payé pour t'avoir alors maintenant tu m'appartiens. Tu ne t'échapperas pas. Je vais te ligoter. T'attacher à la chaise, au lit, à la table. Te bâillonner. Voilà,

ah ah ah! essaie de marcher maintenant. Essaie de parler. Mains liées pieds
liés bouche bourrée. Comme la dinde.
Oublie ça, qu'il me dit, Hal. Tu n'as qu'à
dessiner un grand rectangle noir autour
de ces années, et pouf ! A la trappe !
Quelles années, Hal ? Où il est, le sol ?
J'avance d'un pas : une trappe. Encore
un pas : encore une trappe. Pas étonnant que j'en ai assez de marcher, que je
préfère flotter, voler… Oh mon bébé.
Mon petit bonhomme. Et elle… notre
mère… tu crois qu'elle nous a allaités,
Col ? Non. C'est pas possible. Comment
elle a fait alors, pour nous nourrir ? Tu
la vois, toi, avec un biberon ? Comment
on a survécu ? *Pourquoi*, surtout ? Bon,
toi tu n'as pas survécu, c'est vrai. Tu l'as
trouvée assez rapidement la Grande
Trappe de toujours. Encore un mois à
tenir. Une idée de Hal, que j'allaite le
petit jusqu'à l'âge de un an. Il prétend
que ça le sauvera du cancer. C'est quasiment sûr, qu'il dit, les statistiques le
prouvent, ça vaut le coup, non ? Douze
petits mois au sein et notre fils sera
toute sa vie à l'abri du cancer. Comme
si le cancer était le seul problème qu'il
risquait de rencontrer sur son chemin.

La main de Hal Junior se déplace vers
l'autre sein de Chloé et le caresse, pin-
çant doucement le mamelon. Ah ! se dit

Katie, je me souviens de cette sensation-
là. La petite tête ronde et douce qui
pèse contre votre poitrine, les yeux qui
cherchent les vôtres et la main minuscule qui caresse le sein auquel il ne boit
pas, pour ne pas faire de jaloux.

Je n'ai jamais eu assez de lait, se dit
Patrizia. (Elle se rappelle le jour où, alors
qu'il lui avait complètement vidé les
seins, Tomas avait continué de tirer dessus d'un air affamé, puis, s'arrachant
d'elle enfin, furieux, la figure cramoi-
sie, s'était mis à pousser des hurlements
indignés comme pour dire : "Tu appelles
ça une *mère* ? Une mère est censée
nourrir son enfant à satiété ! C'est un
scandale ! C'est inadmissible !" Roberto
n'était pas là, elle était seule à la maison avec leur nourrisson d'un mois et il
allait mourir, pas de faim mais d'apo-
plexie, la figure pourpre maintenant de
rage tandis qu'elle attendait, au comble
de l'angoisse, que les biberons soient
stérilisés... Peu à peu les cris de Tomas
étaient devenus si longs qu'il n'arrivait
pas à reprendre son souffle et il restait
là à gigoter en silence, les poumons
vides... Paniquée, Patrizia suppliait
Jésus Marie et tous les saints d'aider
son fils à avaler une nouvelle dose
d'oxygène, même si ça devait déclen-
cher un nouveau hurlement sans fin...

Elle se rappelle aussi le dernier biberon : celui de Gino, quatre ans plus
tard – et quatre ans c'est beaucoup,
mais, une fois que c'est passé, ce n'est
rien [la maternité, une série de petits
deuils] : on plonge la mesurette dans la
boîte de lait en poudre, on en fait tomber le trop-plein, on verse la poudre dans
l'eau, on pince la tétine et on secoue le
biberon, jamais plus je ne secouerai
le biberon, mon Gino adoré, ta petite
enfance est derrière toi, jamais plus je
ne serai la mère d'un nourrisson, ne me
livrerai à cette gestuelle-là : c'est fait.
Oh j'ai tellement aimé ça ! Je ne comprends pas les jeunes mamans de nos
jours, qu'on voit à la sortie des crèches
en train de tirer leur petiot d'une main et
de jacasser dans leur portable de l'autre.
Elles ne l'ont pas vu de la journée et
elles *ne veulent toujours pas le voir* ??)

"Oh non ! s'écrie Beth. On ne va pas
quand même passer la nuit ici !"

Les hommes, tous sauf Aron, se
lèvent ; avec une certaine réticence ils
quittent la pièce, endossent leur manteau et sortent sur la véranda pour éva-
luer la situation. C'est ce que font les
hommes, se dit Sean. Ils vont voir de
près, ils prennent la mesure des problèmes, ils font le point. On a beau dire,
c'est toujours à eux de le faire.

"Voyez ? dit Brian en leur montrant d'un grand geste le jardin dont tous les détails ont été effacés, y compris le muret de pierres qui en marque la limite. Si on passait deux heures à pelleter on arriverait peut-être à dégager les voitures... mais Dieu sait quand ils vont envoyer un chasse-neige par ici ! Personnellement, je n'ai pas la moindre envie de faire cinquante kilomètres sur une route comme celle-là dans l'état où je suis.

— Moi non plus, dit Leonid. Même pas trois kilomètres. Même dans un autre état. Je n'ai pas non plus envie de pelleter la neige. J'ai mal au dos.

— J'ai mal au pouce, dit Sean.

— Ce n'est que ta main gauche, fait Hal.

— Tu as déjà pelleté avec une seule main ? dit Sean.

— Tu as déjà pelleté ? demande Charles. Allez, Sean. Dis-nous la vérité. Quand as-tu pelleté de la neige pour la dernière fois ?

— Oh, dit Sean, ça doit remonter à une petite vingtaine d'années.

— Je crois que je n'ai jamais vu autant de neige au mois de novembre, dit Hal.

— Ça me fait penser à Joyce, dit Sean. La dernière phrase de cette nouvelle «Les morts», vous vous rappelez ? dans *Gens de Dublin...* Meilleure nouvelle

de la langue anglaise. «La neige qui tombait doucement à travers l'univers et qui,
doucement, tombait, pareille à la descente du rideau final, sur tous les vivants
et les morts.»" Il n'avait jamais réussi à
convaincre ses étudiants du génie de
cette chute. Ils croyaient que c'était
une maladresse de la part de Joyce
d'avoir utilisé "tombait doucement" et
"doucement, tombait" dans la même
phrase. On leur avait appris à éviter ce
genre de redondance... alors que c'était
justement ce que cherchait à transmettre,
par ses cadences et ses échos, la phrase
de Joyce : chaque flocon de neige sem-
blable et unique, se répétant, s'accu-
mulant...

"Moi ça me fait penser à la nouvelle
de Tolstoï, dit Hal. «L'homme et son
maître».

— Magnifique nouvelle, dit Charles.
Inoubliable.

— N'y compte pas", marmonne Sean.

Derek pense pour sa part à une nouvelle de I. B. Singer, qui s'achève elle
aussi par une évocation de la neige en
train de tomber "paisiblement, moins
abondante, comme si elle se regardait
tomber", transformant tout Central Park
en un vaste cimetière silencieux, mais il
n'ose en parler parce qu'il n'arrive pas à
se rappeler le titre... C'est l'histoire d'un

vieux monsieur et d'une vieille dame qui
habitent le même immeuble que l'écrivain ; la première fois qu'ils se rencontrent chez lui ils se prennent en grippe
mais en fin de compte ils se marient et,
quand le vieil homme meurt...

"Magnifique, dit Charles. Ah ! écoutez-
moi ce silence."

Immobiles, ils regardent virevolter
les flocons blancs dans la lumière
dorée de la lampe, emplissant l'air
d'une fraîcheur moelleuse.

Sean allume une cigarette, tousse,
s'éclaircit la gorge, ne dit rien.

"Autrefois j'avais peur de la neige,
dit Brian. Comme j'ai grandi en Californie, où on n'en voit presque jamais...
Je me souviens du premier hiver que
j'ai passé sur la côte est..." Mais il ne
poursuit pas, car il ne sait formuler avec
des mots, surtout devant ces hommes
à mots, en quoi avait consisté cette
peur... La neige lui avait toujours sem-
blé traîtresse, trompeuse, chaque flocon une minuscule étoile étincelante,
toute légèreté et toute douceur, prête à
vous fondre sur la langue ou sur la peau,
alors que leur lente accumulation était
une force meurtrière capable de faire
déraper les voitures, s'effondrer les toits,
s'abattre les arbres ; oui, elle arrêtait
tout, bloquait tout, vous empêchait

d'avancer, de rejoindre vos proches...
Exactement comme le temps, se dit-il
maintenant. Chaque instant en lui-même
sans poids, imperceptible, un minuscule
éclat de cristal qui vous fond sur la langue, alors que leur lente accumulation
est une force meurtrière, les années vous
enfoncent, recouvrant tout et estompant
les différences... Comment faire, mon
Dieu, pour franchir les énormes congères du Temps ? On s'acharne sur elles
pour les écarter, les repousser sur les
bords de la route, mais, entre-temps, sur
la chaussée elle-même, la neige s'est
transformée en glace dangereuse, provoquant des accidents, précipitant les
gens dans la mort... alors que tout avait
commencé de façon si innocente, un instant fondant après l'autre... Mon Dieu,
se dit-il, je suis complètement bourré.

"Moi, ça ne me dérange pas de pelleter, dit Derek. Mais j'aurais besoin de
bottes.

— Tu chausses quelle pointure ?"
demande Sean, peu réjoui à l'idée des
pieds de Derek dans ses bottes à lui. Il
est allé se fourrer dans ma Rachel, se
dit-il, je ne veux pas qu'il aille se fourrer dans mes bottes.

"Quarante-quatre, dit Derek.

— Nan, dit Sean, moi je porte du
quarante."

Pourvu que ça continue, se dit Charles.
Que ça ne s'arrête jamais ; que la neige
emplisse le monde entier, qu'elle recouvre nos villes hideuses et nos paysages
défigurés… Une autre période glaciaire,
oui ! Que nous soyons figés au milieu
de nos gesticulations grotesques, tous
autant que nous sommes, pris par la
glace comme les habitants de Pompéi
par la lave, et que, nous retrouvant
d'ici deux millénaires, une autre civilisation s'étonne de nos poses loufoques,
nos préoccupations idiotes, nos guerres
barbares… (Cet enchaînement d'images
est brusquement remplacé dans son
esprit par un autre : il pense aux pleur-
nicheries et aux plaintes de Randall et
de Ralph, cinq ans plus tôt, avant la
naissance de Toni, quand il s'était mis
à neiger pendant leur visite du canyon
de Chelly. Ils étaient descendus tous
quatre jusqu'au fond du canyon… et
là, à l'écart des incontournables éta-
lages de bijoux en argent et de pseudo-
fossiles, ils avaient vu un petit cercle
d'Indiens navajos en train de se réchauffer les mains à un feu de camp et de
deviser ensemble à voix basse. Parmi
eux se trouvait une vieille squaw trapue, enveloppée d'un châle, les cheveux gris tressés dans une natte qui lui
descendait aux genoux : fascinée par
son visage incroyablement ridé, Myrna

avait voulu la prendre en photo mais la vieille, levant brièvement les yeux vers eux, leur avait signifié son refus sans ambiguïté. Votre simple présence ici est de trop, disaient ses yeux, une offense à nos dieux. La neige s'était mise alors à tomber tout doucement sur leurs cheveux et, pris de vertige, Charles avait compris à quel point était arbitraire leur présence dans ces secrètes profondeurs brun et or d'une fente dans la croûte terrestre : ses ancêtres à lui ayant été arrachés à leur village sur la côte ouest de l'Afrique et traînés les fers aux pieds en Amérique du Nord, les ancêtres de Myrna ayant quitté l'Ecosse et la Suède poussés par l'espoir ou le désespoir extrêmes... de sorte que, douze générations plus tard, ayant maîtrisé les codes du tourisme moderne et sauté avec leurs rejetons dans un avion pour Phoenix, ils étaient descendus dans ce canyon et dévisageaient maintenant ces Indiens qui, eux, élevaient des moutons ici depuis des siècles, cultivaient la luzerne, entretenaient de petits feux de camp et devisaient ensemble à voix basse. Charles avait senti la brûlure de la honte. Il avait porté cette honte avec lui, en silence, tandis que sa famille remontait laborieusement le sentier pour sortir du canyon et que les garçons pleurnichaient et se plaignaient de la neige : "Je croyais qu'on était venus dans l'Arizona pour *échapper* à l'hiver, papa !" Près de la sortie, à la boutique de souvenirs des parcs nationaux, Myrna avait acheté une cassette de musique pour flûte navajo synthétisée... et soupiré d'aise ensuite, alors qu'ils roulaient vers le nord, d'entendre ces notes aériennes, éoliennes, accompagnant l'étonnante géométrie des falaises rouges dentelées de neige. Mais pour Charles la journée avait été gâchée. Même plusieurs heures plus tard, devant les jaillissements rocheux aux formes inouïes de Monument Valley, où avaient été tournés tant de westerns célèbres, *La Poursuite infernale*, *La Prisonnière du désert*..., il avait refusé d'aider Myrna à fouetter l'enthousiasme de leurs fils. Ils étaient trop jeunes pour connaître ces films... Ce *doit* être un poème, se dit Charles maintenant. Il y a sûrement un poème là-dedans. Leurs ascendances respectives. Le feu de camp, et, tendues vers sa chaleur, les mains brunes et usées. L'appareil photo suspendu au cou de Myrna : métal, plastique, clic-clac, précision, pellicule, zoom – la preuve, agressive et objective, d'une civilisation supérieure. Et la férocité contenue de la vieille Indienne quand, les bras croisés sur la poitrine, elle avait levé les yeux vers eux.

Non. Pas de photo. Et comme le petit groupe d'Indiens s'était resserré autour d'elle, près d'elle, pour la protéger. Non.)

"Non, dit Derek, ça n'ira pas." Il se frotte le menton du pouce... un tic professoral que ses étudiants s'amusent parfois à imiter derrière son dos. (Ce qu'ils ne savent pas, c'est que le pouce de Derek frotte *quelque chose* sous son menton : une cicatrice, trace de cette journée dans les Catskill où, à l'âge de onze ans, il avait désobéi à sa mère pour la première fois. Bafouant les recommandations de Violet, il était parti avec un autre garçon – Jesse, il s'appelait – faire de la luge sur une pente raide. Il se rappelle le souffle excitant de la vitesse, le sifflement du vent dans ses oreilles, le crissement de la luge sur une plaque de glace, l'euphorie pure et haute et blanche – mais, à mi-pente, ils avaient heurté une bosse et, comme si Violet l'avait maudit, Derek avait été projeté dans les airs et s'était cogné le menton en retombant sur une pierre pointue : choc comme si son crâne avait éclaté – giclement de sang écarlate sur la neige blanche – *mon sang !* s'était-il dit en le fixant, sidéré... avant de comprendre, à l'air terrifié de Jesse, que c'était grave. Violet l'avait grondé pendant tout le trajet en taxi jusqu'au

cabinet médical : "Comment *peux-tu*
me faire une chose pareille ? Je suis censée me reposer et tu ne trouves rien de
mieux que de me donner une crise
cardiaque ?…" Puis il y avait eu le coton
stérilisé, les tss-tss du médecin, les
points de suture et, à l'instant précis où
l'aiguille transperçait sa peau, le ser-
ment de Derek de ne *jamais* se comporter ainsi avec ses propres enfants,
de seulement et toujours les aimer, les
choyer, les protéger, leur faire comprendre à quel point ils lui étaient
chers… et *pourquoi n'était-ce pas possible* ? Marina, mon amour, *pourquoi*
n'as-tu pas envie de vivre ? T'évanouis-
sant en classe… flirtant avec le chaos…
dévorant les récits de la Shoah… te
gavant de mort verbale… buvant des
litres de sang verbal… *pourquoi* ? Tout
ça parce que ta mère t'a abandonnée
quand tu avais trois ans ? Aucun amour
ne remplira-t-il jamais l'entonnoir laissé
dans ton âme par cet obus ?) "Ça n'ira
pas", répète-t-il.

Leurs pensées flottant en eux, aussi
denses et tourbillonnantes que les flocons au-dehors, les six hommes renoncent à l'idée de pelleter la neige au
milieu de la nuit.

Hal descend les marches de la véranda,
tente quelques pas et s'enfonce jusqu'aux

genoux dans la molle congère qui s'est
amassée près de la maison. Se penchant en avant, il plonge les deux
mains dans cette blanche épaisseur et se
réjouit de la morsure familière du froid
sur ses doigts. Sans réfléchir, d'un
geste automatique, il forme une boule
de neige et se retourne pour la lancer.
Par en dessous pour les filles, par au-
dessus pour les garçons : elle frappe
Brian à la tête, pile sur l'oreille droite,
la mauvaise oreille, celle qui a l'acouphène – conflagration du cerveau –, il
voit rouge, voit des étoiles, des étoiles
rouges.

"Espèce d'enculé", grogne-t-il. Fou
de rage, les bras battant l'air, Brian
s'élance vers le corps balourd du
romancier, se jette sur lui, le martèle
de coups et le renverse sur le ventre
– plaf ! – dans la neige.

"Hé ! proteste Hal. Hé ! C'était une
plaisanterie !"

Dérapant dans leurs souliers de ville,
frissonnant dans leurs pulls légers, Charles, Leonid et Derek se lancent dans la
mêlée. Ils ramassent de grosses poignées de neige et se les fourrent dans
le cou ; ils rugissent et poussent de
grands éclats de rire, cherchant l'illusion
d'un retour à l'enfance ou en tout cas
à la plus belle époque de leur vie, c'était
laquelle au juste ; réveillés soudain,

arrachés à la stupeur induite par l'alcool et la bonne chère, à la torpeur de
cette longue conversation à la lumière
des bougies et du feu de bois, les sangs
fouettés par la sensation brûlante de
liquide glacial sur leur peau, haletant
et battant l'air, ils répondent à l'appel de
la curée, l'appel atavique aveugle et
irrationnel de leurs aïeux, guerriers
nordiques en peaux d'ours ou guerriers africains en peaux de léopard, se
flanquant mutuellement de la neige en
pleine figure dans une bagarre générale
où tous les coups sont permis, comme
pendant les fabuleuses échauffourées
des westerns qui ont marqué leur
enfance à tous – vlan ! – une chaise
heurte le miroir au-dessus du bar et il
vole en éclats – vroum ! – une table
s'envole et va se fracasser contre les rangées de bouteilles – zip ! – un homme
glisse sur le zinc et s'écrase, tête la première, dans la machine à sous – des
cartes à jouer s'éparpillent dans les airs –
et Sean, bien à l'abri sous le toit de la
véranda, contemple en hochant la tête
cette explosion de virilité américaine.

Ça ne dure pas bien longtemps.
Même avant que Sean ait pris la dernière bouffée de sa cigarette, ils s'arrêtent : à plat, éreintés… ahuris, même,
de se sentir aussi mal. Leonid a le

dos parcouru de douleurs lancinantes ;
Charles est au bord des larmes, ayant
déchiré la chemise en soie noire que
Myrna lui avait offerte pour son quaran-
tième anniversaire ; Hal, incapable de
reprendre son souffle, écoute dans l'af-
folement les coups de marteau de son
cœur contre sa cage thoracique ;
l'acouphène de Brian s'est un peu
almé mais il s'est claqué un muscle à
l'épaule en essayant de se retourner
avec Hal sur le dos... L'un après
l'autre, ils renoncent. Se relèvent avec
difficulté. Se lancent des regards mauvais et des sourires honteux. Se dirigent vers la véranda en frottant leurs
membres endoloris. Secouent la neige
de leur pantalon et sentent leur peau
fatiguée se rétracter au contact des
habits mouillés.

"Bande d'imbéciles, marmonne Sean
tandis que les autres gravissent les marches en boitillant et en soufflant comme
des bœufs. Ce qu'il nous faudrait maintenant, c'est un bon irish coffee bien
chaud. Je vais demander à Rachel de
nous en faire."

Mais la vie ne s'était pas arrêtée à l'intérieur de la maison pendant l'absence
des hommes : quand ils reviennent dans

le salon, l'ambiance y est tout autre. Ils
entendent des notes de musique et
se trouvent confrontés à un tableau
Renaissance intitulé *Madone à l'enfant
et aux anges musiciens*. Beth a découvert une guitare dans un coin de la pièce
et, tout en la grattant, elle chante d'une
voix riche et vibrante *Where Have all
the Flowers Gone ?* ; pendant ce temps,
Katie, Patrizia et Rachel fredonnent
une ligne harmonique approximative,
Hal Junior dort à poings fermés sur les
genoux en velours rouge de sa mère, et
Aron, qui a de nouveau baissé le volume
de son appareil acoustique, se balance
dans le fauteuil à bascule en fixant les
mains de Chloé.

Elles ressemblent aux mains des
Vierges de Bellini, se dit-il. (Souvent, le
soir, dans leur maison sur le Berea à
Durban, une fois les filles montées se
coucher et Currie partie dans sa *kaïa*,
lui et Nicole passaient une heure ou
deux à feuilleter des livres d'art. "Mais
tu as vu les *mains* ?" lui avait dit Nicole
une fois alors qu'ils admiraient ensemble
les Vierges de Bellini et, les ayant
regardées, il n'avait plus pu en déta-
cher les yeux. Au cours de son existence, Bellini avait croqué, dessiné et
peint les mains de la Vierge Marie à des
centaines de reprises : des mains aux

doigts longs et puissants, empreintes de
vénération et de sagesse, toujours recour-
bées autour du corps de Jésus : tantôt
nourrisson dodu, tantôt cadavre mutilé.
Mains de madone, mains de pietà. Leur
courbe signifiait joie et douceur, ou
deuil et chagrin. Qui tiendra mon corps
mort ? se demande Aron. Lui-même avait
tenu le corps de son père, tandis que
la vie le quittait et que sa mère priait et
pleurait dans la pièce voisine. Mystère
doux et foudroyant de cet instant dont
le souvenir est imprimé au fer rouge
dans sa mémoire : car *même quand vous
êtes là* et que vous regardez de toutes
vos forces, suivant chaque souffle qui
entre et sort de sa poitrine, *vous ne pouvez comprendre.* Cet individu. Ce
corps massif, puissant, sur lequel vous
vous appuyiez, sur lequel vous comp-
tiez, se laisse aller complètement, abandonne la vie ou est abandonné par
elle, n'est plus qu'un paquet de chair
flasque à laver et à rhabiller, cadavre
nu, lourd à manipuler sur le lit. Là, et,
l'instant d'après, plus là. Le choc de son
absence, alors que vous vous y étiez
préparé, que vous vous croyiez prêt. Et
la folle vitalité qui vous envahissait alors
– comme si ses forces, en le quittant,
s'étaient déversées en vous, multipliant
les vôtres. Le besoin sauvage de courir,

de crier, de manger, boire, parler – le besoin de prier. O *Kaddish* ! "Mon père est mort." Plus de trente ans après, la phrase le sidère toujours. Le corps de son père apparaît souvent dans ses rêves, la nuit ; Aron en garde une conscience intime et tangible de sa propre mortalité.)

"*Long Time Lasting*, chantent les femmes.

— Qu'est-ce que c'est que ce bordel ?" gueule Sean depuis l'entrée. La chanson s'interrompt et les femmes se tournent vers lui, consternées. Aron, qui n'a rien entendu, continue de se balancer en fixant les mains de Chloé.

"Déjà cette chanson était de la merde quand Dylan la chantait, poursuit Sean, mais maintenant c'est pire, c'est de la merde réchauffée…

— Ça ne va pas, non ? rétorque Beth, furieuse. De quel *droit* donnes-tu des ordres à tout le monde ? Sous prétexte que *toi* tu n'aimes pas Dylan, il faudrait que *tout le monde* cesse de chanter ? Tu nous manipules depuis le début de la soirée… ça suffit, à la fin !

— Beth… fait Brian.

— Non, sérieusement… si Sean sait d'avance comment la pièce doit se dérouler, qu'il nous distribue nos textes tout de suite…

— Il se trouve, dit Sean en allumant une nouvelle cigarette, le regard noir, que cette guitare n'est ni à toi ni à moi. Et le fait d'être mon invitée ne te confère pas automatiquement le droit de… t'emparer de tout ce qui te tombe sous la main et de… prendre des libertés avec…

— C'était à Jody, dit Rachel à Beth dans un murmure, et les traits de Beth se décomposent.

— Désolée. Je suis désolée, Sean" , dit-elle, se retenant d'ajouter : je ne savais pas que c'était une relique sacrée. Rougissant malgré elle, elle remet l'instrument dans son étui et le referme avec un bruit sec.

"Oh, ce n'est que sa *vieille* guitare", dit Sean d'une voix acide, tout en exhalant deux jets de fumée par les narines et en regardant la bouteille de whisky pour vérifier que son niveau n'a pas changé depuis la dernière fois qu'il a eu affaire à elle, il y a plusieurs heures déjà. "Elle a emporté la nouvelle guitare en partant… celle qui m'a coûté trois mois de salaire."

Un silence choqué accueille cette dernière énormité.

"Bon, fait Charles. Il me semble que le moment est venu d'ouvrir le champagne.

— Du champagne ! s'écrient Katie et Leonid en chœur. Quelle bonne idée !"

Sean se laisse tomber dans un fauteuil, se verse une rasade de whisky et
fixe d'un air sinistre le pansement sur
son pouce gauche. (La guitare que vient
de souiller Beth était dans les bras de
Jody, la première fois qu'il avait posé
les yeux sur elle. Du Bach, pas d'insipides chansons hippies à propos des
fleurs et des soldats et des jeunes filles
mais du Bach, pur et paradisiaque,
émanait cette nuit-là des cordes pin-
cées par les doigts de la femme en
blanc. Jody avait été une apparition
magique, inespérée, illuminée par un
spot dans un coin du bistrot où Sean
était entré par hasard, chacun de ses
traits et gestes semblant exprimer l'extase. Tu es tout ce que j'ai jamais
désiré, lui avait-il dit et redit tout bas
en la fixant, médusé. Tu transformeras
ma vie, je le sais, je le sens. Nous
sommes faits l'un pour l'autre... Jody
avait vingt-cinq ans et Sean, quarante.
Jody savait tout faire : cuisiner, coudre,
bricoler, jardiner, danser, jouer de la
guitare, alors que Sean ne savait que
boire et écrire. Il *fallait* qu'elle lui
appartienne. Il *fallait* qu'il gagne son
cœur et qu'il l'épouse. Jody lui appren-
drait à vivre, il en était sûr : sa sérénité
mettrait un baume sur son âme à vif.
Jody à ses côtés, il boirait et fumerait

moins, décrocherait le Nobel. Il n'avait
attendu qu'elle pour écrire enfin les
poèmes qu'il était né pour écrire. Ses
amis se montrèrent sceptiques. Balayant
leurs craintes d'un revers de la main, il
courtisa Jody Robinson à coups de
fleurs, de poèmes, de foulards en soie,
de restaurants français et de disques :
les plus prestigieux enregistrements
de musique baroque. Il devint un
connaisseur de musique baroque, passant des heures à choisir des disques
pour Jody dans les magasins de Boston
et de Cambridge. Il écrivit des odes, des
sonnets, des villanelles à la louange de
sa beauté. Il la présenta à sa mère.
A Rachel. A Hal. Il l'épousa, avec Hal et
Rachel comme témoins... pour se
replonger aussitôt dans l'humour noir
et l'autodestruction. "Il faut que tu
m'aides, Jody !" lui dit-il une fois dans
un sanglot lorsque, ayant touché le
fond, il la vit se dresser au-dessus de
lui dans toute sa pureté, assise sur leur
lit dans la position du lotus, vêtue
d'une chemise de nuit blanche, les
yeux fermés sauf l'œil invisible au milieu du front, mains sur les cuisses,
paumes tournées vers le ciel pour
accueillir la vibration des sphères. "Tu
dois d'abord t'aider toi-même, Sean,
avait-elle répondu, les lèvres courbées

en un demi-sourire bouddhique qui mettait Sean en rage, lui donnait envie de lui faire valser la tête loin des épaules. Je ne suis pas née ainsi, tu sais", avait-elle ajouté, brandissant sa supériorité spirituelle devant ses yeux telle une épée. Elle se mit alors à faire un exercice de respiration qui divisait ses phrases en petits *koân* flottants : "On ne peut pas – claquer des doigts, comme ça et – se trouver transformé, Sean – il faut travailler – oui, réaliser un travail sur soi – moi je pratique le yoga – la respiration consciente – la méditation – depuis sept ans – c'est par la technique – l'entraînement, la discipline, l'humilité – que l'on acquiert une maîtrise progressive – si tu désires vraiment quelque chose, Sean – c'est la seule manière de l'obtenir." "Ce n'est pas comme ça qu'on obtient des poèmes", lança Sean, maussade. "Ah ? dit Jody en reprenant sa respiration normale. Comment fait-on ?" "On s'enfonce dans la gadoue. On boit une demi-pinte de gin. On respire des ordures. On mâche du lino. On embrasse les morts. On vomit la sentimentalité. La vie, au cas où tu ne t'en serais pas aperçue, est autre chose qu'une simple onde alpha se baladant à travers le cosmos. Tu n'es pas de ce monde, Jode. Tu es totalement

déconnectée." "Et toi, Sean ? A quoi es-
tu connecté ?" "Arrête de m'appeler
Sean chaque fois que tu ouvres la
bouche." "Comment veux-tu que je
t'appelle ?" "A part toi, je suis la seule
personne dans la pièce. J'ai beau être
ivre, je suis encore capable de deviner à
qui tu parles." "Bon, alors, à quoi es-tu
connecté ?" répéta Jody, tendant ses
bras blancs loin au-dessus de sa tête et
se penchant à droite, à gauche, décri-
vant avec son torse un arc superbe,
expirant en se baissant lentement jusqu'à
ce que ses mains frôlent le sol près du
lit. "Bon Dieu de *merde*, explosa Sean,
on ne peut pas se parler sans que tu
exhibes ta bonne santé ?" "Je croyais
que, toi aussi, tu voulais retrouver la
santé, dit Jody d'une voix digne, se
redressant et rouvrant les yeux. C'est ce
que tu m'as dit quand tu m'as demandé
de t'épouser." "Eh bien, c'était faux."
"Tu ne veux pas être en bonne santé ?"
"Nan." "Tu ne veux pas redevenir entier ?"
"Nan. J'ai horreur des gens entiers. Ce
que j'aime, c'est des petits bouts de gens
brisés qui sautillent de-ci de-là comme
des ressorts. Des membres disloqués.
Le temps déboîté." "Je t'entends, Sean,
mais je ne sais pas comment te répondre
parce que, d'ici deux heures, tu vien-
dras t'excuser et me dire exactement

le contraire. Que veux-tu de moi ?
Réfléchis-y, Sean. Réfléchis, et dis-moi
ce que tu veux de moi." Cette phrase-
là en particulier, *Réfléchis-y, Sean*, avait
le don de l'horripiler. "Je suis ta femme
pour le meilleur et pour le pire, Sean,
dit encore Jody, mais personne n'a le
droit de me sodomiser le mental. Ce
n'était pas inscrit dans notre contrat de
mariage." Toujours en chemise de nuit,
elle reprit sa guitare et se mit à jouer
un fabuleux *Râga du matin* qu'elle
avait appris au Rajasthan. Deux heures
plus tard, Sean vint s'excuser. Et, tout
l'après-midi, ils firent l'amour sur le
grand lit – un amour à pleurer, à mourir, mêlant leurs membres et leurs cris
jusqu'à ne plus reconnaître le haut du
bas. Les mois passèrent et ce syndrome
se répéta, haut-bas, haut-bas, comme
le motif en zigzag dans l'écharpe trico-
tée par Maisie pour sa belle-fille à
Noël, mais que Jody refusait de porter
sous prétexte que la laine rêche lui irri-
tait la peau du cou. Ensuite, elle avait
été enceinte. Elle lui avait annoncé la
nouvelle avec, sur le visage, une expression de pur *om*, de pur *samâdhi*. Et
Sean se jura que *cette chose-là* le chan-
gerait une fois pour toutes. Pour *cela*,
oui, il réussirait à lâcher la bouteille,
parce qu'il y aurait enfin une chose

objectivement importante dans sa vie…
une vraie *raison* de vivre… et, aussi
un *avenir*… une partie de lui-même
qui s'élancerait au-delà de lui, loin en
avant dans le nouveau siècle… le sang
de son père, revivifié… et pour Maisie,
la joie ! la joie ! Ensuite Hal l'appela
pour lui raconter ses nouveaux déboires
– pour la quatrième fois en moins de
deux ans, il venait d'être plaqué par
une tapineuse blonde – et Sean le rejoi-
gnit au bistrot pour le consoler, et ne
revint que le lendemain matin à six
heures et demie, s'étant fait arrêter
pour conduite en état d'ivresse et ayant
passé le reste de la nuit au poste, où il
s'était découvert des atomes crochus
avec le policier de garde, un môme
irlandais à qui ses parents, originaires
du Connemara, avait appris d'excel-
lentes chansons à boire en gaélique.
"Aux chiottes, Bach !" dit Sean ce matin-
là, en ouvrant la porte et en voyant Jody
se redresser dans le lit et diriger vers
lui son regard insupportablement serein
et tolérant. "Bach n'a pas de couilles !"
hurla-t-il depuis la douche, entre deux
strophes de la chanson paillarde en
gaélique que lui avait apprise le policier. Alors Jody, avec sa lucidité et son
calme habituels, tua leur enfant, divorça
de Sean pour cruauté mentale et disparut

de sa vie en embarquant la guitare hors
de prix qu'il venait de lui offrir.) "Cruauté
mentale, marmonne-t-il maintenant, en
posant son verre vide. A la vôtre !"

Les autres lèvent leurs flûtes de champagne.

"A l'hiver !

— A Hal Junior !

— A votre santé !

— Qu'elle crève, la santé ! grogne
Sean.

— Peut-être que Sean a encore envie
de faire la moue, dit Rachel.

— En effet, dit Sean. C'est exactement
ce que j'ai envie de faire. Me croiser les
bras, baisser la tête et faire la moue. Je
suis doué pour ça, vous savez, c'est héré-
ditaire. Tous mes ancêtres avaient la lèvre
inférieure énorme, pendante et souple.
Celle de mon grand-père était prodigieuse : il pouvait se toucher la pointe du
nez avec, on aurait juré que c'était sa
langue, alors je vais rester là encore un
moment à faire la moue, si vous permettez, merci, faut s'entraîner tous les jours.

— Comment va la neige ? demande
Rachel.

— La neige se porte à merveille, dit
Hal. C'est l'état des routes et des véhi-
cules qui laisse à désirer.

— Qu'y a-t-il, mon ange ? demande
Katie, inquiète de voir les mouvements

précautionneux de son mari pour s'asseoir dans le fauteuil en cuir. Tu t'es
fait mal au dos ?

— Non non, tout va bien. Encore
un verre de champagne et je ne senti-
rai plus rien du tout. Vous connaissez
l'histoire de la dame aux rhumatismes ?

— Oh oui, elle est drôle, celle-là, dit
Katie. Raconte !

— C'est une dame de soixante-quinze
balais, son médecin vient de lui annoncer qu'elle a des rhumatismes et elle
proteste : «Mais docteur, c'est impossible, j'ai toujours été en bonne santé,
personne ne m'a jamais dit que j'avais
des rhumatismes !» «Tiens donc, dit le
médecin. Et dites-moi… à quel moment
cela arrangerait-il madame de les avoir,
ses rhumatismes ?»"

Ce sont Hal et Rachel qui, cette fois,
rient le plus fort.

XVII

ARON

*Q*UANT A ARON *Zabotinsky, je le ferai mourir par le feu, lui qui a toujours été fasciné par le feu sous toutes ses formes – Maatla ! – depuis les flammes dansantes sous le four à Odessa dans les années vingt, où son père, de grosses gouttes de sueur lui glissant dans les rides profondes du front, mettait ses pains à cuire, jusqu'au supplice du collier qu'infligeaient, à Johannesburg dans les années quatre-vingt, des militants noirs à d'autres militants noirs perçus comme traîtres à la Cause.*

Il a quatre-vingt-dix-neuf ans. Il avait espéré tenir jusqu'à cent trois pour battre le record de sa mère (morte, elle, à cent deux ans et demi). Certes, c'était un défi plutôt puéril, étant donné que sa mère ne serait pas là pour enrager de sa défaite ; néanmoins, le fantasme de cette humiliation posthume lui réjouissait

*le cœur et, pour le réaliser, il avait pris
fanatiquement soin de son corps.*

Mais il n'en sera pas ainsi.

*Voici comment je viens à Aron Zabo-
tinsky.*

*Il a loué le premier étage d'une modeste
maison dans Summer Street, tout près
de la boulangerie sur Main Street qu'il
a longtemps gérée seul (et qui s'appelle
toujours* Tinsky's*). Ce soir-là, une scène
de ménage éclate chez le jeune couple
qui occupe le rez-de-chaussée, au sujet
du repas du soir. La femme vient d'ouvrir une boîte de fèves au lard. L'homme,
ivre et déprimé, reproche à son épouse
sa nullité comme cuisinière (il a des
ancêtres québécois et croit se rappeler
que les fèves au lard formaient, jadis, la
base du régime misérable des "habitants"). "Ça pue ! hurle-t-il. Je bouffe-
rai pas cette merde ! Ça pue, je te dis !"
"Va te faire foutre !" rétorque la femme,
et de renchérir, dans un accès de fémi-
nisme inhabituel : "T'as qu'à te faire à
bouffer toi-même !" Ajoutant le geste
au mot, elle arrache son tablier et quitte
la maison en claquant la porte. L'homme
s'élance à sa poursuite, claquant la
porte à son tour, mais son épouse a pris
ses jambes à son cou et, étant donné
que ses jambes n'ont que dix-neuf ans,
elle avance vite. Lui, bien qu'à peine*

plus âgé, est un grand fumeur, donc il met plus d'un kilomètre à la rattraper, et du reste il ne la rattrape que parce que la jeune femme, voyant son mari toujours à sa poursuite et ayant bu pas mal de bière elle-même, cesse de courir pour se mettre à rire et à pleurer en même temps. Les époux tombent dans les bras l'un de l'autre, dégoulinant de larmes et de bave, puis, sentant qu'il est urgent de se réconcilier, ils se glissent dans les bois et ne rentrent chez eux que tard le soir, auquel moment ils découvrent qu'ils n'ont plus de chez eux.

Aron pendant ce temps, dans son appartement à l'étage, se balance tranquillement dans son fauteuil à bascule en lisant un vieux roman de Richard Ford, inconsciemment choisi parce qu'il avait le mot "feu" dans le titre ; il n'a rien entendu du brouhaha au rez-de-chaussée parce qu'il est devenu sourd comme un pot. Quand s'enflamme le tablier arraché par la jeune femme et lancé vers la gazinière, mettant le feu aux rideaux, aux tapis et aux meubles en succession rapide, il ne s'aperçoit de rien parce qu'il est en train de rêver de feu et que tout cela lui paraît dans l'ordre des choses ; il tousse et s'étrangle mais sans se réveiller car il est toujours dans le livre, dans le rêve, et les sensations

engendrées par la fumée et les flammes
– crépitements, brûlures, flamboiement,
étouffement – participent de l'incendie
dans le livre, dans le rêve, dans le recoin
le plus secret de son âme, ce lieu d'une
éblouissante intensité qu'il n'a jamais
eu le courage d'explorer, il est en Afrique
à nouveau, à KwaMashu où habitait
Currie, et une pile de tissus en lambeaux
a pris feu, c'est devenu une boule de
feu énorme qui roule follement à tra-
vers le bantoustan, incendiant les mai-
sons les unes après les autres ; des familles
entières sont brûlées vives et Aron se
tient là, à regarder la scène de loin,
mais en même temps il est la boule de
feu qui roule, brûle, avale et engloutit,
dévastant tout sur son chemin…

XVIII

ON S'ENIVRE

C'EST VRAIMENT impossible de repartir ? demande Beth derechef.

— Ne t'en fais pas, dit Brian. Tout va bien : Jordan est bien au chaud dans sa cellule, Vanessa est douillettement installée dans la ville la plus dangereuse du monde... et nous voilà tous ensemble, gais comme des pinsons.

— Tu es complètement bourré, dit Beth. Gais comme des pinsons, n'importe quoi."

(Cela l'énerve parce que c'est le genre de lieu commun qu'affectionnait sa mère. "C'est la vie", avait dit Jessie Skykes, le 26 juin 1975, par exemple, en apprenant que le Dr Raymondson, retenu à Francfort par un colloque médical, ne pourrait assister à la cérémonie de fin d'études de Beth au lycée de Huntsville. "Je suis navré, ma grande, lui avait dit son père au téléphone. Si j'avais été

n'importe où aux Etats-Unis, je serais
venu avec plaisir, mais je ne peux pas
infliger à mon métabolisme deux tra-
versées de l'Atlantique en deux jours."
"C'est la vie", avait dit Jessie. Beth était
partie seule pour la cérémonie, préten-
dant qu'elle devait y être une demi-heure
à l'avance, ce qui était faux ; simplement, elle ne pouvait tolérer l'idée d'arriver au lycée aux côtés d'une femme
vêtue d'une robe en rayonne rose à la
jupe bouffante, les jambes nues et poi-
lues, les grands pieds enfoncés dans des
escarpins blancs (la seule "bonne" paire
de chaussures qu'elle possédait, achetée pour ses noces en 1957). Jessie
était donc venue seule à son tour, et
avait pris place tout au fond de l'amphi-
théâtre. Les élèves en toge noire avaient
convergé vers l'estrade ; il s'en était
suivi discours, diplômes et salves d'ap-
plaudissements, fanfares et fanfaron-
nades et, enfin, les mentions spéciales.
Beth était la meilleure élève de l'école.
Pour se montrer la digne compagne
intellectuelle de son père, elle avait
obtenu des résultats étincelants aux examens nationaux, battant tous les records
académiques dans l'histoire du lycée
de Huntsville ; on l'invitait donc, elle,
étoile de l'année, apogée de l'après-midi,
à remonter sur l'estrade pour recevoir

la plus haute récompense. Une ovation
l'avait littéralement soulevée de son
siège et propulsée vers le podium. Le
directeur lui avait serré énergiquement
la main tout en lui remettant son prix :
une médaille de bronze avec son nom
gravé dessus. Puis, se tournant vers le
microphone avec un grand sourire, il
avait clamé : "Elisabeth Raymondson,
félicitations ! Tous les professeurs et
élèves du lycée de Huntsville sont fiers
de vous, vous devez le savoir. Qui sait,
ce sera peut-être vous qui mettrez notre
petite ville sur la carte ! Vos parents
sont-ils venus pour partager votre jour
de gloire ?" "Non." Le mot lui avait
échappé. "Je veux dire, malheureusement, ils ne pouvaient pas venir, avait
marmotté Beth, rouge comme une
pivoine, en tripotant sa médaille. Mais
ce n'est pas grave !" "Bien sûr, bien sûr,"
avait dit le directeur. C'est simplement
dommage qu'ils n'aient pu être là. Bon
eh bien, une fois de plus, nos félicitations les plus sincères. On applaudit
Mlle Raymondson, mesdames et messieurs !" Oh, l'expression sur le visage
de Jessie quand Beth était rentrée ce
soir-là... Son silence... Mais elle avait
eu la bonté de ne jamais souffler mot à
son mari de l'affront que Beth lui avait
fait. Oh, maman, pardon, se dit Beth

maintenant. Tu étais la meilleure cuisinière du monde. Ta poule au pot était un
pur chef-d'œuvre, même si tu t'asseyais
les cuisses écartées pour plumer les vola-
tiles. Pardonne-moi maman. Merci pour
les délicieuses gaufres aux myrtilles que
tu me faisais chaque dimanche pendant
les vacances été. Et les bébés carottes
noyés dans du beurre fraîchement
baratté… Non, je n'ai pas oublié, maman,
pardonne-moi… Beth était partie dans
le Nord cet automne-là, entamer ses
études médicales à Radcliffe ; quand
son père avait trouvé la mort dans un
accident de voiture l'année suivante,
elle était retournée dans l'Alabama pour
son enterrement ; et depuis : trois ou
quatre fois en vingt ans. Elle a laissé
Jessie Skykes Raymondson se débrouiller
seule, rejetée par ses ploucs de parents
en raison de sa jolie maison de banlieue, et par sa snobinette de fille en
raison de sa léthargie mentale. Jessie
connaissait à peine ses petits-enfants…
oh maman, je viendrai te voir à Noël,
je te le jure !)

"Viens, dit Brian en la tirant près de
lui sur le canapé. De toute façon, on
n'a pas le choix…

— Que diriez-vous d'un peu de Shirley Horn ? demande Charles, qui passe
en revue la pile de disques compacts
de Sean.

— Ouais ! dit Patrizia en revenant de la cuisine, où elle vient de jeter à la poubelle tout ce qui traînait dans les assiettes : os de dinde, croûtes de pain durcies, restes de légumes refroidis et figés. J'adore Shirley Horn !" Faisant valser ses chaussures, elle exécute une série de pirouettes autour de la pièce. "Je vous adore *tous* ! ajoute-t-elle. Je me trouve tellement plus sympa avec vous qu'avec mes enfants !

— Quoi ? demande Derek. Qu'est-ce que tu racontes ? Tu les adores, tes fils !

— Oui, dit Patrizia, perdant l'équilibre lors de sa septième pirouette et se laissant tomber sur un coussin à même le sol, je les adore, mais je les maltraite aussi. Parfois je me fais penser à ma propre mère ; c'est dire ! Je me demande s'ils me voient comme je la voyais, elle : toujours stressée, pressée, préoccupée...

— Mais pas du tout ! dit Katie. Je t'ai vue avec Tomas et Gino. Ils te vouent un culte. Tes biscuits aux amandes sont célèbres dans tout le comté. Tu sais même coudre des pièces sur leurs blue-jeans.

— Pour ma part, dit Hal, j'ai toujours préféré mes blue-jeans avec des trous. Je déchirais même les pièces, exprès.

— Mais je leur crie dessus, dit Patrizia.

— Ne t'en fais pas ! dit Rachel. Les enfants aiment qu'on leur crie dessus de temps en temps.

— C'est pas vrai, dit Patrizia. Ma mère me criait dessus, et je détestais ça.

— Pourquoi tu le fais, alors ?" demande Charles. (Enfant, il avait toujours été choqué par la violence verbale des mères de ses amis. Obsédées par la saleté et le danger. Tançant leurs fils, à table, avec méchanceté. Hurlant leurs noms pour les faire revenir du jardin public ou du terrain de base-ball... alors que sa mère ne lui faisait jamais de reproche, jamais, même quand il déchirait ses habits ou renversait son lait. L'achat par Myrna de *Jeannot Lapin* avait déclenché une des pires disputes de leur mariage : Charles ne voulait pas soumettre ses enfants à la mièvrerie moralisatrice de Beatrix Potter.)

"Oh ! pour tout et pour rien. Parce qu'ils sont de mauvaise humeur, par exemple. Ça me met hors de moi qu'ils soient de mauvaise humeur ! Ou parce qu'ils ont pris ma gomme sans me demander. Ou parce que je suis en train de rater ma mayonnaise. Ou parce que Gino a une tumeur au tibia... Je les frappe aussi, ajoute-t-elle, comme en passant.

— N'importe quoi ! dit Katie.

— Si si, je les frappe ! dit Patrizia. Pas tous les jours, mais...

— Arrête de te vanter, dit Hal. Tu vas donner des idées à Chloé...

— Non, c'est vrai, dit Patrizia. Je me déçois comme mère. La maternité a perturbé l'équilibre que j'avais enfin réussi à trouver dans ma vie adulte. Je croyais être devenue quelqu'un de serein et de raisonnable... mais dès que j'ai eu des enfants, ma propre enfance s'est remise à bouillonner en moi... le chaos... les cris...

— C'est normal pour les mères italiennes de crier, dit Hal. Ça fait partie de leur image. «Mangia ! Mangia !» Tu n'as pas vu *Amarcord* ?

— Et en plus, renchérit Patrizia, je n'ai jamais envie de jouer avec eux. Je dois me forcer.

— C'est drôle, quand on y pense", dit Aron, à la surprise de tous. (Il songe aux innombrables soirées que lui et Nicole ont passées à jouer au Monopoly ou au Scrabble avec leurs filles sur la magnifique table en chêne dans leur salon à Durban. Après, ils prenaient toujours soin de ranger les jeux dans le dernier tiroir du buffet, pour que

Currie n'ait pas à s'occuper de leurs pièces énigmatiques : minuscules maisons et hôtels, faux dollars, monceaux de lettres en plastique.) "D'abord les parents jouent pour faire plaisir aux enfants, tout en se disant que c'est une perte de temps ; et plus tard les enfants jouent pour faire plaisir aux parents, tout en se disant que c'est une perte de temps.

— Voilà ! dit Hal. Tu vois, Patrizia ? En fait, *personne* n'aime jouer !... *surtout* avec ses parents !

— Bon, changeons de sujet, dit Patrizia. Je peux t'en piquer une, Sean ?" Elle allume une Winston sans attendre son acquiescement. (Du temps où elle sortait avec lui, son mélange de générosité et d'avarice l'avait laissée pantoise. Il pouvait claquer cent dollars pour un repas de steaks et de homards, et puis, de retour à la maison, se mettre à geindre parce qu'elle prenait des bouffées à sa cigarette ou trempait les lèvres dans son digestif. Il n'aimait pas non plus qu'elle le taquine à ce sujet : "Je tiens simplement à savoir où j'en suis dans ma consommation d'alcool et de tabac, si ce n'est pas trop demander.")

"Ça vous est égal de savoir que j'ai de l'emphysème ? dit Beth, pas très fort.

— Qu'est-ce qu'elle sait chanter, cette
Shirley Horn !" s'exclame Rachel. La
voix de la chanteuse noire lui donne
envie d'être nue. Oui : dès qu'elle
entend les premières notes ronronnées
dans la gorge, elle s'imagine en train
de passer toute une nuit langoureuse
lascive luxurieuse à se prélasser au lit
avec un homme, à lui pourlécher la
peau, à lui chanter des chansons, à
gémir et à fredonner de plaisir tout en
riant avec lui, d'une voix basse et com-
plice – même si, dans la vraie vie, elle ne
s'est jamais comportée ainsi. (Il y a
quelques mois, à la faveur d'une bouteille de muscadet, Katie avait confié à
Rachel la fragilité de Leonid au lit ces
dernières années, parlant avec une
liberté croissante à mesure que le vin
blanc frais lui glissait dans la gorge.
"On les aime quand même, hein ?
avait-elle fini par lâcher, avec un petit
hochement de tête mélancolique. Je
veux dire, c'est encore tout chaud, tout
doux, et cetera, mais... j'avais tout de
même un faible pour la bandaison !"
Rachel en éclatant de rire s'était étran-
glée sur sa gorgée de vin et avait aspergé
la table de mille gouttelettes de muscadet. Mais la vérité était que l'acte
d'amour ne l'avait jamais spécialement
intéressée – sauf avec Sean qui, là

comme ailleurs, avait su partager son versant sombre... Avec Sean l'étreinte pouvait être aussi longue, confuse et terrible qu'un cauchemar d'enfant : "L'orgasme c'est pour les ploucs", lui avait-il dit une fois, pour la faire rire, après des heures éreintantes d'amour-haine physique. Non, Rachel s'accommodait sans problème de la libido languissante de Derek.)

"Ce n'est pas que tu n'as pas une belle voix, Beth, dit Sean, conciliateur. Tu as une très belle voix."

Ebahie de voir Sean s'excuser deux fois dans la même soirée, Beth lève vers lui des yeux méfiants et voit qu'il est sincère, voit aussi qu'il a les lèvres presque grises... et pense, de façon incongrue, aux chevaux de la ferme de son grand-père : la sensation bizarre de leurs lèvres grises et épaisses en train de rouler sur sa paume à la recherche du morceau de sucre ou de la poignée d'herbe que, folle d'audace et d'appréhension, elle leur tendait à bout de bras...

"J'ai vu dans le *Prattler* que tu as animé un atelier de création à UCLA* l'été dernier, dit Brian à Hal, avide de changer de conversation. Ça s'est bien passé ? Comment va ma bonne vieille fac ?" Il

* University of California at Los Angeles.

tient à lui laisser le choix, ne pas l'obliger à parler de son enseignement, s'il
n'en a pas envie – même si c'est cela
que lui, Brian, voudrait entendre, dans
l'espoir de glaner quelques perles de
sagesse au sujet de l'écriture. (Il a toujours été fasciné par les écrivains et, à
la vérité, il est impressionné de se
retrouver là ce soir, entouré d'auteurs
célèbres. Il avait été frappé de mutisme
le jour où, il y a cinq ans environ, Sean
Farrell en personne l'avait appelé à son
cabinet pour lui demander de s'occuper
de son divorce. "Ce serait un honneur
pour moi, monsieur Farrell", avait-il bal-
butié, l'accélération de son pouls rendant
plus stridente la sonnerie dans son
oreille droite... Depuis ce jour, il avait
travaillé pour Sean à plusieurs reprises,
réglant, outre son divorce, un certain
nombre d'autres actes légaux délicats,
dont, très récemment, son testament, un
document bien triste : "Je suis désolé,
Sean, lui avait-il dit. Tu ne peux pas
tout laisser à Patchouli, ça ne tiendrait
pas debout devant la cour..." Alors Sean
avait décidé de laisser sa maison à la
ville, qui lui avait généreusement fait
grâce de son hypothèque, et ses ar-
chives à l'université, qui lui versait une
mensualité depuis longtemps. Les deux
hommes seraient peut-être devenus

amis, mais, en raison de l'animosité
instantanée et réciproque entre Sean et
Beth, ils ne se voyaient que rarement,
le temps d'avaler un verre viril dans un
des bars du centre-ville. Ce soir, retenu
dans la compagnie des dieux par les
hasards de la météo, Brian tient à profiter de sa chance ; il a peur de voir se
dissiper ces heures précieuses en
bavardages futiles. La vocation littéraire est à ses yeux la plus élevée de
toutes : elle avait vibré en lui autrefois,
quand, adolescent boutonneux au lycée
de Los Angeles nord, il avait dévoré le
canon américain depuis Melville jusqu'à
Carver, sûr de les surpasser tous un
jour... Et qui sait ? se dit-il maintenant,
amer. J'y serais peut-être arrivé, si la
guerre n'avait pas bousillé mon amour-
propre... Les vétérans du Viêtnam
étaient des anti-héros, méprisés et reje-
tés par leurs pairs. Après son retour au
"monde", Brian avait connu une année
de désarroi absolu au cours de laquelle
il avait roulé en jeep de la Californie
jusqu'au Yucatan, embarquant en chemin une minable hippie défoncée à la
marie-jeanne. Il avait commencé à fumer
avec elle et, l'ayant bêtement mise
enceinte dans un motel de Chihuahua
grouillant de cafards, s'était résigné à
l'épouser et à passer le reste de sa vie

avec elle au Mexique. Ensuite, à court de fonds et donc de drogue, il avait cessé de planer et, reconsidérant sa situation, avait pris la poudre d'escampette en plaquant là sa jeune épouse enceinte et sans le sou. Peut-être pour se racheter à ses propres yeux, il s'était attelé à des études de droit et, ayant décroché un doctorat à Harvard, s'était fait l'avocat des pauvres sous les auspices de l'Union américaine des libertés civiques... Malheureusement, cela n'avait guère suffi pour le racheter aux yeux de son épouse bafouée qui, ayant retrouvé sa trace quelques années plus tard, l'avait traîné en justice, exigeant non seulement le divorce mais une pension alimentaire, et le contraignant à entretenir leur rejeton non désiré, une fille, affublée du nom risible de Cher. Il ne connaissait celle-ci que par l'intermédiaire des photomatons, des bulletins scolaires et, surtout, des factures astronomiques : pour l'orthodontie, les cours de danse, les écoles privées les plus chic de la côte ouest, jusqu'à sa maîtrise d'anthropologie à l'université de Stanford. Depuis, plus de nouvelles.)

"Ouais, fait Hal en se grattant le ventre. Ils m'ont payé quinze mille dollars ; ça tombait à pic, vu qu'on a l'intention

d'ajouter une aile à la maison, ici, pour
le mouflet.

— Peut-on vraiment apprendre aux
gens à écrire ? demande Beth.

— Non, dit Charles. Mais on peut
leur apprendre comment *ne pas* écrire,
ce qui est déjà quelque chose.

— Bien sûr que non, dit Hal au
même moment, d'une voix plus forte.
Mais quinze mille pépètes pour un
cours de trois semaines, ça ne se refuse
pas !

— Il avait un dingo dans sa classe,
dit Chloé d'une voix traînante.

— Ha ! s'exclame Hal. Ouais, ça
c'était quelque chose. Ça m'a fait sortir
de la routine habituelle.

— Que s'est-il passé ? demande Brian,
sur des charbons ardents.

— Ah… Ce type…" Et Hal de raconter, pour la dix-neuvième fois en présence
de Chloé, l'histoire du jeune homme qui,
quand était venu le jour de soumettre
au reste de la classe une nouvelle de
son cru, avait sorti un revolver de son
attaché-case et l'avait brandi en susur-
rant : "Je vous préviens, il est question
de ma mère dans cette nouvelle et si
quelqu'un s'avise de rigoler…"

"Non ! dit Patrizia.

— Si si, dit Hal : c'est un métier à haut
risque, la littérature, faut pas croire !

— Mais elle racontait quoi, sa nouvelle ? demande Patrizia. Que disait-il au sujet de sa mère ?

— Oh, je ne m'en souviens plus, dit Hal. Comment il fouillait dans ses tiroirs quand il était petit, un parfum de lavande et de rose, ce genre de truc."

Patrizia s'égare un instant dans ses propres souvenirs de fouilles dans les tiroirs maternels ; vers l'âge de sept ans, elle y avait notamment trouvé des tampons hygiéniques et avait échafaudé des hypothèses délirantes sur les manières possibles de s'en servir. Plus tard, quand elle en avait appris le vrai usage : "Tu crois que ça te déflore, si t'es vierge ?" s'étaient demandé les filles du collège Porte-du-Ciel, en pouffant de rire. Plus tard encore, lors de la rencontre avec son confesseur pour la préparer au mariage – "Vous êtes restée pure, ma fille ?" – l'image d'une défloration au Tampax avait amené aux lèvres de Patrizia un sourire inapproprié, mal compris et mal pris par le prêtre. Pour la punir, il s'était lancé dans un laïus aussi opaque qu'interminable sur le chemin qui, grâce au mystérieux sacrement du mariage, conduit de la possession à la pureté...

Quand Patrizia revient au présent, l'histoire de Hal est terminée et les amis, tous sauf Chloé, rient très fort.

"Eh ben dis donc ! dit Brian, impressionné.

— Mais oui ! un métier à haut risque, la littérature", répète Hal. Il regrette de ne pas avoir tiré le récit un peu plus en longueur, pour pouvoir profiter encore quelques instants des feux de la rampe... Mais Charles l'y supplante déjà.

"Je n'ai jamais vu d'armes à feu dans ma salle de classe, dit-il. Mais une fois, à Chicago, trois étudiants ont saccagé mon bureau.

— Et pourquoi ? demande Brian.

— Ils n'appréciaient pas ma manière de réagir à leurs poèmes, dit Charles. Alors ils ont fracassé mon ordinateur, vidé mes tiroirs par terre, renversé toutes mes étagères...

— Mon Dieu ! dit Katie.

— Ça compte, la poésie, tu vois ? dit Sean, en s'adressant à personne en particulier, peut-être à Patchouli.

— Ils faisaient partie d'un groupe de jeunes fanas de Farrakhan, poursuit Charles. En gros, leurs poèmes se réduisaient à du *gangsta rap* – ils prônaient la revanche contre les sales Blancs, ce genre de chose. Je leur ai dit qu'il y avait plus de dix-sept mots dans la langue anglaise, et qu'ils feraient mieux d'en apprendre quelques-uns avant de se camper en poètes. Lisez Baldwin, leur

ai-je dit. Lisez Shakespeare. Lisez Soyinka.
Attendez d'avoir quelque chose dans
le crâne avant de vous mettre à écrire !
Je n'étais pas de très bonne humeur ce
jour-là", ajoute-t-il. (A vrai dire il avait
été d'une humeur massacrante, parce
que sa mère venait d'apprendre qu'elle
était atteinte d'un diabète sévère, et il
avait passé la matinée au téléphone à
s'emporter contre son médecin et sa
compagnie d'assurances, indigné par
leur incompétence et fou de peur.
Ensuite, juste avant son cours, il était
allé prendre un café au *Dunkin' Donuts*
pour rassembler ses esprits, mais la
caisse électronique était en panne et la
caissière noire, incapable de soustraire
un dollar cinquante de cinq dollars
sans l'aide de la machine, l'avait mis au
désespoir. "Mais enfin, vous n'êtes pas
allé à l'école primaire ?" lui avait-il crié à
la figure, et la jeune femme avait eu un
mouvement de recul et, à son air apeuré,
Charles avait senti qu'il se comportait
comme d'autres hommes noirs furieux
et frustrés — père, frères, cousins,
copains — qui lui criaient à la figure
depuis le jour de sa naissance ; son
propre père avait du reste été sujet à ces
mêmes paroxysmes, oui comme ce
Noël où, à cause d'une dispute futile
avec son épouse, il avait traversé le

salon à grands pas et jeté par terre,
devant les yeux ahuris de leurs quatre
enfants, le grand sapin somptueuse-
ment décoré – alors Charles avait quitté
le *Dunkin' Donuts* en s'excusant et en
laissant à la caissière la monnaie de trois
dollars cinquante. "Ça lui apprendra à
calculer !" avait-il marmonné en reprenant sa voiture… Et, dix minutes plus
tard, confronté à ces poèmes faits de
nique ta mère et de *nègres vont te buter*,
il avait disjoncté à nouveau.)

N'est-ce pas bon signe, au moins, se
demande Brian, que ces poètes *gangsta
rap* se trouvent à l'université plutôt que
derrière les barreaux ?

"Tu veux que je recouche le mouflet ?
demande Hal à Chloé, dont le long
silence commence à le rendre nerveux.

— D'accord", fait Chloé, indifférente.

Hal prend dans les bras son fils
endormi et monte l'escalier avec lui : Hé
bonhomme, murmure-t-il, s'accroupissant
pour le poser sur le matelas à même le
sol. Hé, Hal Hetherington Junior. J'espère que tu vas porter ce nom avec
fierté. Le nom de Hetherington ne signifiait *rien* quand moi j'en ai hérité. Une
quincaillerie dans la rue Werk, voilà ce
qu'il signifiait. Eh oui ! mon père ven-
dait des clous et du ruban adhésif et
du fil de cuivre tandis que ma mère

passait la journée derrière la caisse à se vernir les ongles, un foulard sur la tête pour cacher ses bigoudis. Tu n'auras pas connu tes grands-parents, petit, ils ont lâché la rampe avant ta naissance, mais au moins le nom de Hetherington *représente* maintenant quelque chose. Tu ne partiras pas de zéro, comme moi j'ai dû le faire. Les meilleures facs du pays se battront pour t'avoir comme étudiant ; tu n'auras jamais besoin de livrer des pizzas ni de servir de l'essence pour payer ton prochain repas. Hé mon fils. Hé bonhomme. Pour toi, rien que le meilleur.

Au moment de quitter sa position accroupie pour se redresser, Hal sent cogner son cœur à nouveau : pas aussi follement que tout à l'heure après la bataille de boules de neige, mais néanmoins de façon trop perceptible.

Tu verras, dit-il silencieusement à son fils. On parcourra le vaste monde ensemble, tous les deux. Chaque été, une nouvelle Merveille, d'accord ? La Grande Muraille de Chine… le Tâj Mahal… les pyramides… Faut être ambitieux, petit. Si tu ne bouffes pas le monde, c'est lui qui te bouffera. Faut avoir de l'appétit. Comme Walt Whitman. Voilà ce que j'appelle un homme. Un géant. Dès que tu apprends à parler, je commencerai à te lire *Feuilles d'herbe*. Notre temps sur Terre est limité, fiston. Il faut en profiter, se jeter dans l'arène. La plupart des gens sont comme des petites souris, ils n'essaient même pas de voir ce qu'il y a au-delà de leur boîte en carton ; ils se disent : ah bon c'est comme ça la réalité, voici mon quartier et voici mon église et voici les étagères de ma quincaillerie... et ils passent à côté de la vie ! Ils mettent leur réveil tous les soirs, font leurs courses au supermarché une fois par semaine, envoient des cartes de vœux à Noël et, avant qu'ils aient pigé quoi que ce soit, l'heure a sonné et ils sautent à pieds joints dans leur cercueil. Mais toi, Junior, tu sauras *vivre*. *Carpe diem*. Tu suceras la moelle de chaque seconde.

XIX

BRIAN

C'EST A SOIXANTE-DEUX ANS que Brian viendra me rejoindre. Il ne lui reste donc qu'une douzaine d'années pour réaliser ses rêves : un laps de temps bien moins long qu'il ne le croit, moins long que ce sur quoi il compte... encore que, si quelqu'un prenait la peine de lui poser la question (ce qu'ils ne font pas), il aurait du mal à dire en quoi consistent ses rêves maintenant. L'un d'eux, qu'il trouve modeste mais n'espère plus voir se réaliser depuis belle lurette, est simplement que s'arrête un jour l'acouphène dans son oreille droite. Ça ne lui laisse aucun répit. Il a essayé l'unique remède que lui a suggéré le médecin : combattant le feu par le feu, il a installé dans l'autre oreille un appareil bourdonnant dont il peut modifier le volume ; le contrôle qu'il exerce sur la sonnerie volontaire est

*censé faire "oublier" à son cerveau la
stridulation incontrôlable.*

*Pauvre Brian. Il est tellement tour-
menté qu'il ne me sent pas qui le talonne,
ce jour-là à Paris, quand il pénètre
dans une boutique de cartes postales...
Lui et Beth sont en vacances ensemble,
mais quand Beth s'est pelotonnée au lit
tout à l'heure pour faire la sieste, il a
décidé de sortir se promener seul dans
la rue de Rivoli. Tombant par hasard
sur cette charmante boutique de la rue
Saint-Martin, il s'est mis à la recherche
d'une carte ancienne qu'il pourrait
envoyer à Vanessa. (Celle-ci s'est mariée
récemment, elle habite avec son époux
ingénieur du son à Des Moines dans
l'Iowa et attend son premier enfant ;
Jordan n'a pas donné signe de vie
depuis plusieurs années ; quant à Cher,
la fille de Brian par son premier mariage,
depuis qu'elle a cessé de lui extorquer
de l'argent il a presque réussi à oublier
son existence ; mais sa Vanessa il l'aime à
la folie...) Ainsi, se penchant sur les boîtes
de vieilles cartes postales (rangées par
rubriques "Monuments"– Moulin-Rouge,
palais du Trocadéro, Sacré-Cœur –,
"Régions" – Languedoc-Roussillon,
Charente-Maritime, Rhône-Alpes, noms
qui ne lui disent rien–, "Pays étrangers"
– Etats-Unis, Japon, Espagne– et "Thèmes"*

– *Fleurs, Animaux, Bébés), il cherche
avec fébrilité la carte susceptible d'illu-
miner le regard de Vanessa, de faire
battre son cœur plus vite et de courber
ses lèvres en un sourire attendri à la
pensée de son vieux papounet à la barbe
grisonnante. Mais toutes les cartes lui
paraissent bêtes ou inappropriées ou
trop spécifiques, ou alors elles sont chargées de messages auxquels il ne comprend pas un mot… et, tandis qu'il se
penche ainsi en avant, dégoulinant de
sueur, haletant, fouillant dans les
boîtes avec une fébrilité croissante, de
minuscules plaquettes sont en train de
s'accumuler à son insu dans une de ses
artères parce qu'un athérome leur bloque
le chemin ; le sang cesse brusquement
de circuler et, même en poussant de
toutes ses forces, n'arrive pas à faire
sauter le barrage ; le visage de Brian
pâlit comme s'il avait entendu une très
mauvaise nouvelle, et la nouvelle est
mauvaise en effet mais il ne l'a pas
entendue, il est blanc comme un linge
et ses traits s'affaissent, son cerveau
proteste vivement contre le manque
d'oxygène – Hé ! que se passe-t-il ici ?
Circulez, circulez ! Plus vite que ça ! –
mais sa volonté est comme un agent de
la circulation qui agiterait son bâton
dans le tunnel de Callahan à l'heure*

*de pointe : personne ne lui prête la
moindre attention et personne ne va
passer, pas même l'ambulance de la
panique à la sirène hurlante et au
gyrophare rougeoyant – eh non ! la voie
est bouchée une fois pour toutes, c'est
l'embouteillage définitif. Brian s'affale
sur l'étalage de cartes postales et le
poids de son corps fait s'effondrer la
table sous lui. Le glissement et la collision des boîtes le font rouler sur le dos
et là, gisant les bras en croix parmi la
cathédrale Notre-Dame et le monastère
du Mont-Saint-Michel, les sémillantes
geishas colorisées et la serpentine Grande
Muraille de Chine, les vieux ponts de
Brooklyn en noir et blanc et les cani-
ches raides et ridicules à la queue en
pompon, il meurt. "Merde !" s'écrie le
propriétaire de la boutique en se frappant le front de la paume, et il se précipite pour prendre la mesure des
dégâts et estimer combien de son temps
précieux il lui faudra maintenant
consacrer – "Merde ! Merde !" – d'abord
à faire enlever le corps de ce touriste
encombrant, puis à trier et ranger à
nouveau les milliers de cartes qu'il
vient d'éparpiller en tous sens.*

XX

ON DIVAGUE

FIER DE SON PETIT DISCOURS, Hal redescend au salon et constate, avec surprise, que Chloé a disparu. L'espace d'un instant, il s'imagine follement qu'elle a décidé de rentrer à pied et qu'elle brave en ce moment, tel un personnage de son roman, le vent violent et la neige aveuglante. Ensuite, de façon plus raisonnable, il se demande si elle ne serait pas aux toilettes. Et, pour finir, il aperçoit ses mèches blondes à l'autre extrémité de la pièce ; elle est installée sur un tabouret bas près du fauteuil à bascule d'Aron et, les yeux vides, hoche poliment la tête pendant que le vieillard lui décrit par le menu les mains des Vierges de Bellini.

Mais qu'est-ce qu'il lui *prend*, à ce mec ? se demande-t-elle. On dirait qu'il veut me faire des avances. Incroyable. Répugnant, avec ses mains tordues, sa

peau tachée, son cou ridé de poulet,
ses cheveux blancs, si rares qu'on voit le
rose du crâne à travers. J'aimais pas faire
les mecs de plus de cinquante balais,
fallait un temps fou pour les faire bander. Hal est une exception. C'est carrément supportable comme il me traite
au lit, à condition que je ferme les yeux
pendant qu'il se déshabille. Il est tellement tendre… et puis, le reste du temps,
il prend soin de moi presque comme
une mère… Pas notre vraie mère, hein
Col, mais celle qu'on aimait à s'inventer ensemble, tu te rappelles ? Celle qui
nous faisait la lecture à voix haute le
soir et nous amenait faire des pique-
niques à la plage.

    "Salut ma douce."

    Chloé se met rapidement debout en
voyant Hal, heureuse de couper court
aux divagations délirantes d'Aron sur
la beauté de ses mains. Rien n'est beau,
se dit-elle, aucun corps humain n'est
beau, à part celui de mon frère. (Un
client lui avait proposé cinq cents dollars, une fois, rien que pour l'accom-
pagner au cinéma et le tenir pendant
qu'ils regardaient un film. "Je ne te
toucherai pas, je te le jure", lui avait-il
dit. "OK", avait acquiescé Chloé dans
l'indifférence. Elle avait déjà vu des
films pornos, mais presque toujours

sur cassettes dans des chambres d'hôtel. "C'est une histoire vraie, l'avait prévenue le client. Et, tu le croiras ou non, l'héroïne est de Vancouver !" Elle se trouvait donc là, unique femme dans les rangées clairsemées d'hommes seuls, à s'efforcer de rendre flou son regard et de projeter sur l'écran son propre film tandis que la jolie jeune serveuse de Vancouver se faisait happer par le vortex de *Playboy* : "Garde les yeux ouverts !" lui avait ordonné le client vers la fin du film, serrant la main de Chloé sur son pénis gonflé et la faisant monter et descendre tandis que les autres hommes dans la salle ouvraient eux aussi leur braguette et sortaient leur pénis et le frottaient avec un synchronisme étrange [comme dans un orchestre symphonique à la télé, avait songé Chloé, quand les archets des violons montent et descendent tous en même temps], il regardait Chloé regarder la scène que lui connaissait par cœur, voyant reflétée, dans la douleur qui déformait les traits de Chloé, l'image de la jolie serveuse attachée à une machine où, à chaque poussée du sexe de son amant, des garrots se resserraient un peu plus autour de ses membres et des lames tranchantes s'enfonçaient un peu plus dans sa chair. C'est pas pour de

vrai, s'était répété Chloé, encore et
encore, elle n'est pas vraiment en train
de mourir [et elle avait raison : tout cela
n'était évidemment que du faire semblant, de la simulation en studio ; le
film était un classique du porno *hard*,
pas du vrai *snuff*, sinon il n'aurait pas
pu être projeté dans une salle normale
au centre-ville de Vancouver] ; n'empêche que la scène avait *l'air* réelle, c'est
ça qui comptait, et, pendant que la
femme se noyait dans son sang avec
une lenteur atroce, des grognements
éjaculatifs se déclenchaient dans la salle,
de façon non plus simultanée mais irré-
gulière, imprévisible, comme les derniers feux d'artifice humides sifflant
dans les airs lors de la fête du 24-Mai
quand Chloé était petite... Ses mains
avaient été définitivement corrompues
par cette expérience. Une partie après
l'autre, tout son corps avait été cor-
rompu, anesthésié, engourdi. C'était une
question d'engourdissement et non,
comme le croyait Hal, de honte et de
scandale. Le seul scandale était que
Chloé, à la différence de Col, n'en était
pas morte. Que son corps fonctionnait
encore ; qu'il savait marcher, parler, sourire, serrer les mains, se vêtir, se dévê-
tir et faire l'amour, même concevoir un
enfant, accoucher, allaiter... c'était *cela*

l'inadmissible, alors que rien ne comptait pour elle, rien ne la touchait ; si peu en elle était vivant.)

"Ça va ?" murmure Hal, quand elle arrive à sa hauteur. Chloé hausse les épaules, fait oui de la tête et lève les yeux au ciel comme pour dire : Ce vieux schnock... "Tu dois être fatiguée, dit Hal, d'une voix aimante et paternelle. Ne te sens surtout pas obligée de rester. Tu peux monter te coucher quand tu veux. On ne t'en tiendra pas rigueur. Tout le monde comprend ça, une mère qui allaite..."

Chloé hausse encore les épaules – mais avec agacement cette fois, pour le repousser. Elle retourne s'asseoir dans un coin du canapé et plonge son regard dans les anneaux bariolés du tapis.

Elle a *l'air* fatiguée, se dit Hal ; elle a le teint blême, les traits pincés, des cernes gris sous les yeux. S'asseyant lourdement à ses côtés, il lui met autour des épaules un bras de bon ours protecteur, mais elle le repousse à nouveau.

"C'est un album de photos ? demande Charles en prenant un épais classeur sur le plateau inférieur de la table basse. Je peux jeter un coup d'œil ?" Charles n'a jamais pu résister aux albums, même s'il sait que les photos mentent. (Celles de leur voyage à Monument

Valley, par exemple, le montrent debout
devant le célèbre rocher des "Mitaines",
un fils sous chaque bras et, sur le visage,
un sourire éclatant… Clic-clac.)

"Vas-y, dit Sean. C'est un vieux, celui-
là, il date des années soixante. Je l'ai res-
sorti quand ma mère était dans cette…
ah… "maison", en me disant que ça lui
stimulerait peut-être la mémoire.

— Et ça a marché ?

— Eh non. Elle était déjà remontée
aux années quarante."

Oui, se dit Beth. C'est parce que les
stigmates microscopiques qui caractéri-
sent la maladie d'Alzheimer progressent
en ordre inverse de la myélinisation du
système nerveux. Ils attaquent d'abord
le rhinencéphale, ensuite le système
limbique et enfin le cortex cérébral,
alors que, chez l'enfant qui grandit, c'est
d'abord le cortex cérébral qui se déve-
loppe, puis le système limbique et enfin
le rhinencéphale. Tu n'as jamais su tout
ça, papa, se dit-elle. Quand tu es mort, la
médecine en était encore à ses premiers
pas en matière de démence sénile… Ah !
comme tu te serais régalé de ces nouvelles découvertes ! Les conversations
palpitantes qu'on aurait eues ! Tu as
toujours été attiré, troublé, par ces do-
maines où s'estompe la frontière entre
le corps et l'âme… Et quoi de plus

troublant, en effet, que la destruction de
la personnalité par des plaques de bêta-
amyloïde ?

"Qui est-ce ? demande Charles.

— Ah, ça, c'est... mon... troisième
beau-père, je crois bien. Mortimer, il
s'appelait. Moustache soyeuse, lèvres
douces et épaisses... Il me faisait plein
de baisers pour entrer dans les bonnes
grâces de m'man. Par ailleurs, il lâchait
des pets incroyables. De vrais pets mili-
taires, comme un sergent instructeur.
Tous les matins après le petit déjeuner :
Taratatata, garde-à-vous !

— Ha ha ! Et là, tu as quel âge, dix
ans ?

— Non... c'est en 1966, ça ? Je vais
sur mes treize ans. Je suis bien maigri-
chon, hein ?"

Tandis que les hommes étudient les
photos de Sean petit et de sa mère jeune,
Katie contemple leurs têtes penchées.
Tous sauf Charles ont les cheveux gris,
ou blancs, ou rares, le front tavelé, les
mains noueuses... Mon Dieu, Sean a
même des éphélides ! Et comme ses
mains tremblent en tournant les pages...
Oh toi, David chéri, les albums de
photos...

(Qu'ai-je remarqué en premier, se
demande-t-elle, le bruit ou l'odeur ? Je
crois que c'était le bruit. Sans doute mon

cerveau a-t-il réussi à nier l'odeur jusqu'à
ce qu'on débouche dans le couloir, à
quelques pas de la porte de David. Mais
il n'y avait aucun moyen de nier l'aboiement de Cleopatra, le beau labrador roux
qu'ils avaient offert à David plusieurs
années auparavant, lors de leur arrivée
en Nouvelle-Angleterre. Vieille maintenant, et à demi aveugle, Cleo était clairement hors d'elle et son aboiement
déchaîné, fou furieux, suscitait chez
Katie un sentiment d'épouvante. Mais
aussi un sentiment... et c'était cela l'ina-
vouable... un sentiment d'allégresse.
Oui : tout en gravissant une à une les
marches de l'escalier, elle ne cessait de
se voir de l'extérieur ; elle percevait
avec une netteté extrême les fentes
dans le bois de chaque marche, ses
propres pieds chaussés de sandales, le
vernis écaillé sur l'ongle du gros orteil
droit, et elle se disait : *Nous y voici.*
Nous y voici. Son cœur battait la cha-
made et elle remarquait le décalage
entre les deux rythmes, ses battements
de cœur et les aboiement répétés de
Cleopatra, leur tempo n'était pas le
même mais, ponctuellement, ils coïnci-
daient... comme le tic-tac de deux réveils
dans la même pièce, jadis, quand Katie
était petite et que les réveils faisaient
encore tic-tac... Ensuite un troisième

rythme, plus rapide celui-là, était venu
se joindre aux deux premiers : c'était
Leo qui frappait à la porte. Mais Katie
savait déjà avec certitude qu'il aurait
beau frapper, taper, cogner de toutes
ses forces, David ne viendrait pas leur
ouvrir. *Il est mort, mon ange*, avait-elle
envie de dire à son mari, d'une voix
rassurante... mais elle n'osait prononcer ces mots car elle ne voulait pas le
choquer, le voir blêmir, s'effondrer et
se mettre à sangloter de façon incontrôlée. *Il est mort, mon ange* : elle le
savait maintenant et voulait protéger
Leo de ce savoir. Ce sera dur pour lui,
se dit-elle. Mais elle-même éprouvait...
qu'était-ce ? oui, de façon indéniable,
indescriptible... du soulagement. Une
espèce de libération. C'est fini, se dit-elle, alors que Leonid, cessant de frapper à la porte, se mit à la pousser de son
épaule. C'est enfin terminé, se dit-elle,
et la serrure bon marché sauta et la porte
s'ouvrit brusquement vers l'intérieur et
Cleopatra bondit sur eux en aboyant
avec frénésie, avec folie. "Tout va bien,
ma gentille, tout va bien", murmura-t-elle. Elle avait flatté la chienne pour
essayer de la calmer, tout en se disant
avec solennité : Maintenant tu dois tourner la tête et regarder vers le lit, et ce
que verront tes yeux alors est le corps

sans vie de ton fils – tout cela en un instant – mais, avant même qu'elle eût le
temps d'achever cette pensée, Leonid
avait poussé un cri guttural et, la tirant
hors de la pièce, l'avait écrasée contre
le mur brun-jaune crasseux du couloir,
tremblant de tout son corps puis se
détournant pour vomir. La chienne
n'aboyait plus mais couinait et gémis-
sait, leur tournant autour d'un pas
chancelant, s'empêtrant dans leurs
jambes et les empêchant d'avancer,
même s'ils ne savaient plus désormais
ce que pourrait signifier le mot *avancer*, vers quoi avancer, ni pour quelle
raison, à partir d'aujourd'hui.)

"Dis donc, elle se défendait bien en
bikini, ta maman !"

L'éblouissement, se dit Patrizia. Hyp-
notisée par la danse des reflets du feu
sur les verres de champagne, elle pense
à nouveau aux vitraux d'église. Même
petite, j'aimais tout ce qui scintillait et
miroitait, les petits moulins multicolores
qu'on achète à la foire et qui tournoient
dans le vent, les majorettes dont les
bâtons tournent si vite qu'on ne voit
plus qu'un cercle flou, les acrobates de
cirque dont les corps en apesanteur fendent les airs, se transformant en étoiles,
en chiffres, en pures constructions géo-
métriques... Diadèmes de brillants,

joyaux étincelants, pierres précieuses,
schiste lustré. Les mots *luire* et *reluire* ;
le mot *lueur.*

"Ouais. Ça c'est l'été qu'on a passé
dans le Vermont à jouer les familles
américaines normales, saines sur toute
la ligne. Jack mon deuxième beau-père
nous a traînés là-bas. Un monsieur vraiment nerveux, ce Jack. Se rongeait les
ongles jusqu'au sang. S'acharnait à m'apprendre à pêcher, à chasser et à jurer ;
voulait absolument faire de moi un
homme. Ça le mettait hors de lui que je
lise de la poésie. Complètement barjo,
le Jack.

— Ça se voit, dit Charles. Il y a une
lueur de folie dans ces yeux-là.

— N'est-ce pas ? Toi, tu la vois, hein ?"
Bizarre qu'il ait dit *lueur* juste au
moment où je le pensais, songe Patrizia.
C'est peut-être de la télépathie. J'aime
bien Charles. Si seulement il était un
peu moins pompeux...

"Et comment !" dit Charles. Son entraî-
neur de base-ball, au lycée, avait cette
même lueur dans les yeux. M. Rhodes :
bon Dieu je me souviens même du
nom de ce connard. Pas pensé à lui
depuis une éternité. Il me frôlait les
fesses, comme ça, dans les vestiaires,
sans faire exprès hé hé. Voulait que
j'entre à l'université de Chicago avec

une bourse d'athlétisme. "Non, monsieur Rhodes, je veux faire des études littéraires." Et il m'a dit : "Laisse Shakespeare aux Blancs." Oui c'étaient ses mots exacts : "Laisse Shakespeare aux Blancs." Mon père pensait à peu près la même chose, quoique pour des raisons différentes. On l'a déçu, hein Martin ? Toi criminel, moi homme de lettres : tous deux on a refusé de reprendre le flambeau de la Cause... Mais c'est justement l'obsession de papa pour la politique qui m'a incité à me réfugier dans les livres. Je ne voulais pas passer ma vie à prouver que j'avais le droit de la vivre. Je voulais... *tout*, papa. Tout ce que le monde avait à m'offrir. Les pieds sur terre *et* la tête dans les nuages. Le droit de penser à autre chose que Noirs et Blancs. A la Nouvelle-Angleterre par exemple, puisque c'est là que j'habite maintenant, et qu'elle m'appartient donc à moi aussi : la forêt profonde, la neige profonde, les bêtes sauvages, "rien dans les champs / veines des fossés, jets de neige / se levant tels des cheveux dans le vent"...

"Pourquoi Maisie ne la voyait-elle pas ? dit Sean, songeur. Ah ! Pas mal cette truite, hein ? J'ai l'air fier de moi ! Et pourtant quel cauchemar, cette journée-là ! Jack avait fait un feu de bois pour

griller la truite mais, comme le bois
était humide et que son feu ne prenait
pas, il est devenu furibard. Il s'est mis
à déblatérer contre m'man, qui est allée
bouder dans son transat. Le temps que
la truite soit enfin cuite, on était tous
trop abattus pour la manger, alors Jack
l'a reflanquée dans le lac et nous a
ramenés à Somerville, roulant à tombeau ouvert sur les petites routes de
forêt tandis qu'on s'agrippait l'un
à l'autre, m'man et moi, sur le siège
arrière.

— Fin des joyeuses vacances normales, dit Charles.

— Je me suis toujours demandé quel
effet ça avait eu sur les autres poissons
de voir débarquer cette truite grillée."

Les poissons du Pripiat, là où j'ai
pêché autrefois avec mon père, ne seront
plus jamais comestibles, se dit Leonid.
(Son père était mort le premier et
ensuite – dénudée, dénuée de poids et
de pensée – sa mère ; et, même pour
leurs obsèques, il n'était pas retourné
en Biélorussie. Il avait fallu Tchernobyl, la contamination irréversible des
rivières, des forêts et des champs qui
lui étaient chers… il avait fallu la mort
de Grigori, la folle douleur de Ioulia, le
cancer de la thyroïde de la petite Svetlana… pour qu'il rentre enfin chez lui,

en courant. Oui, pour l'enterrement de Grigori, il y était retourné, seulement personne n'avait le droit d'approcher le corps. Le cercueil lui-même était radio-actif, on l'avait bardé de feuilles de métal et recouvert d'énormes blocs de béton doublé de plomb, puis enfoui au cimetière de Mitino, à l'écart des autres. Dans la patrie de Leonid, dorénavant, même les morts avaient peur des morts.)

"La psychothérapie c'est tout le con-traire, dit Brian en se lissant la barbe – signe, comme le sait Beth, qu'il est sur le point de faire un discours.

— Qu'est-ce que tu racontes ? dit-elle. Le contraire de quoi ?

— Le contraire des albums, de pho-tos. Dans les albums, tout baigne dans l'huile, et dans la psychothérapie tout est tragique ; or la vérité est quelque part entre les deux. Une fois j'ai amené Nessa faire de la luge dans le New Hampshire. Elle avait quoi, Beth, trois, quatre ans ?"

Beth soupire : elle connaît cette his-toire par cœur, sait qu'elle va durer un moment. De ce point de vue, Brian commence à ressembler à son père, alors que c'est l'un des traits qu'il méprisait et raillait le plus chez lui : le vieux père de Brian assommait ses interlocuteurs avec des histoires, sans queue ni tête, aux digressions désespérantes… Brian ne perdait pas encore le fil de ses histoires, mais celles-ci se faisaient chaque année plus longues et décousues… Et ce n'est peut-être qu'un début, se dit Beth ; d'ici vingt ans, il sera peut-être atteint de la même incontinence verbale que son papa et n'écoutera plus du tout les autres, ne se souciera même plus de savoir s'ils ont déjà entendu ce qu'il raconte… Cette perspective lui étant réellement effrayante, Beth décide d'aller ailleurs dans sa tête. (A Miami.)

"C'était pendant les vacances de Noël, dit Brian. Beth était de garde à l'hôpital et Nessa m'a dit : «Regarde, papa ! il neige ! si on faisait de la luge ?» Alors je l'ai amenée au mont Monadnock et on a passé tout l'après-midi à faire les fous dans la neige…"

(Beth mange du porc grillé sur une assiette en carton. Elle se lèche les doigts, éclate de rire, avale une gorgée de bière… Il est minuit passé et elle est assise avec Federico à une table de pique-nique dans le trépidant quartier cubain de Miami : des volutes de fumée montent des braseros, une musique rythmée et tapageuse sort d'un poste de radio ; des rires et des exclamations en espagnol fusent dans l'air autour d'eux ; sur ses cuisses nues et noires,

Federico caresse les pieds nus et blancs de Beth.)

"Vers quatre heures et demie, Nessa a commencé à se fatiguer et je lui ai promis qu'on redescendrait en télésiège. Mais on est arrivés juste à la fermeture. «Désolé, nous dit le type. On s'arrête au coucher du soleil.» Nous voilà donc coincés en haut de la montagne. Rien à faire : il fallait descendre en luge."

(Beth est dans sa chambre à l'hôtel *Hyatt* de Miami. Elle se prépare à passer la soirée avec Federico. Voyant son reflet dans le miroir de la salle de bains, elle aime son corps parce que Federico le trouve beau ; pour une fois, ses formes lui paraissent généreuses plutôt qu'obèses, et ses frisettes, érotiques plutôt qu'énervantes. Va-t-elle vraiment faire l'amour avec cet inconnu, est-ce possible, oui, elle sait que cela aura lieu, elle l'a rencontré avant-hier, elle était descendue à la plage après une longue journée enfermée dans un colloque médical ; sur le chemin elle avait repéré une camionnette de glaces et n'avait pu résister à la tentation. En lui tendant son cornet avec trois boules de vanille, Federico s'était exclamé : "Ah, ça me plairait bien d'être à la place de cette glace en ce moment !" et, prise au dépourvu par ce compliment loufoque,

Beth avait pouffé de rire. Au bout de
quelques instants ils flirtaient ouverte-
ment et elle s'était rendu compte, stu-
péfaite, qu'elle avait une confiance
totale en cet inconnu et serait prête,
voire enchantée, de mettre son corps
entre ses mains. Jusqu'alors elle n'avait
jamais trompé Brian. Sa propre attitude
lui paraissait incompréhensible, et elle
n'en était que plus électrisée.)

   "Il ne neigeait plus, mais il commençait à faire nuit et on avait froid... J'ai
installé Nessa entre mes jambes et nous
voilà partis... Mais elle recevait la poudreuse en pleine figure et au bout de
quelques minutes elle s'est mise à pleurer. Alors, génie que je suis, j'ai arrêté
la luge et j'ai changé de place avec elle.
Comme ça, elle était abritée derrière le
grand mur chaud du dos de papa, et
c'est *moi* qui recevais la neige à la figure.

   — Génial en effet", dit Patrizia. Comment font les gens, se demande-t-elle,
pour raconter des histoires aussi assom-
mantes ? Elle-même, de peur d'ennuyer
les autres, prononce rarement trois phrases de suite dans une soirée comme
celle-ci.

   (Ils font l'amour maintenant sur les
draps blancs et lisses de l'énorme lit de
Beth à l'hôtel *Hyatt*, dans la brise fraîche
du climatiseur, et, au-delà de la baie

vitrée, les palmiers se balancent, une mer bleu scintille, tous les clichés de la Floride se sont rassemblés pour fêter leur union.)

"Et quand on est rentrés à la maison, poursuit Brian, Nessa s'est jetée dans les bras de Beth en disant : «Maman maman, tu sais ce qui s'est passé ? On était sur la luge et j'ai reçu toute la neige dans la figure, c'était *affreux* !» Et j'ai dit : «Holà, minute ! Ce n'est pas toute l'histoire !» Et les jours suivants, chaque fois qu'elle parlait de cette descente, elle se rappelait sa souffrance, qui avait duré peut-être un dixième du trajet, et oubliait l'héroïque sacrifice de son père, qui avait duré les neuf autres dixièmes."

(Il est quatre heures du matin, une valse nostalgique passe à la radio et Beth danse avec Federico sur le balcon de sa chambre d'hôtel. Elle lui caresse les tempes aux boucles grises serrées. Elle dort dans ses bras. Ils prennent une douche ensemble et les lèvres de Federico ruissellent de salive et d'eau tiède, son ventre est rond et doux contre le sien, sa peau brune est lisse et tendue, sa poitrine glabre. Brian, lui, a des poils sur tout le corps. Elle a oublié à quel point les corps des hommes peuvent être différents, sexuellement ; c'est la première fois depuis de longues années qu'elle voit de près un vrai corps d'homme, nu et vivant, sans devoir prendre d'urgence une décision médicale le concernant.)

"Je veux dire, insiste Brian – et sa voix monte d'un cran car il sent que certains convives l'écoutent maintenant pour de vrai –, les gens vont voir des psychanalystes, ils leur déversent tous leurs malheurs, ils s'apitoient sur leur sort, ils mendient de la pitié, ils chialent en racontant comme leurs parents les ont maltraités... et personne n'est là pour remettre les pendules à l'heure : hé ho ! Et les autres neuf dixièmes de la descente ? Et la brillante solution qu'a trouvée ton papa pour que tu ne reçoives plus la neige à la figure ? Oui, il me semble qu'on devrait réviser la théorie psychanalytique en fonction de...

— On s'en fout, de la théorie psy-chanalytique, dit Sean en lui tendant la bouteille de champagne. *Och*, Brian, ton verre est vide ! Laisse-moi te le remplir."

(Beth est dans l'ascenseur avec Federico, il est neuf heures du matin et c'est son dernier jour à Miami ; profession-nellement parée d'un tailleur-pantalon bleu ciel, d'une montre-bracelet et d'un badge avec son nom dessus, elle se dirige vers la dernière réunion de son colloque. Tandis que l'ascenseur plein de médecins descend vers la salle des réunions, Federico ne peut s'empêcher de ricaner à la vue de leurs badges : "Elisabeth V. Raymondson [Beth]" ; "Joseph L. Black [Joe]" ; "Doris R. Darlington [Dorrie]" ; "Nancy G. Savitzsky [Nan]"... Quand ils arrivent au rez-de-chaussée, le Dr Savitzsky les laisse sortir les premiers et Federico lui souffle à l'oreille en passant : "Merci, Nan." Celle-ci saute en l'air, puis, confuse, lui lance un "De rien !" retentissant tandis qu'ils glissent ensemble à travers le hall, en proie au fou rire et à l'amour fou. Dehors, en haut des marches de l'hôtel, éblouis par le soleil matinal déjà éclatant, les amants s'enlacent pour un dernier long baiser... puis Beth se détourne. Revient d'un pas chancelant dans la sombre fraîcheur du hall. Entend *"Quelle honte !"* et sursaute, se disant que non, qu'elle se trompe, que cette phrase ne lui est sûrement pas destinée, mais elle l'est : voilà Doris Darlington qui la toise d'un air haineux, et Beth met un instant à comprendre : ah oui, le baiser ! Le Dr Darlington est choquée par notre baiser public, passionné, sensuel et transracial. Elle reprend l'avion pour Boston en fin de journée et n'entend plus jamais parler

de Federico mais, apprenant quinze
jours plus tard qu'elle est enceinte, elle
laisse poindre en elle le fantasme,
aussi effrayant qu'irrésistible, que l'enfant est le sien, qu'elle sera trahie par la
peau foncée du bébé et que Brian, le
voyant naître, fondra en larmes ou tour-
nera froidement les talons...)

C'est terrible quand on y pense, se
dit Hal à propos de rien. Les capacités
de notre cerveau sont si prodigieuses
et on exige si peu de lui. C'est un aigle
traité en canari ; enfermé dans une cage ;
condamné à sautiller au lieu de fendre
les airs.

"Brian n'a pas tort ! dit Rachel. On
pourrait dire la même chose de la littérature. Elle est plus sombre que la réalité parce que les écrivains sont obsédés
par la douleur et le conflit...

— Plus sombre que la réalité ? dit
Sean. Tu plaisantes ?"

Quelques personnes rient.

"Non, sérieusement, insiste Brian. La
place qu'occupe la souffrance dans
notre mémoire est sans proportion avec
celle qu'elle occupe dans la réalité. Les
expériences «quelconques», qui sont
tout de même majoritaires, passent à la
trappe."

Tout passe à la trappe, pauvre imbécile, se dit Sean. Tout se dissipe et

disparaît, c'est justement pour ça que
c'est si beau. Ce texte qu'a écrit Ionesco
à sa mort... non, bon, un peu avant sa
mort, car même le grand maître de
l'absurde ne pouvait pas nous envoyer
des fax de l'au-delà... Regardez les
pauvres chères mains de ma femme,
disait-il, les mains dont je suis jadis
tombé amoureux, des mains si fines et
douces et délicates, regardez-les maintenant, tachées par l'âge et bosselées par
la douleur... Au fond, disait-il : le but
de chaque chose est de finir ; on va à
l'école pour cesser d'y aller, on mange
un repas pour l'achever et on vit pour
ne plus vivre. Mais il avait tort, poursuit Sean à part lui, tout en déchirant
l'emballage d'un nouveau paquet de
Winston, il avait tort, le cher rhinocé-
ros roumain, parce que tout cela *sert*
quand même à quelque chose, à quoi,
eh ben à *cela*, justement : les gens dans
cette pièce et dans les autres pièces, les
choses qu'ils se disent et qu'ils se font,
la chorégraphie complexe et imbriquée
de leurs destins, les rêves qu'ils chéris-
sent et partagent, les paris gagnés et
perdus, les faits appris et oubliés, les
livres lus et écrits, et *j'adore* ça. J'adore
ça j'adore ça j'adore ça – précieuse
vie, vie merveilleuse – pas la *moindre*
envie de la quitter.

"Elle me plaît bien, ton histoire, dit
Hal — et Brian de rougir, fier d'avoir
parlé avec énergie et cohérence, fait passer son message, apporté quelque chose
à un romancier qu'il admire ; ça ne te
dérangerait pas si je m'en servais dans
mon nouveau roman ?

— Tu crois vraiment qu'ils avaient
des télésièges dans le Klondike ? dit
Beth, pince-sans-rire.

— Non non, je changerais tous les
détails, bien sûr. Je ne garderais que la
structure du récit. Son sens global, tu
vois ce que je veux dire ?

— Je serais profondément honoré",
dit Brian, voyant déjà son nom imprimé
dans les remerciements à la fin du livre.

XXI

BETH

QUAND BETH apprend la mort de Brian, elle est convaincue que le glas vient de sonner pour elle aussi. Elle quitte le commissariat de police et, arrivant dans sa chambre d'hôtel qui donne sur la bruyante rue de Rivoli, se met à rouler les yeux et à ahaner, secouée de spasmes. C'est une authentique crise d'asthme : la première depuis Decatur, le jour de Pâques, la robe jaune, le sous-sol aux relents de salpêtre. Mais, elle a beau agiter son inhalateur, elle n'arrive pas à reprendre son souffle : et, n'était le jeune policier qui l'a raccompagnée depuis le commissariat jusqu'à sa chambre (parce que Beth, par sa chair généreuse et ses cheveux teints au henné, lui faisait vaguement penser à sa mère), et qui, voyant la crise s'aggraver, a eu la présence d'esprit d'appeler une ambulance

*sur son portable, Beth serait peut-être
venue me rejoindre ce jour-là aussi.*

*Mais tels n'étaient pas mes projets
pour elle. Non : avec mon sens inimi-
table de l'arbitraire, j'ai préféré cueillir
cette fleur-là avec une dextérité et une
mansuétude inaccoutumées.*

*Ainsi, bien des années plus tard,
devenue une personne ronde, replète,
plantureuse, pétulante et incroyablement vieille, dotée de sept petits-enfants
(dont deux sont à Vanessa et… cinq à
Jordan !) et de dix-sept arrière-petits-
enfants (passons) – qu'elle aime régaler
avec des sourires, des clins d'œil, de
bons conseils et de vieilles histoires du
XXe siècle –, Beth se mettra au lit un soir
dans une jolie petite auberge à Rockport
dans le Massachusetts, soigneusement
choisie par Vanessa pour leurs vacances
ensemble, et commencera la lecture du
deuxième tome des* Confessions *de Jean-
Jacques Rousseau. En éteignant sa
lampe de chevet, somnolente et satis-
faite, elle pousse un grand soupir… et
c'est cet instant-là que je choisis pour
venir l'éteindre, elle. Ma main traverse
comme du beurre sa chemise de nuit
mauve, la peau affaissée et ridée de ses
seins volumineux et les os de sa cage
thoracique, pour s'emparer de son cœur.
Beth pousse un petit cri de surprise ; son*

cœur s'affole brièvement, palpite trois
ou quatre fois, puis s'arrête. C'est Vanessa
qui, entrant dans la chambre le lende-
main matin pour voir si sa maman est
réveillée, fermera avec tendresse, une
fois pour toutes, ses grands yeux bleus.

XXII

ON SOMBRE UN PEU

LES GENS n'imaginent pas la quantité infernale de *travail* que demande l'écriture d'un roman, se dit Hal, tout en vidant sa troisième flûte de champagne et en s'en versant une quatrième. Ils croient qu'on couche simplement sur le papier des choses qu'on a vécues, et *basta*. Alors que c'est du *boulot*, les mecs ! C'est comme construire une putain de *pyramide* ! Le champagne dans son cerveau s'empare de cette image et décide de s'amuser avec. Je suis l'esclave nègre, se dit-il : pieds nus, dos nu, traînant des blocs de pierre sur de vastes étendues de sable brûlant. Je suis le corps momifié du pharaon, enfoui dans le creux sacré de la pierre, pour que son âme puisse voyager au royaume de la vie éternelle. Je suis l'architecte et le contremaître qui supervise les travaux, le trésor et la sueur, la

nourriture et le soleil lancinant, le désert
et le mystère. Hm ! c'est pas mal, ça, se
dit-il, sentant le souffle divin de l'inspiration lui gonfler la poitrine. Peut-être
pourrais-je le glisser dans un chapitre
quelque part...

Chloé s'est doucement affaissée contre
lui, les yeux fermés, les mains posées
sur la jupe de sa robe rouge, paumes
vers le haut, en une pose de parfaite
confiance enfantine. On lui donnerait
quatorze ans, se dit Hal. Cette chère
petite. Heureusement que je l'ai arra-
chée du caniveau avant que son âme
ne soit atteinte.

(En fait, Chloé ne dort pas. Elle se sent
malade. Sans le vouloir, elle est retournée dans l'inoubliable après-midi avec
Colin... Ils sont là, le frère et la sœur,
allongés côte à côte sur le lit. Comme
il fait chaud, ils ont laissé la fenêtre
ouverte ; la brise légère sur leur peau nue
aux éclats diamantins a fait partie, tout à
l'heure, de l'enivrement de leur amour.
Entre alors, par la fenêtre ouverte, un
oiseau. Frère et sœur se lèvent en riant.
Ils sont nus, blancs, sublimes et gigan-
tesques : la cocaïne agit toujours ; ce
sont toujours des dieux. De quelle espèce
d'oiseau s'agit-il ? Ils n'en ont pas la
moindre idée, ils ne versent pas dans
l'ornithologie, mais c'est un moineau.

"Une providence surveille jusqu'à la chute du passereau, comme dit Hamlet, même s'ils n'ont jamais lu Shakespeare non plus. Le tout est d'être prêt." Ils coincent l'oiseau dans la cuisine et Colin parvient à l'attraper sous une serviette. Riant d'aise, il le porte jusqu'à la table, où il s'assied. Les doigts de sa main droite forment un anneau autour du minuscule cou tremblant du moineau et Chloé étudie, fascinée, la panique patente de l'animal. A quoi bon lutter pour survivre ? se demande-t-elle. Ça n'a aucun intérêt. Ils cessent alors de rire et prennent un air grave... tout comme, dix ans plus tôt, l'ami de leur mère prenait un air grave en leur ordonnant de baisser leur culotte. La lumière dans leurs yeux devient très concentrée. Les pouces de Colin appuient sur le cou du moineau. L'oiseau bat follement des ailes et les dieux nus sont électrisés. Un frisson de plaisir les rapproche : plus sombre que celui, lumineux, de leurs corps dorés sur les draps blancs tout à l'heure. Irrésistible. Chloé prend son nécessaire de couture et sort une aiguille. S'installant aux côtés de son frère, elle l'enfonce lentement dans l'œil droit du moineau. "Pas trop loin, murmure Colin. Faut pas toucher le cerveau, hein ? Faut pas le tuer." "D'accord", dit Chloé dans un souffle. Sous la table, leurs orteils nus miment les spasmes du moineau. Chloé sort l'aiguille de l'œil droit et la plonge dans l'œil gauche. Est-ce bien grave ? se demande-t-elle maintenant, quatre ans et demi plus tard, assise blême et nauséeuse sur le canapé de Sean Farrell, les yeux fermés, à se remémorer la scène. Ils avaient plumé l'oiseau, ensuite. Ils lui avaient arraché les plumes une à une, tandis que la petite chose pépiait et se tordait piteusement dans leurs mains de dieux géants. Quand, comment avait-il rendu l'âme ? Et qu'avaient-ils fait ensuite de son petit corps ? Elle ne s'en souvient pas : alors que le crépuscule poignardait le jour, ils avaient été comme nappés par un voile de sang. Elle se rappelle un couteau... oui c'est cela : tout en l'encourageant à le garder vivant le plus longtemps possible, Colin avait tranché les ailes du moineau à l'aide de son canif. La première fois que le moineau avait perdu connaissance, Colin avait même demandé à Chloé de lui asperger la tête avec des gouttelettes d'eau fraîche... et le moineau était revenu à lui, pour se voir percer le ventre par la pointe du canif... Oh, arrêtons là ; c'est tout ; Chloé ne se rappelle rien d'autre...)

Elle rouvre les yeux.

"Tu dormais, dit Rachel, avec un rire attendri.

— C'est fatigant d'allaiter, dit Beth.

— Tu ne veux pas monter te coucher ? lui demande Hal sur le même ton caressant que tout à l'heure.

— *Laisse-moi tranquille !* lui rétorque Chloé dans un chuchotement féroce.

— Quelle chance tu as de pouvoir t'endormir comme ça ! dit Rachel. Tu avais l'air si paisible...

— Rachel est une accro de l'insomnie", explique Sean.

Faut vraiment que tout le monde sache que tu as couché avec elle, se dit Derek.

"Moi aussi, j'avais des problèmes de sommeil autrefois, dit Aron, et j'ai souvent trouvé apaisant d'écouter la radio." (Les dernières années de sa vie en Afrique du Sud, il mettait la musique très fort au moment de se coucher car il redoutait d'entendre dans son sommeil les cris du jeune homme qu'il avait vu soumis au supplice du collier à Johannesburg : tandis que des flammes rouges et vertes et bleues montaient de ses cheveux dans le pneu inondé de pétrole, que ses yeux éclataient, que sa peau fondait et que sa langue commençait à frire, la victime avait émis

une plainte aiguë et inhumaine...
insoutenable... inoubliable...)

"Hé, ho ! dit Derek. N'oubliez pas
qu'il y a un mari dans son lit !"

Faut vraiment que tout le monde sache
que tu couches avec elle, se dit Sean.

"Certes, dit Aron... mais peut-être
pourrait-elle mettre un casque ?

— Tu as essayé la lecture de Kant ?
demande Charles.

— Très drôle, dit Rachel.

— Pardon, dit Charles.

— Et si tu comptais les moutons ?
suggère Patrizia.

— Ça ne sert à rien, dit Rachel. Chaque fois que j'essaie de compter les
moutons, l'un d'eux a la toison qui s'ac-
croche dans la barrière. Plus il se débat,
plus il s'empêtre, et au bout d'un
moment il est complètement lacéré par
le fil de fer barbelé. Le berger arrive et
le trouve par terre, pantelant, une masse
de chair sanguinolente, alors il décide de
mettre fin à ses souffrances en lui donnant un grand coup de maillet sur la
tête... Comment voulez-vous que je
m'endorme ?"

Presque tout le monde rit, mais Charles
est choqué par ce que vient de dire
Rachel. Pas étonnant que la fille de
Derek soit morbide, se dit-il en se levant
pour mettre un nouveau disque : une

sélection de "meilleurs slows". Puis il
va à la fenêtre et, se rendant compte
qu'il est furieux, mais conscient, aussi,
du taux d'alcool qu'il a dans le sang,
fermement décidé à se contrôler au
lieu de tonner et de tempêter comme
l'aurait fait son père, il décide d'épar-
gner les autres en conduisant les deux
parties de la dispute dans sa tête...

(Il commence en demandant à Rachel
pourquoi les juifs se complaisent tant
dans la souffrance, enchaîne, sans logique particulière, en dénonçant la domination juive à Hollywood, responsable
selon lui du racisme pérenne de l'imagination blanche aux Etats-Unis ; lui
demande, pourquoi, pendant la première moitié du XXe siècle, les prési-
dents américains n'ont pas été frappés,
pour la haine raciale érigée en système, du même ostracisme internatio-
nal que Staline pour la haine de classe ;
dessine enfin, d'une main de maître, la
vieille rivalité entre juifs et Noirs : ceux-
là un peuple du Livre dont l'identité est
inséparable de la mémoire, ceux-ci une
culture orale dont jusqu'à la mémoire a
été anéantie... Et la compensation due
aux descendants des esclaves spoliés
de tout ? Et la douleur comme seul et
unique héritage pour nos enfants ? Ouf !
au bout de cinq minutes, ayant fait

brillamment le tour de la question et
emporté sur Rachel une victoire reten-
tissante, il se sent mieux. Il a réussi à
épancher sa bile sans blesser personne.
C'est Myrna qui lui avait appris cette
technique : les gens ne changent
jamais d'avis au cours d'une conversation, disait-elle. Ils ne le font que dans
le silence et la solitude, à force de lire
et de méditer seuls dans leur coin...
"C'est pourquoi tes écrits sont tellement
importants", lui avait-elle dit, en l'embrassant avec passion... Plus personne
ne lui disait que ses écrits étaient
importants...)

Quand il revient s'asseoir, les autres
parlent littérature. Allez savoir comment
ils ont fait pour passer des moutons
massacrés à la littérature ; toujours est-
il que Hal pontifie maintenant au sujet
de Tolstoï : de la folle disparité entre
l'homme et l'écrivain.

"Le conteur était meilleur que le
moralisateur, dit-il, et le moralisateur,
meilleur que l'homme. Après sa crise
mystique, Tolstoï est devenu de plus
en plus névrosé et insupportable.
Comme ça le mettait hors de lui de ne
pouvoir renoncer aux verres en cristal et
aux parties de jambes en l'air avec
Sophie, alors il passait son temps à fus-
tiger les biens matériels et à prôner

l'abstinence sexuelle. Il a même voulu
empêcher ses filles de se marier ! Octogénaire, c'était un vrai salaud : rigide,
intolérant, haïssable."

Pourquoi si rigide, Myrna ? se dit
Charles. (Il avait consacré sa thèse à la
jalousie : six cents pages durant, il avait
comparé les deux grands "épousicides"
de la littérature occidentale – *Othello* de
Shakespeare et *La Sonate à Kreutzer*
de Tolstoï... Dans cette thèse, dont
une version très abrégée forme l'un
des chapitres de *Noir sur blanc*, il avait
fait ressortir la contradiction suivante :
alors que la plupart des commentateurs
expliquent la folie meurtrière d'Othello
par sa peau noire – "le triomphe de
son essence africaine, meurtrière et inférieure, sur son apparence européenne,
civilisée et chrétienne" – il ne s'en est
pas trouvé un seul pour suggérer que
Pozdnychev, lui, cède à la folie meurtrière en raison de sa peau blanche. Et
pourquoi ? parce que le blanc n'est pas
une couleur, pas un trait déterminant ;
la démence de Pozdnychev relève de
la tragique "nature humaine". O Myrna !
toi aussi, Blanche trahie pour une Noire,
tu m'as assassiné... par jalousie ! "Sur
elle-même conçue, par elle-même engen-
drée..." Ne t'ai-je pas tout donné, pourtant ? En quoi mon instant de faiblesse

t'a-t-il menacée ? M'as-tu cru capable
une seule seconde de bazarder notre
bonheur pour aller me la couler douce
avec Anita Darven en Caroline du Sud ?
Ah ! prise de rage fondée ou infondée,
juste ou injuste, Des-de-Myrna a puni
l'adultère de l'hôtel-oh !)

    "Ouais, dit Leonid. Pas bien sérieux,
de prôner l'abstinence sexuelle quand
on a déjà engendré quinze moutards."

    Katie rit, ayant compris par le ton de
sa voix que Leo vient de faire une
blague. Mais elle n'écoute pas la conversation ; ses pensées sont coincées dans
la chambre sur Power Street.

    (C'est alors qu'ils avaient été sub-
mergés par l'odeur, une odeur d'urine
et d'excréments et de chair avariée. La
chair de leur chair, dans un état de
putréfaction avancée. "Ne t'inquiète
pas, mon ange, avait-elle dit à Leonid
dans un murmure, tout en sortant un
mouchoir pour essuyer les traces de
sueur et de vomi qu'il avait sur le
visage. Tout va bien se passer, ne t'inquiète pas." Ils étaient restés ainsi un
moment, cramponnés l'un à l'autre dans
le couloir ; et puis, main dans la main,
ils étaient retournés dans la chambre de
David. Et avaient vu. Sur le sol. Le
matelas nu sans draps. Le combiné du
téléphone. Et, au-delà, affalé, inerte, le

corps sans vie de leur fils cadet. Ou ce
qu'il en restait. Car Cleopatra, enfermée
avec le cadavre de son maître [com-
bien de jours ? peut-être pas seulement
trois, peut-être sept ou huit jours ; quand
lui a-t-on parlé pour la dernière fois ?
Katie s'était efforcée de faire le calcul
dans sa tête : il a appelé le 24 juillet pour
l'anniversaire d'Alice, donc ça ferait...],
lui avait mangé l'épaule gauche, une
bonne partie du bras droit et un morceau du visage. Oh, c'est mieux ainsi,
se disait Katie, encore et encore. Au
moins, comme ça, il ne souffrira plus.
Tu es bien maintenant, n'est-ce pas,
mon amour ? disait-elle à David dans
son esprit. Se penchant sur le corps
ravagé et émacié, Leonid l'avait ramassé
comme s'il ne pesait rien et en avait
drapé son épaule, de sorte que la tête
et les bras pendaient devant et les
jambes derrière, dans son dos. Et Katie,
marchant à leur suite jusqu'à la porte,
puis le long du couloir, avait vu que le
blue-jean de David avait glissé sur ses
hanches trop maigres, lui dénudant le
haut des fesses... Ça l'avait perturbée :
elle aurait voulu lui remonter le pantalon, comme elle l'avait fait tant de fois
quand il était petit, mais elle n'osait pas
déranger Leonid en lui demandant de
poser le corps pour une raison aussi

futile… Alors, elle l'avait suivi dans
l'escalier en se répétant : "Tout va bien,
mon ange, tout va bien se passer à
partir de maintenant…" Son sentiment
d'euphorie l'avait maintenue à flot
pendant les funérailles, les visites de
condoléances et les semaines suivantes,
au cours desquelles ils s'étaient occu-
pés de la liquidation de la vie interrom-
pue de leur fils ; ce n'est que six mois
plus tard, une nuit au cœur de l'hiver,
dans le *no man's land* entre la veille et
le sommeil, que Katie avait enfin saisi
l'immensité de sa perte. Se redressant
brusquement dans le lit, baignée de
sueurs froides, elle avait passé des
heures à fixer le vide. En lui apportant
le petit déjeuner au lit le lendemain,
Leonid avait failli laisser tomber le plateau : depuis la veille, la chevelure
noire de son épouse était devenue
entièrement blanche.)

"J'ai lu un roman russe formidable le
mois dernier, dit Beth. Ça s'appelait…
euh… comment ça s'appelait, Brian ?

— J'en sais rien, moi !" dit Brian,
avec un petit haussement d'épaules,
qui n'écoute plus du tout la conversation mais erre à nouveau dans le
ravin du fleuve Sa Thây.

(L'après-midi tire à sa fin, le soleil
couchant a déjà commencé à incendier

les hautes crêtes des montagnes quand soudain, contre toute attente, Zack trouve une piste. Enfin quelque chose. Peu importe quoi. Un événement. Un espoir auquel amarrer leurs pensées embrouillées par la peur. Non pas que nous ayons tellement envie de les *rattraper*, les Viêt-công, se dit Brian, mais... n'importe quoi... du moment que ça hâte la fin de cette journée. Cent quatre-vingts jours écoulés, cent quatre-vingt-cinq à tirer. C'est le lieutenant Doug Johnson, un Noir costaud de l'Oklahoma, qui tient le chien en laisse : il fait un signe urgent aux autres et, aussitôt, chaque nerf de leur corps se tend à se rompre, au degré maximal d'éveil et d'attention. Ensuite, de façon incroyable comme à chaque fois, éclate un coup de feu : une explosion apocalyptique, dans leurs oreilles aux aguets. Affolés, ils regardent autour d'eux pour voir qui est frappé, qui a les tripes par terre cette fois... Mais non. C'est Zack. C'est le chien qui est blessé. Pas mortellement. Enragé par la douleur, il s'élance vers l'endroit d'où est parti le coup, tirant de toutes ses forces sur la laisse. Doug le lâche. Le chien bondit furieusement en direction d'un taillis de bambou ; deux balles le frappent en pleine poitrine et il tombe comme une masse.

Ensuite, l'impossible se produit. Une femme. Une femme sort du taillis. La femme des Viets. Longs cheveux noirs. Chemise kaki à manches courtes ; short kaki. Membres à demi nus, lacérés par les ronces. Elle jette à leurs pieds son K59 vide et tous restent là un temps, sidérés, à se dévisager. Une femme vietnamienne et sept hommes américains. Figés, immobiles comme l'air. Brian n'arrive à rien lire dans le regard de la femme. Ni peur ni intrépidité, ni séduction ni bravade, ni désespoir ni défi… rien. Comme il l'a appris au cours de ces six derniers mois, ça vous abîme comme être humain de ne pas pouvoir déchiffrer le visage de l'ennemi, mais ça vous améliore comme soldat. Puis la femme détale et ils la suivent en silence, foulant le sol dans une course leste et puissante : tout ce qui, tantôt, leur pesait de façon si atroce est devenu soudain léger comme l'air. Malgré l'avance qu'elle a prise, ils savent avec certitude qu'ils la rattraperont – leurs jambes sont deux fois plus longues que les siennes – et, au bout d'une ou deux minutes, c'est chose faite. Ils l'entourent, s'emparent d'elle, la jettent à terre et poussent à l'unisson un rugissement sauvage. Un trophée inespéré. Une compensation pour la journée éreintante

qu'ils viennent de vivre. Dans le souvenir de Brian, ce qui se produit ensuite
baigne dans une nuée d'irréalité : il ne
l'a pas oublié et il ne l'oubliera jamais,
mais il n'en a jamais soufflé mot à personne. Parce que… les mots pour le
dire n'existent pas. Tel un rite ancien,
appris non par les individus mais par
l'espèce, l'événement se déploie dans
un silence religieux. L'ordre étant déterminé par la hiérarchie militaire, Doug
ira en premier et Brian en dernier. Et,
tandis que la lumière du jour se meurt,
et que la jungle perd peu à peu ses
contours et ses couleurs, Brian se sent
envahi par le désir. Chacun de ses
souffles est empli de désir ; son cœur
est un joyau d'extase vibrante ; rien
n'existe dans l'univers hormis ce cercle
sacré d'hommes noirs et blancs avec,
en son centre, la fille jaune. Au moment
où son centre à elle est percé, elle
laisse échapper un cri ; elle saigne, et
Doug, le crâne rasé étincelant de sueur,
marmonne un juron entre les dents,
surpris de la trouver vierge ; puis les
mots s'évanouissent à nouveau et il ne
reste plus que le mouvement. Sans hâte,
sans parole, les hommes permettent
aux forces les plus sombres de l'espèce
humaine de traverser leur corps pour se
déverser dans celui de la femme. Voici

ô femme, aimée, exécrée, prends,
prends ma semence de vie, et meurs !
Quand vient enfin le tour de Brian, il
est déjà si chaviré par cette messe de
vraie chair et de vrai sang que tout se
passe très vite : il n'a pas plus tôt péné-
tré la fille que la jouissance le foudroie
littéralement, le transforme en pur
conducteur électrique ; sa pensée et sa
personnalité disparaissent et, l'espace
d'un instant, il perd même connaissance. Revenant à lui, il se relève et
remonte son pantalon, tanguant sur ses
pieds, complètement désorienté, et les
autres lui demandent en s'esclaffant,
en le bousculant, en le charriant, pourquoi il a baisé un macchabée. Il baisse
le regard sans comprendre, et Doug,
riant toujours, vide le chargeur de sa
mitraillette dans la tête de la femme.
Maintenant la nuit est tombée tout à
fait et ils sont persuadés que la journée
est terminée, mais ils se trompent. Il
leur reste encore une chose à vivre.
Une grenade explose parmi eux, lan-
cée par un des Viets à qui la fille servait
de guide dans ce ravin du Sa Thây et
qu'elle a réussi à protéger, sachant
d'avance à quel prix, en éliminant le
chien. Trois GI's sont tués sur le coup ;
Doug a les deux jambes arrachées ; mais
Brian… eh bien, Brian s'en sort sans

une égratignure. Il n'aura pour toute séquelle que ce léger bourdonnement dans l'oreille droite...)

"Si si, je t'en avais parlé ! insiste Beth. Ça s'appelait... euh, *Les Enfants de la Méduse*, quelque chose comme ça.

— Tu es sûre que ce n'était pas "Le Rire de la Méduse" d'Hélène Cixous ? demande Patrizia, qui a photocopié ce texte à de nombreuses reprises pour des enseignantes de littérature française contemporaine.

— Non, pas du tout. L'auteur est russe, je te dis.

— Beth, dit Brian, excédé, si tu ne te souviens ni du nom de l'auteur ni du titre, on va avoir du mal à...

— *Les Enfants de Médée*, voilà ! Pas *Les Enfants de la Méduse*, *Les Enfants de Médée* !

— Médée a tué ses enfants, fait remarquer Rachel.

— Je sais, dit Beth, mais il ne s'agit pas de cette Médée-là, l'héroïne est une femme ordinaire qui habite la Crimée et qui s'appelle Médée, du reste elle n'a pas d'enfants...

— Tiens ! dit Leonid. C'est vrai... je connaissais une Médée autrefois, à Choudiany."

(Quand il était arrivé au cimetière de Mitino pour l'enterrement de Grigori,

sa sœur avait braqué sur lui des yeux
vides et n'avait rien dit. Rien. Mais son
amie Natasha, la rondelette et ridée
bibliothécaire à la retraite dont Leonid
reconnaissait encore, bien que vaguement, les yeux noirs malicieux qui
l'avaient attiré pendant un camp de
Jeunes Pionniers, un demi-siècle plus
tôt – Natasha, donc, l'avait pris à part sur
le chemin du retour et lui avait raconté
la fin de Grigori. Ton beau-frère a souffert le martyre, lui avait-elle dit… et, en
évoquant la désintégration du corps de
Grigori, elle ne lui avait épargné aucun
détail. Il fallait que Ioulia injecte de la
vodka pure dans les veines de son
mari pour qu'il arrive à se détendre un
peu et à déconnecter. Tout le pays
baigne dans la vodka, lui avait dit
Natasha. Les employés de la morgue,
pourtant rompus à toutes les formes
d'horreur, demandent toujours de la
vodka en venant chercher un Tcherno-
bylien. Pour les pompiers venus de
loin pour décontaminer la région, les
consignes officielles étaient d'en boire
le plus possible, sous prétexte que
seule la vodka aidait à combattre les
effets de l'irradiation… Ainsi, c'est dans
une stupeur éthylique que ces pauvres
garçons avaient erré à travers les cam-
pagnes, saccageant tout, tirant sur les

chiens et les ensevelissant dans des charniers, dévastant les potagers des paysans, découpant et enroulant la terre, assassinant des millions d'insectes, enterrant la terre dans la terre. C'est un monde de folie auquel tu es revenu, Leonid, lui avait dit Natasha. Certes, comme le lui répéta mille fois Katie quand, rentré aux Etats-Unis, il se mit à sangloter chaque nuit dans ses bras, Léonid n'était pas personnellement responsable de la catastrophe de Tchernobyl. Et pourtant... S'il avait fait un effort, s'il avait été un meilleur fils, s'il avait remué ciel et terre pour faire venir ses vieux parents aux Etats-Unis, ou au moins les installer dans un centre gériatrique à Minsk, rien de tout cela ne serait arrivé. Grigori et Ioulia n'auraient pas été contraints de déménager dans le Sud, Grigori aurait été épargné, Svetlana aurait encore son papa, et Ioulia ne serait pas folle d'angoisse pour la santé de son enfant, et celle de ses petits-enfants, et ainsi de suite, au long des quatorze milliards d'années dont le thorium a besoin pour se désintégrer.)

"C'est vrai, chéri?" dit Katie, et la conversation s'achève en queue de poisson, sans que Beth ait réussi à communiquer aux autres l'immense bonheur qu'elle avait éprouvé à nager dans le

roman de Loudmila Oulitskaïa, avec sa
triste et munificente héroïne paysanne
– une femme qui, tout en étant rongée
par un vieux chagrin secret, avait passé
sa vie à prodiguer des soins maternels
à ses nièces, neveux, cousins et sœurs.

"Ne t'en fais pas, Beth, lui dit Derek.
On fait ça tout le temps, Rachel et moi.
Nos conversations ressemblent de plus
en plus aux bandes enregistrées du
Watergate, sauf qu'au lieu des jurons
ce sont les noms propres qui sautent.
Tu te rappelles ce film qu'on a vu à,
euh, biiiiip, tu sais bien, réalisé par biiiiip,
avec biiiiip dans le rôle principal, attends
attends, ça va me revenir…

— De quoi se souviendra-t-on, à
votre avis ?" demande Sean.

XXIII

LEONID ET KATIE

*L*A MORT DES KOROTKOV *ne sera pas aussi propre et harmonieuse que celle de Beth, mais au moins partiront-ils ensemble. Une perle de mort, vraiment, pour un couple aussi amoureux que ces deux-là. Chacun aurait eu du mal à survivre sur la Terre sans l'autre. Alors, la voici : un accident d'avion. Dans six petites années.*

En fait, ce voyage à Kiev était une folie ; ils avaient dû emprunter de l'argent pour les billets ; mais l'occasion était suffisamment importante, estimaient-ils, pour mériter cette dépense : Svetlana la jeune nièce de Leonid allait se marier ! Il va sans dire que l'heureux élu, Vadim, était lui aussi une "luciole" (comme on appelle là-bas les victimes de l'irradiation).

Svetlana était toute petite lors de la catastrophe. Son père Grigori travaillait dans l'usine de Tchernobyl et ils habitaient tout près. Ainsi, quand le quatrième réacteur prit feu, il appela sa femme Ioulia, attrapa Svetlana dans les bras, et tous trois sortirent sur le balcon pour admirer la vue. Spectacle grandiose, en vérité ! C'était plus éblouissant que le 4-Juillet à Manhattan, plus spectaculaire que les aurores boréales au Nunavut. Une fabuleuse luminescence, une aveuglante lueur incandescente, couleur framboise. Pour la voir, les gens se précipitèrent depuis des kilomètres à la ronde – en voiture, à bicyclette et à pied. Ils s'entassèrent sur les balcons, jouant des coudes pour avoir une meilleure vue, et restèrent là pendant des heures, les yeux et la bouche tout ronds, indifférents à la poussière noire qu'ils avalaient. "Regarde ! murmura Grigori dans l'oreille de sa petite fille. Regarde ! Ça te fera un beau souvenir plus tard."

Oh j'étais déchaîné, ce jour-là. Je soufflais dans le cou de tout un chacun, faisant des ravages dans leurs chromosomes. En une seule soirée j'ai emporté plusieurs millions d'habitants potentiels de la Biélorussie et de l'Ukraine. Le lendemain, Grigori fut convoqué pour aider à creuser un tunnel sous le réacteur. Un monsieur très sympathique, Grigori.

J'étais content de le voir venir. Oh oui, je me suis occupé des liquidateurs vite fait bien fait. Les autres, je les ai laissés traîner un peu sur la Terre, rien que pour la nouveauté de la chose, pour voir ce qui se passait quand ma création radioactive se combinait avec ma création humaine. J'adore ce genre d'expériences.

Svetlana perdit rapidement tous ses cheveux et dut être hospitalisée ; le reste de son enfance fut partagé entre la maison et l'hôpital, surtout l'hôpital... Mais, ayant survécu jusqu'à la vingtaine, elle décida d'épouser Vadim et d'avoir des enfants avec lui malgré les risques...

Voici donc Katie et Leonid Korotkov, dans un DC-10 entre Prague et Kiev. Juste au moment où le vieil avion cahotant approche des Carpates de l'Est (il date de la révolution de velours en Tchécoslovaquie, de l'époque où "la Tchéz-circuit se produit dans le système électrique et le poste de pilotage prend feu ; la fumée s'infiltre lentement dans la cabine et l'avion commence à tanguer. C'est une belle journée ensoleillée, la visibilité est excellente et les passagers ont donc tout loisir pour comprendre que l'avion n'atteindra pas une altitude suffisante pour survoler cette partie des

*Carpates de l'Est. Au-dessous, il n'y a
qu'une forêt de pins : pas le terrain
idéal pour un atterrissage d'urgence.
Les cerveaux se mettent à courir dans
tous les sens à la recherche d'une sortie
de secours. Mais il n'y a pas de secours,
c'est la fin de partie, comme dirait
Samuel Beckett. Mmmmmmh, oh oui,
je tiens désormais tous ces êtres humains
dans le creux de la main. La plupart
d'entre eux bondissent de leur siège et
se mettent à vitupérer les pauvres
hôtesses de l'air tétanisées. Ils finissent
par tomber à genoux, simplement parce
que les muscles de leurs jambes lâchent :
mais, une fois accomplie la génuflexion,
ils commencent à prier par réflexe,
déversant dans mon oreille des propos
incohérents, m'implorant d'opérer un
miracle qui les sortira de cette mauvaise passe. Eh non ! Désolé ! Cet avion
va tomber, mes amis. Il plonge à pic,
tout en continuant d'avancer vers la
face de la montagne. Si les cheveux de
Katie n'étaient pas déjà blancs, ils
auraient de quoi blanchir en ce moment.
Mais les Korotkov ne prennent aucune
part au charivari ambiant. Ils ont défait
leur ceinture de sécurité et, se tournant
l'un vers l'autre, se sont étroitement enlacés. Les yeux fermés, ils se parlent à voix
basse. Si les phrases qu'ils prononcent*

*sont prévisibles et répétitives, au moins
n'ont-elles rien d'hystérique. Leonid·dit :
"Je t'aime, Katie." Il se rappelle comme
elle avait adoré faire l'amour quand elle
était enceinte. Il pense à chacune de ses
quatre grossesses, Marty Alice David et
Sylvia, alors de petits têtards anonymes
nageant dans ses profondeurs, il serre
sa femme contre lui et se rappelle les
nombreuses positions qu'ils avaient
explorées alors pour leurs étreintes, car
il ne devait pas peser de tout son poids
sur ce ventre enflé de vie... et Katie se
pâmait de plaisir quelle que fût la position choisie, jouissant et se réjouissant
de la fécondité de leur amour. Maintenant Katie serre son mari contre elle
en pensant aux histoires qu'il a toujours aimé raconter en public, toutes
les histoires qu'elle l'a entendu raconter à d'innombrables reprises au cours
de leurs presque quatre décennies de vie
commune, elle les connaît par cœur
mais ne s'est jamais lassée de les
entendre. "Je t'aime Leo, je t'aime", dit-
elle tout bas, et puis un peu plus fort,
car le bruit et la température ambiante
ont brusquement augmenté, çà et là les
vitres des hublots commencent à sauter, l'avion gémit sous le poids qu'il
n'arrive plus à transporter... Et c'est
ainsi qu'à mi-chemin entre Tîrgu Mureş*

et Piatra Neamṭ, ces deux individus, certes plus très fringants mais néanmoins émouvants par leur attachement réciproque, viennent vers moi dans des volutes de fumée, les lèvres jointes, les cerveaux éteints par manque d'oxygène, bien avant de fondre dans la chaleur.

XXIV

ON SE SOUVIENT

D E QUOI se souviendra-t-on, à votre avis ? demande Sean.
— Parce qu'on a le choix ? demande Derek.

— Je veux dire, pensez-vous qu'on retient les choses importantes, ou la sélection est-elle plus ou moins… ah… arbitraire ?

— Comme je le dis toujours à mes étudiants, dit Hal, si on veut écrire, il faut accepter la faillibilité de la mémoire.

— Moi j'oublie mes étudiants !" dit Rachel. Passablement ivre, elle ôte ses chaussures et se laisse glisser de son fauteuil sur le tapis entre Sean et Derek, les deux hommes qu'elle aime. "J'oublie *tout*, les concernant. Pas seulement leur nom et leur visage mais nos rencontres, nos conversations, *tout*. Je les croise quelques mois plus tard, ils me disent : «Tenez, j'ai une idée formidable

pour un livre sur Machin Truc, basé
sur une de vos conférences sur Machin
Chose», et je ne sais même pas de quoi
ils parlent !"

Charles rit de bon cœur. Ayant écra-
bouillé Rachel dans son esprit tout à
l'heure, il ne ressent plus que de la bien-
veillance à son égard. "Moi, dit-il, j'ou-
bliais les anniversaires de mes enfants.
Avant, quand je vivais avec eux. Maintenant, je ne pense plus qu'à ça." (Il meurt
d'envie de jouer au base-ball avec ses
garçons. Il appuie ses paumes l'une
contre l'autre, crispé par le désir de tenir
à nouveau une batte dans les mains et de
sentir la balle la frapper – crac – oui ! –
même sans regarder, on sait qu'on a
réussi son coup, que ça va être bon,
très bon... Et l'euphorie, quand il était
enfant, de courir longtemps et vite, sans
la moindre résistance dans les jambes,
le mouvement des coudes tels des pis-
tons à ses côtés faisant sauter son
blouson à droite à gauche, flic flac, flic
flac, et son souffle régulier, infati-
gable...)

"Je n'ai pas demandé ce qu'on allait
oublier, dit Sean, mais ce qu'on pensait
pouvoir, ou devoir, retenir.

— Moi, dit Hal, je me rappelle un soir
d'été dans la ville de Bath. En Angle-
terre, ajoute-t-il pour Chloé. Ça doit

remonter à une trentaine d'années mais, va savoir pourquoi, le souvenir est gravé dans ma mémoire de façon indélébile. Des hirondelles tournoyaient dans le ciel crépusculaire... Derrière l'abbaye, un violoniste solitaire jouait des airs irlandais – mais ralentis, gauchis, comme tordus par la tristesse. Je me rappelle la douceur mauve du ciel, et les pierres blanches de l'abbaye qui viraient à l'ocre à mesure que le jour baissait, et... une sorte de paix ineffable qui émanait de toute chose.

— Vous avez raconté ça dans un de vos romans, dit Brian. N'est-ce pas ? Celui où deux jeunes Pakistanais se rencontrent pendant une visite des bains romains... Comment ça s'appelle ?

— *L'Heure du bain*, dit Hal, mi-gêné, mi-flatté.

— Exact ! dit Brian. Ce doit être pour ça que vous en avez gardé un souvenir si précis : parce que vous l'avez écrit."

Assise sur le canapé, Patrizia a ramené sous elle ses pieds couverts de bas nylon, révélant encore quelques jolis centimètres de cuisse.

"Je me rappelle, dit-elle, quand j'étais malade et que ma grand-mère me faisait du citron chaud au miel. Je m'installais à la table de la cuisine et j'étais toute heureuse à l'idée qu'elle faisait ça

rien que pour moi ! Je la regardais
– une femme corpulente au pas léger –
se déplacer dans la cuisine ; il était clair
que pour rien au monde elle n'aurait
voulu être ailleurs ni faire autre chose
que préparer une boisson chaude pour
sa petite-fille qui souffrait d'une angine...

— Oui, dit Derek. Ce sont les *moments* qui restent. Je me souviens du
jour où j'ai découvert le concept du
moment. C'était mon anniversaire, je
devais avoir quatorze, quinze ans et
mes parents m'avaient emmené à la foire
de Staten Island. C'était un samedi mais,
pour une raison x, mon père devait partir l'après-midi vérifier quelque chose
dans son usine. On l'a accompagné au
ferry, ma mère et moi, et on est restés
un long moment sur la jetée à le saluer
de la main. Dans la foule autour de
nous, tout le monde saluait quelqu'un
dans le bateau, et soudain j'ai compris
que nous vivions un moment. On était
là, à lever la main en l'air et à l'agiter à
droite à gauche pour dire : On t'aime !
On est encore avec toi ! On te voit
encore ! Le ferry s'est éloigné du port,
il a manœuvré pour faire demi-tour, il
a pris de la vitesse et on saluait toujours. Mon père portait un pull rouge
ce jour-là, on le voyait de loin parmi
les passagers sur le pont, il agitait son

petit bras rouge et, à mesure que le
ferry s'éloignait, on l'a vu rapetisser...
L'instant a duré, il a duré... puis il a pris
fin. Les bras sont retombés ; les gens
avaient cessé de former un groupe. Sur
la jetée, ils se sont détournés un à un
avant de se disperser ; sur le bateau, ils
se sont assis en dépliant leur journal
respectif... Et c'était terminé. Nous
n'étions plus en train de saluer mon
père sur le ferry de Staten Island, le
18 août 1969."

Il y a un long silence, au cours duquel
le disque des "meilleurs slows" prend
fin, et Charles décide qu'il en a assez
de jouer les disc-jockeys pour les
Blancs. Qu'ils choisissent leur propre
musique !

"Depuis ce jour-là", poursuit Derek,
mais pour Katie le reste de son exposé
est englouti par la suavité d'une matinée du printemps 1960... C'est une
petite ville dans l'Ouest de la Pennsylvanie, elle a treize ans, elle se tient
debout dans le cimetière et son père à
ses côtés lui serre le coude de sa main
ferme, la soutient littéralement ; pour
l'instant, ils écoutent la prière du pas-
teur mais bientôt il va falloir approcher
de la tombe, c'est à eux d'aller les premiers, puis les autres parents et amis
suivront, ils défileront devant la tombe

de sa mère au rythme de la musique
d'orgue qu'ils viennent d'entendre à
l'église, s'arrêtant un à un devant son
cercueil et se penchant pour y déposer
des fleurs, Katie sent le moment approcher, elle comprend par le ton du pas-
teur que son prêche est sur le point
de prendre fin, et puis, après un bref
silence, le moment est venu, elle marche
vers la tombe, les fleurs à la main, tant
qu'elle a les fleurs dans sa main sa mère
ne sera pas complètement morte, mais
maintenant elle se penche, sa main se
tend en avant et, alors qu'elle respire le
parfum des fleurs et voit danser leurs
couleurs à travers ses larmes, l'impossible se produit : ses mains lâchent les
fleurs, le geste est doux et silencieux
mais impossible à faire durer, et une
fois les fleurs lâchées il faut qu'elle se
redresse, recule d'un pas, s'éloigne de
la tombe, oui, c'est ce qu'elle fait maintenant, tandis que son père lui serre le
coude plus fortement encore, elle a fait
un pas, deux, trois : sa mère est morte.

"Je me rappelle quand j'étais en dernière année de lycée, dit Beth après un
autre silence. Chaque fois qu'ils jouaient
Le Temps des fleurs à la radio, je l'écou-
tais de toutes mes forces. Parce que...
j'étais consciente de n'être *pas encore
entrée* dans l'époque de ma vie dont

parlait la chanson, vous voyez ? Je me sentais à l'orée de cette bohème pour laquelle j'éprouverais de la nostalgie plus tard, et j'essayais de comprendre l'ironie dans la voix de la chanteuse... Pardonne-moi, Sean." Elle se met à chanter. "C'était le temps des fleurs / On ignorait la peur / Les lendemains avaient un goût de miel / Ton bras prenait mon bras / Ta voix suivait ma voix / On était jeun's et l'on croyait au ciel ! Je me suis juré que *moi*, je ne me laisserais pas avoir, je profiterais pleinement de ma jeunesse parce que j'étais prévenue... et puis... eh bien... il me semble que «les bons vieux temps» ne sont jamais venus ! Je n'ai aucun souvenir d'une période de joies et d'illusions et de danses déchaînées... Hein Brian ? Rien que... bref... Et maintenant, en faisant mes courses au supermarché, il m'arrive d'entendre une version synthétisée de cette chanson et... ça me tue.

— Oui, dit Rachel.

— Je me rappelle, dit Brian, tellement ivre maintenant que ses paroles sortent un peu brouillées, le jour où j'ai mis le feu au garage. Mon père a enlevé sa ceinture et il m'a fouetté les fesses nues, je n'ai pas pu m'asseoir pendant une semaine... Je me rappelle le jour où mon hamster est mort : quand

j'ai pleuré, mon père m'a giflé en me
traitant de poule mouillée...

— Mais comme chacun sait, dit Sean
en souriant, les souvenirs négatifs occupent une place disproportionnée dans
nos souvenirs...

— Je me rappelle comme j'avais horreur d'être envoyé au camp", dit Charles.

Comme toujours quand elle entend
le mot "camp", Rachel doit se corriger
mentalement, se rappeler que personne
ne fait allusion à un camp de concentration, non, pas du tout ; Charles n'a
pas été envoyé dans un camp comme
l'ont été des millions de juifs européens,
pour se faire tatouer l'avant-bras et
raser la tête et rouer de coups et affamer et gazer ou pendre ou abattre, ici,
aux Etats-Unis, les camps sont conçus
exclusivement pour les loisirs, la distrac-
tion, les activités saines et sportives
destinées à renforcer les muscles et l'esprit communautaire ; Sean et elle avaient
partagé une certaine méfiance vis-à-vis
de ce genre d'activités, Rachel parce
qu'elles lui rappelaient des films de pro-
pagande nazie dans lesquels on voyait
des corps jeunes et forts et aryens,
avides de conquérir tous les sommets,
gagner toutes les courses de relais et
exterminer tous les juifs ; Sean parce
qu'elles renforçaient son soupçon que

les Américains aimaient à entretenir un fond de sauvagerie : fiers de dévorer à belles dents des hamburgers sanglants et des légumes crus, de traverser à pied des forêts grouillant d'ours affamés et de serpents venimeux, de dormir à même le sol en dépit du froid polaire ou des millions de moustiques, de communiquer entre eux par des aboiements monosyllabiques… alors que, depuis belle lurette, l'humanité avait inventé les lits moelleux, les automobiles, la cuisine raffinée et la poésie exquise ! "Pourquoi, avait-il demandé une fois à Rachel avec un hochement de tête perplexe, les yuppies en vacances se transforment-ils en hommes des cavernes ?"

"Ma seule envie, poursuit Charles, c'était de passer l'été à la maison à traîner avec mes copains et à me gaver de BD… Au lieu de quoi, sous prétexte que j'avais besoin d'air pur et d'exercice et de je ne sais quoi encore, on m'envoyait au diable Vauvert passer l'été avec de parfaits inconnus.

— Moi pareil, dit Hal. Ah ! qu'est-ce que j'ai pu détester les camps !"

Les camps d'été, se dit Rachel. Pas les camps de concentration.

"Je me rappelle, dit Aron, comme j'étais triste à la naissance de ma première fille. Sheri… Je suis revenu de l'hôpital, le

matin, et j'ai écouté, le *Magnificat* de
Bach, le soleil entrait à flots dans la maison...

— Pourquoi vous étiez triste alors ?
demande Chloé, qui suit la discussion
en pointillé, sombrant périodiquement
dans le sommeil et cousant les images
fugaces de ferries et de supermarchés et
de hamsters dans le patchwork mou-
vant de ses rêves.

— Parce que tout était tellement parfait... et je me suis rendu compte que
ça ne pouvait que se dégrader à partir
de là."

(Il se rappelle aussi ce jour de l'été 1939
où, avec Nicole sa toute nouvelle épouse,
ils avaient conçu Sheri. Nicole avait
tenu à l'emmener en Bretagne pour faire
la connaissance de ses parents : un
voyage de noces harassant qui, avec les
restrictions de déplacement, la surveillance maniaque des frontières, les fouilles
et les interrogatoires, leur avait pris six
semaines. Flottant dans une bulle de
bonheur dans un monde au bord de
l'apocalypse, ils avaient pris le bateau
à Lorient pour débarquer sur l'île sauvage et rocheuse de Groix. C'était l'après-
midi : oh, la beauté *insensée* de ce jour
de notre arrivée ! Bord de mer, saillie
de rocher gris sous un ciel gris, et la
mouette qui s'élançait contre nous

encore et encore, chevauchant le vent,
montant et descendant, son fol instinct
aveugle me remuant jusqu'aux tripes.
Nicole était simplement ravie de se
retrouver chez elle... mais moi, j'étais
abasourdi, frappé de stupeur par ce
paysage... le soleil qui perçait l'amon-
cellement de nuages et transformait les
couches de schiste cristallin en un feuil-
leté de vieil or... et, un peu plus loin,
les millions d'étoiles scintillantes impri-
mées par le vent à la surface de la mer...
les géométries complexes, si satisfai-
santes pour l'œil et pour l'esprit, des
squelettes de poisson et des plumes de
mouettes que je ramassais... Oui, les
efforts inlassables et ingénieux de la vie
pour se renouveler, son talent implacable pour la forme, sa superbe indifférence vis-à-vis de nos frontières tracées
et retracées, nos barreaux et nos bar-
belés, nos fusils-mitrailleurs et nos con-
trôles d'identité, nos zones libres et
occupées... Sous peu, les Groisillons se
mettraient à construire, à même la saillie
où l'on se tenait avec Nicole, un affreux
bunker en ciment... mais, nous étions
ce jour-là submergés par la beauté : la
ligne presque imperceptible de l'horizon, l'odeur du poisson, le cri des
mouettes, les lapins qui détalaient à
travers champs, le parfum entêtant de

la bruyère et du chèvrefeuille poussant parmi le trèfle, la fougère et le mûrier sauvage, et la machinerie de nos propres corps qui battaient, s'échauffaient et se lubrifiaient pendant qu'on marchait enlacés, les cheveux et le cœur fouettés par le vent, se laissant glisser ensuite jusqu'au sol pour faire l'amour dans un champ où ondulaient, à perte de vue, des plants de camomille jaune vif.)

"Moi, dit Sean, je me rappelle avoir passé six heures à attendre une correspondance à l'aéroport de San Diego.

— C'est terrible, les temps morts, dit Rachel.

— *Och*, dit Sean, il faut bien être quelque part.

— Katie ! s'exclame Leonid. Tu te rappelles cette place du parking à l'aéroport Dorval, quand on est allés rendre visite à Alice à Montréal ? C'était bien la place C52, je ne me trompe pas ?

— Inoubliable ! dit Katie. Et tu te rappelles cette merveilleuse rampe de sortie sur l'autoroute 84, tu sais, quand on va vers Manhattan et qu'il faut passer sur la route 684 ?

— O incomparable rampe de sortie ! dit Leonid. Oui oui, on l'a prise une fois en 1972, une fois en 1985, et, à partir de 1990, on a dû la prendre au moins une fois par an... Et ce couloir, tu te rappelles, à l'hôpital général de Boston... oh ! ha ha ha, ce cher vieux couloir aux murs beige vomi, où on a attendu plus de quatre heures, le jour où Marty s'est écrasé le doigt dans le gaufrier ?

— Mais oui ! dit Katie. Et la station service... tu te rappelles cette mignonne petite station Exxon, à mi-chemin entre Metuchen et Newark ?

— Et comment ! dit Leonid.

— Tiens, moi aussi je la connais ! dit Derek.

— Et tu te rappelles le jour où tu as pris le bus n° 79, chéri ? dit Katie. Je crois que c'était vers la fin des années soixante, on habitait sur Amsterdam et tu avais cet emploi sur la Troisième Avenue ?

— Ouais... euh... mais je ne suis pas sûr de savoir de *quel* jour tu parles, dit Leonid. Etant donné que j'ai pris le même bus tous les jours pendant onze ans.

— Si, tu ne peux pas avoir oublié ! C'était en juin, un jour de canicule à l'heure de pointe, et le bus a été pris dans les embouteillages, les gens étaient en sueur, excédés, ils se poussaient et se piétinaient...

— Ça vient, ça vient, dit Leonid, je ne vois plus qu'une petite cinquantaine de jours possibles, continue...

— Euh, comment te dire... Ah oui, je sais ! J'ai fait des croquettes de poisson pour le dîner, ce soir-là !

— Ah, oui *d'accord* ! Ça me revient maintenant... Mais oui, mais oui... Des croquettes avec du ketchup, c'est bien ça ?

— *Exactement !* Et je les ai servies avec du pain Wonder et de la margarine, tu y es ?

— J'y suis ! Euh... c'est bien ce soir-là qu'Alice s'est coupé les ongles des orteils, je ne me trompe pas ?

— Tout juste ! s'écrie Katie sur un ton de triomphe.

— Et l'aire de repos, dit Leonid. Cette adorable aire de repos sur l'autoroute 2A, tu vois celle que je veux dire ? On s'est arrêtés là avec Marty pour faire pipi, quand il avait trois ans.

— Je ne suis pas sûre", dit Katie. Une fois de plus, elle sent la vague de chaleur démarrer au niveau du cou, puis monter lentement, inexorablement, jusqu'à son front... Oh ! pourvu que les autres attribuent ce rougissement à la honte de sa mauvaise mémoire.

"Comment peux-tu avoir oublié cette aire de repos ? C'est à deux miles du *Burger King*... Tu vois ? Juste avant qu'on arrive au magasin *Ames*...

— Oh, ce *Ames* ! s'écrie Hal, ne voulant pas être en reste. On parle bien du même *Ames*, n'est-ce pas ? Celui avec une machine à chewing-gums près de la caisse, c'est ça ? Oh mon Dieu, je compte bien acheter mes slips dans ce *Ames*-là quand je serai au Paradis !

— Je me rappelle les poignets de Daniela Denario, dit Patrizia, la voix épaissie par l'alcool. Vous vous souvenez, vous, de ses poignets ?

— Mais oui, acquiescent plusieurs convives en même temps. Mais oui, bien sûr. Ça fait combien de temps… ?"

(Elle a rêvé de Daniela la semaine dernière, ce professeur de littérature italienne classique, originaire de Lucca qui, de façon improbable, s'était intéressée à elle, Patrizia, simple secrétaire du département, Italienne de troisième génération, ayant grandi dans le quartier pauvre de South Boston. Daniela lui avait posé mille questions sur sa vie, elle l'avait invitée chez *Starbucks* pour une mauvaise imitation d'un cappuccino, puis chez elle pour un vrai… En un mot, elle l'avait prise en amitié. Deux années durant, elles s'étaient retrouvées plusieurs fois par semaine pour papoter ensemble en italien, fumer des cigarettes, coudre des rideaux, échanger des potins et des recettes… et aussi, une fois, de façon maladroite mais inoubliable, un long baiser frémissant.

A Daniela et à elle seule, Patrizia avait
avoué comment, adolescente, elle avait
volé de l'argent dans la sébile de l'église,
quelques sous par semaine pendant des
mois, et comment, ayant amassé la
somme impressionnante de quinze
dollars, elle avait quitté sa chambre en
catimini un samedi soir pour retrouver
Conchita, sa meilleure amie du collège
Porte-du-Ciel. Les deux filles étaient
allées dans la boîte disco de leur quartier et là, galvanisées par les pulsations
des lumières stroboscopiques et la
musique assourdissante, elles s'étaient
trémoussées comme Travolta jusqu'à
l'aube. "Je n'ai jamais osé avouer ça au
curé", avait dit Patrizia. "Mais ce n'est
rien, ça ! s'était exclamé Daniela. C'est
un petit péché gentillet, comparé au
mien ! Une fois, quand ils promenaient
la statue de la Vierge dans les rues de
Lucca pour l'Assomption, j'ai piqué
plusieurs billets de dix mille lires qui
étaient épinglés à sa robe. Je faisais
mine d'en attacher d'autres, mais en
fait j'arnaquais la Vierge, tu te rends
compte ?" Comment peut-elle ne plus
exister ? se dit Patrizia. Cancer du cerveau. A la fin de sa vie, elle n'arrivait
plus à se repérer dans son propre quartier... puis elle avait perdu la vue. Oh
Daniela... Comment peux-tu être morte

depuis si longtemps ? Que me reste-t-il
de toi ? La douceur de ta peau. Tes
allures élégantes et fantasques... L'extrême délicatesse de tes poignets... Ta
façon de te coiffer, les cheveux tirés en
arrière. Et ton amour pour moi. Merci,
Daniela.)

Pauvre Patrizia, se dit Sean. Daniela
doit être l'un de ses premiers deuils
importants. Elle ne se doute même pas
de ce qui l'attend. Elle ne sait pas ce que
c'est de vivre entouré de fantômes, de
voir ses parents et amis glisser dans
l'abîme les uns après les autres et de rester là, ébahi, impuissant... Non, pas *toi* !
Pas *toi aussi* ! Chaque fois, on est persuadé que la douleur sera trop grande,
que la Terre cessera de tourner ou qu'à
tout le moins on deviendra fou... Mais
non, tout continue comme avant. On
encaisse les pertes comme autant de
coups de pied au ventre ; elles vous
coupent le souffle mais vous n'osez
pas broncher, alors vous vaquez à vos
occupations, honteux de la force d'iner-
tie qui vous fait vivre encore, malgré la
disparition de tous ceux dont, croyiez-
vous, l'amour vous faisait vivre...

"Je me rappelle les derniers mots de
mon père, dit Rachel. J'avais treize ans.
Avec ma mère, on est allées le voir à
l'hôpital et il a nous dit : «Elle marche

bien, la chaudière ?» Il venait de passer
quatre jours dans le coma et c'était sa
toute première pensée au réveil : «Elle
marche bien, la chaudière ?» On était
au milieu de l'hiver, dehors il faisait
moins quinze et on venait juste de faire
installer une nouvelle chaudière au sous-
sol. Alors ma mère lui dit, comme ça, en
lui lissant les cheveux : «Oui, Baruch. La
chaleur est merveilleuse.» «Bon alors
c'est bien, dit mon père. Je veux que
vous n'ayez jamais froid.» Ça m'inquié-
tait, que mes parents échangent de
telles gentillesses. En temps normal, ils
se chamaillaient du matin au soir : tous
les prétextes étaient bons, depuis Yas-
ser Arafat jusqu'à la meilleure manière
de faire des œufs au plat. Puis mon père
est retombé dans le coma. Et quand on
est revenues le lendemain il était parti.
J'ai pris ses mains dans les miennes et
elles étaient glacées." (M'entendent-ils ?
se demande Rachel. Je ne vais pas leur
faire un dessin... Il ne voulait pas que
nous ayons froid, et puis...)

"Et toi, Chloé ? dit Sean enfin, avec
un grand soupir. Des souvenirs qui en
valent la peine ?

— Pas grand-chose, dit Chloé d'une
voix rêveuse. Mais je me rappelle, une
fois, avoir couché avec mon grand frère.

— Ton *frère* ? dit Hal.

— Oh mon Dieu !" dit Beth dans un soupir. Et, son esprit fatigué l'ayant ramenée une fois de plus à son oncle Jimmy au sous-sol, mais aussi à son propre désir d'épouser son père, elle fond en larmes, provoquant la consternation générale. Elle renifle, hoquette, grimace...

De façon méchante mais involontaire, Rachel s'émerveille de la rapidité avec laquelle les pleurs enlaidissent Beth : au bout de quelques secondes, elle a le nez cramoisi, les joues marbrées, les traits convulsés en un repoussant masque de désespoir.

D'un mouvement vif et irréfléchi, Brian s'élance pour la consoler... mais une de ses grosses cuisses se coince sous la table basse et la renverse : cendriers, bouteilles et verres vacillent, basculent, glissent et dégringolent par terre dans un terrible fracas de verre cassé.

"Aïe-aïe-aïe-aïe-aïe !" s'exclame Charles.

"Oh merde !" dit Patrizia, dont le corsage aux dentelles blanches vient d'être copieusement éclaboussé de champagne. Sans se rechausser, elle part à la cuisine pour chercher la pelle et la balayette.

"J'ai comme l'impression que cette soirée tire à sa fin, dit Rachel.

— C'était un accident, dit Aron sans quitter son fauteuil à bascule. J'ai vu ce qui s'est passé. Il n'a pas fait exprès, c'était un accident."

Beth pleure encore à chaudes larmes, la tête enfouie dans l'épaule de son mari, et Brian la berce en lui lissant les cheveux, comme si c'était sa fille.

"C'était pour rire, murmure Chloé à Hal, qui l'a emmenée un peu plus loin, au bas de l'escalier, et qui, pour l'obliger à le regarder dans les yeux, tient son petit menton pointu entre le pouce et l'index.

— Tu n'as pas de frère ? lui demande-t-il.

— Bien sûr que non. Je voulais juste les secouer un peu.

— Eh ben, si c'est ça que tu voulais, tu as réussi ton coup !" dit Hal, avec un rire où se mélangent soulagement et admiration.

Et, tandis que Patrizia ramasse dans la pelle les mégots et les éclats de verre, et que Katie, armée d'un rouleau de papier absorbant, éponge de son mieux le tapis imbibé de champagne, Sean allume sa dernière cigarette de la journée.

"Si on allait dormir ? dit Derek.

— C'était quand même une bonne fête, Sean", dit Patrizia en remettant ses escarpins. (Lors de sa première communion, sa mère lui avait acheté pour une fois exactement les chaussures

qu'elle convoitait : des souliers en cuir
noir verni, si brillants qu'on pouvait se
mirer dedans ; chaque fois qu'elle baissait les yeux, elle ressentait une bouffée de plaisir de les voir si chic, la
lanière et la boucle ressortant à merveille sur les socquettes blanches.) "On
s'est bien amusés... même si on a un
peu trop bu à la fin.

— Allez, mec, lui dit Charles. C'est
l'heure d'aller faire dodo." Il tapote
l'épaule de Sean, comme il tapotait
l'épaule de son petit frère Martin, avant,
quand ils étaient adolescents et que la
pire chose qui pouvait leur arriver était
de recevoir une mauvaise note en math
ou de perdre leur match de base-ball ou
de ne pas obtenir la permission d'aller
au cinéma.

"Tenez", dit Rachel. Elle revient avec,
dans les bras, une pile de couvertures,
de coussins et de duvets qu'elle a pris
dans l'armoire à linge de Sean. "Attra-
pez une couverture chacun, et allez
trouver un coin où dormir quelques
heures."

Mais, au lieu de s'exécuter tout de
suite, tous se tiennent là un moment,
immobiles, ensemble mais séparés. Le
silence qui suit est plus long que tous
les autres silences de la soirée. Leurs
yeux errent sur le tapis ou fixent des

objets arbitraires, tandis que pensées,
mots, images et souvenirs se bousculent et s'entremêlent dans les circonvo-
lutions de leur cerveau... Il est trois
heures du matin et ils sentent peser sur
eux le poids de la nourriture, du sommeil, de l'alcool et des années...

Les amis, c'est tout ce qu'on a, se dit
Derek. C'est avec eux qu'on vit ; c'est
comme la famille, il faut les accepter
avec leurs qualités et leurs défauts,
même si les défauts ont tendance à
s'exacerber avec le temps alors les qualités ne font que s'estomper. Hm... Ça
m'a l'air assez profond, ça... mais je le
verrai sans doute d'un autre œil demain
matin. Le problème avec l'illumination,
c'est que c'est provisoire. D'après les
écritures bouddhiques, il suffit qu'un
maître prononce un *kôan* pour que les
écailles tombent des yeux de son dis-
ciple. Mais personne ne nous dit ce
qu'il en est de ces mêmes yeux le lendemain, ou l'année d'après. Personnellement, les écailles me sont tombées
des yeux des tas de fois... Je vois, puis
je deviens aveugle, et puis, éphémère-
ment, je vois à nouveau.

Dieu invente l'homme, se dit Hal à
propos de rien, qui invente Dieu, qui
invente l'homme, et ainsi de suite, *ad
infinitum.*

Les chevreuils sont un vrai fléau cet automne, pense Katie, rédigeant mentalement une lettre à sa mère morte. Ils dévastent les jardins... mangent l'écorce des jeunes arbres...

Jamais on n'aurait imaginé à quel point la vie adulte serait rude, se dit Charles. Bon Dieu, Marty, t'as même pas eu le temps de l'apprendre ! Tu as rendu ton ticket en *1985* ! Je trimbale dans ma tête une photo de toi, les années passent et la photo ne bouge pas : tu sais que tu commences à avoir l'air ridicule, mec ? Il serait temps de te débarrasser de cette afro ! Plus personne ne se coiffe comme ça ! Tu es encore un *môme*, Marty ! Merde, quand est-ce que tu vas te décider à grandir ?

Les choses les plus importantes font défaut, se dit Rachel, dans les livres que l'on écrit et qu'on enseigne. Si peu d'entre eux évoquent le déclin du désir. L'enlaidissement, la fragilité, l'effroi. La douleur qui nous obstrue la gorge.

Oh la lucidité qui point, lancinante, se dit Leonid, quand on commence à saisir enfin les règles du jeu. On voit ses parents faiblir et mourir, ses enfants redoubler de force et d'insolence, et on comprend : oui c'est leur tour maintenant, de rougir, de glousser et de flirter...

Sean fixe en silence la bouteille de Chivas Regal, irréfutablement vide, et se demande à quoi ressemblera la mort. Il fait le tour de tous ceux à qui il doit des excuses. Pardon, p'pa. Pardon, m'man. Pardon, Patrizia. Pardon, Jody. Pardon, Rache. Pardon, Derek. Pardon, Leo. Pardon, Clarisse. Pardon, Katie. Pardon, Zoé, si c'est bien ainsi que tu t'appelais. Pardon, Chloé. Pardon, Charles. Pardon, Aron. Pardon, mes chers étudiants si appliqués et assidus. Pardon, mes braves collègues et compatriotes. Pardon, Patch... Mais, *och*, j'aurai tout de même écrit quelques bons poèmes !

XXV

SEAN

*L*A DISPARITION *de Sean Farrell n'est pas aussi imminente que vous pourriez le croire. Il a deux bonnes années devant lui. Enfin, "bonnes" : façon de parler. Pas le genre d'années que l'on aime avoir devant soi, en règle générale. Le genre d'années qu'on préfère nettement avoir* derrière *soi, et même aussi loin derrière que possible...*

Donc, Sean. Tout comme Svetlana, il perdra ses cheveux – sauf qu'il en avait déjà perdu beaucoup, et du coup sa calvitie sera moins bouleversante pour ceux qui l'aiment. Ses amis le soutiendront... comme les Américains stressés se soutiennent les uns les autres au début du XXIe siècle, c'est-à-dire un peu distraitement. Avec davantage de coups de fil que de visites quand il est à l'hôpital, et davantage de plaisanteries que de vraies questions quand il en

*sort. La seule exception sera Rachel qui,
comme la sœur que Sean a toujours rêvé
d'avoir, restera près de lui jusqu'à la fin.*

*Au cours des derniers mois de sa vie,
il passera beaucoup de temps à réfléchir. A son père, pour commencer. Il
n'arrive pas à s'habituer à l'idée qu'il est
déjà plus âgé que son père au moment
de sa mort. (Le cher bonhomme m'est
arrivé tout jaune, jaune de la tête aux
pieds, y compris le blanc des yeux ! Cir-
rhose du foie, quarante-quatre ans.)
Chaque fois qu'il pense à son p'pa, Sean
redevient petit : il se voit dans les pubs
de Clonakilty, de Kinsale et de Court-
macsherry, glissant timidement sa menotte
dans l'immense patte de son p'pa et
levant les yeux vers lui, l'écoutant rire,
chanter et échanger avec ses potes des
opinions politiques passionnées, admi-
rant son incroyable bagou. Une fois,
son père l'avait emmené au château de
Blarney pour poser ses lèvres sur la
célèbre pierre qui, prétend-on, confère
à ceux qui l'embrassent le don de
l'éloquence. Pourquoi le mot de blarney a-t-il dégénéré avec le temps, se
demande Sean, pour ne plus signifier
que boniments et balivernes ? Pourquoi
suppose-t-on, dorénavant, que l'éloquence ne sert qu'à embobeliner les
filles ? Voilà ce que je n'admets pas, pas
plus que toi tu ne l'admettais, p'pa...*

Par ailleurs, il passera beaucoup de temps à pleurer. Les hommes précocement privés de leur père sont très souvent enclins aux larmes, je ne sais pas si vous l'avez remarqué. Au bout d'un an passé à vivre au jour le jour avec l'idée de moi, la moindre chose est susceptible de lui arracher des larmes. Un moineau qui becquette des miettes de pain sur le rebord de la fenêtre. The Thrill Is Gone *chanté par Chet Baker, le garçon à la voix de fille, si douce, si mélancolique. La bague de fiançailles, bon marché et tape-à-l'œil, que porte Janice la caissière du supermarché, lui rappelant qu'elle a un avenir et lui, non. La vue de Daniel le jardinier, de dix ans son aîné, qui s'affaire à couper du bois, à élaguer les branches des arbres et à soulever comme si de rien n'était de grosses pierres pour réparer le muret... alors que pour lui, Sean, le simple effort de s'accroupir pour attacher ses lacets ou pour cueillir une pâquerette lui fait tourner la tête : il se redresse, le visage en feu et le cœur au bord des lèvres, éprouve le besoin de s'asseoir, s'assoit, pleure. Ou ce rêve dans lequel il retrouve sa mère, à nouveau jeune et pleine de vivacité ; elle lui parle de façon animée, avec force sourires et gesticulations, mais il n'arrive pas à entendre ce qu'elle lui* dit ; ses lèvres remuent et il tend désespérément l'oreille mais il n'y a pas de son du tout dans le rêve. Est-ce cela, la mort ? se demande-t-il au réveil, avant d'éclater en sanglots...

Réfléchir et pleurer sont des activités prévisibles, pour ceux qui ont rendez-vous avec moi dans un avenir proche. Mais Sean Farrell étant ce qu'il est, il écrira aussi des poèmes. Ceux-ci seront rassemblés après la disparition de leur auteur dans un mince volume intitulé Dolce agonia, qui se vendra mieux que tous ses autres recueils réunis et lui vaudra même plusieurs prix à titre posthume.

Mais il ne faut pas que je me devance.

Pendant le dernier mois de sa vie, Rachel ne le quitte plus. Un jour, il l'amène avec lui rendre visite à la tombe de sa mère. (Rachel, on s'en souvient, a un faible pour tout ce qui est lugubre et ne rate jamais une occasion de saluer ses amis et ses connaissances de l'au-delà.) Ils se tiennent là un moment, côte à côte, perdus dans leurs pensées. Puis Sean dit, mettant un bras autour des maigres épaules pointues de Rachel :

"Mon p'pa me parlait autrefois de la Cloche de sagesse.

— La Cloche de sagesse ?

— *Oui... C'était une grosse cloche
d'église en bronze, très solide, dans un
village du comté du Kerry où il est né.
Chaque fois qu'on était turlupiné par
une question, on allait la poser à la
cloche et elle était toujours de bon conseil.
«Que faire, ô Cloche, pour arracher à ma
bien-aimée un sourire ?» «Rire», répondait
la cloche. «Combien de temps, ô Cloche,
va durer mon malheur ?» «Heure», disait
la cloche. Et ainsi de suite. On passait
parfois toute une soirée, p'pa et moi, à
inventer ces questions-réponses. «A quoi
pense le curé, ô Cloche, quand les nonnes
sont à confesse ?»"*

Rachel rit.

"*Plus tard, poursuit Sean, j'ai compris que cette Cloche de sagesse n'était
pas une simple histoire de rimes enfan-
tines, que c'était une jolie métaphore
pour Dieu. L'homme hurle ses questions, il entend l'écho de sa propre voix,
et, débordant de gratitude, il suit les
conseils ainsi reçus.*"

Rachel hoche la tête et attend.

"*Donc voilà, dit Sean. Je viens de poser
à la Cloche la question ultime : «Pourquoi cette maladie, ô Cloche ? A quoi
ça correspond ?» Et voici ce qu'elle m'a
dit : «Réponds».*"

*Rachel rit, puis cesse de rire, et tous
deux retombent dans le silence. Ils*

restent là, immobiles, à fixer le simple
bloc de granit avec son inscription gra-
vée : Maisie Farrell née MacDowell.

"J'aimerais lui chanter quelque chose,
dit Rachel enfin, mais je ne sais pas
quoi."

Ils se mettent à la recherche d'une
chanson appropriée, rejetant Molly
Malone et Lay Lady Lay en succession
rapide pour tomber enfin d'accord sur
I've Grown Accustomed to her Face.
Ils la chantent avec le plus grand
sérieux, debout près de la tombe de
Maisie, en évitant de se regarder, pour
ne pas éclater de rire... A la fin de la
chanson, Rachel a l'impression que le
poids accru du bras de Sean sur ses
épaules est dû moins au chagrin qu'à
l'épuisement.

Sur le chemin du retour, il lui dit
tout bas, en gardant les yeux fixés sur
la route : "Je serai mort dans six mois.

— Tu dis n'importe quoi, fait Rachel.

— On parie ?

— D'accord, dit Rachel. Mais... pas
de tricherie, hein ?

— Pas de tricherie.

— C'est promis ?

— Ouais... promis. Tope là ?

— Tope là, mec."

On lui enlève le poumon gauche et,
quelques mois plus tard, un nouveau

*nodule apparaît sur le droit. Il téléphone
à Rachel pour le lui dire.*

*"C'est peut-être un... je ne sais pas,
moi, une simple bosse, dit-elle. Une
espèce de petite bosse ordinaire. Comme
un bouton d'acné.*

— Je n'ai jamais eu d'acné, dit Sean.

*— Alors, dit Rachel après une longue
pause pensive, peut-être qu'on pourrait
prier l'un pour l'autre.*

*— Och, dit Sean, en voilà une bonne
idée. Que demande-t-on ?*

*— Eh bien, moi je demande que ton
nouveau nodule soit bénin, et toi tu
demandes que mon livre sur Kant soit
accepté par la Harvard University Press.*

— Affaire conclue."

*Mais je n'exaucerai ni l'une ni l'autre
de leurs prières.*

*Trois semaines avant que je ne l'em-
porte, Sean invite Rachel à déjeuner.
Elle n'est pas retournée chez lui depuis
le mémorable repas de Thanksgiving
deux ans plus tôt, et cela fait plus d'une
décennie qu'ils ne s'y sont retrouvés en
tête-à-tête. Entre deux quintes de toux
atroces, Sean leur grille des côtelettes
d'agneau... Rachel met la table... Sean
débouche une bouteille de cabernet
californien... Rachel fait une salade...
et ils s'installent pour manger. Sean
tousse. Rachel mange et boit en savou-
rant chaque bouchée, chaque gorgée.*

"Le vin est délicieux", dit-elle, levant son verre et regardant Sean au fond des yeux, ne cherchant même pas à dissimuler son désir d'enregistrer la beauté exacte de son regard brûlant et sombre, pour le garder en elle à tout jamais. "La viande est délicieuse", dit-elle, consciente que c'est ma présence dans la pièce qui rend ce repas si succulent. "Tout est absolument délicieux.

— Il ne manque qu'une chose, dit Sean, pour que cet instant soit parfait.

— A savoir ? dit Rachel.

— Une cigarette", dit Sean.

Il la raccompagne ensuite, une partie du chemin, marchant très lentement. Sur Main Street, ils entrent chez un fleuriste et Sean achète une douzaine de pensées noir et violet dans de minuscules pots en plastique. Rachel a toujours raffolé des fleurs sombres. Celles-ci survivront à leur donneur. Au moment d'embrasser Sean, Rachel sent mon parfum sur son haleine.

Une semaine plus tard, il lui téléphone de l'hôpital. Sa voix est altérée. "J'ai mal au cœur, Rache, dit-il. J'ai mal à l'âme, Rache.

— Ce doit être la chimio, dit Rachel.

— Non, dit Sean. Ils n'ont pas encore commencé la chimio. Jésus, qu'est-ce que ça va être ?"

Rachel ne connaît pas la réponse à cette question, alors elle ne dit rien.

"Il y a un type dans ma chambre qui est mort hier soir, dit Sean. Sa femme était assise à son chevet, elle regardait un vieux Seinfeld *à la télé.*

— C'était quel épisode ? demande Rachel.

— Celui où il veut convaincre tout le monde qu'il n'était pas en train de se curer le nez, seulement de le *frotter.*

— Ah oui, c'est très bon, ça ! C'est un de mes préférés !

— Toujours est-il que le type était là en train de rendre l'âme. Il avait les yeux fermés, la tête rejetée en arrière, j'entendais son râle, et sa femme n'arrêtait pas de lui dire : «C'est assez fort, mon chéri ? Tu veux que je mette plus fort ?» Je suis foutu, Rache ! *s'écrie Sean* tout à coup. Je suis foutu *!"*

Elle reste là pour lui, au bout du fil, sans mots, loyale. Enfin il raccroche.

Le lendemain il a une embolie au cerveau gauche. Parole perdue. Main droite, main d'écriture, perdue.

Rachel se tient près de son lit et regarde tandis que, de sa main gauche, il griffonne maladroitement dans un calepin. Une forme de cœur apparaît, un cœur tordu mais reconnaissable, avec leurs quatre initiales à l'intérieur.

"Tu m'aimes ?" dit Rachel.

Sean fait oui de la tête.

"Moi aussi, je t'aime."

Puis une série d'autres lettres : T-H-R-I-L-L, péniblement élaborées puis barrées d'un geste rageur.

"Je ne comprends pas", dit Rachel.

Sean dessine deux notes de musique.

"The Thrill Is Gone ?"

Sean fait oui de la tête… et retombe en arrière sur l'oreiller, éreinté.

Cette nuit-là, très tard dans la nuit, je viens le délivrer. Cela ressemble beaucoup à un accouchement, quand on y pense, mais à rebours.

Pendant que j'y suis, j'embarque Patchouli aussi.

XXVI

ON RÊVE

CELA PREND FIN, leur contemplation inquiète du cosmos intérieur. Brusquement, ils reviennent à eux et se mettent à cligner des yeux et à se lancer des regards incertains... L'instant d'après, tous sont happés par une lourde vague de fatigue : l'envie de renoncer, de plonger, oui de succomber enfin au sommeil, rien que le sommeil, ils n'aspirent plus qu'à s'abîmer dans le sommeil, à rien d'autre.

"Euh... où penses-tu... ?" dit Leonid à Sean, dans l'espoir que leur hôte aura une idée de la répartition possible des différents lieux de repos dans sa maison... mais Sean est pris, à ce moment, par un nouvel et violent accès de toux. Le dos voûté, la respiration sifflante, il tousse jusqu'à ce que les larmes lui viennent aux yeux, puis il tousse encore, levant enfin une main en direction des

femmes pour leur signifier : Vous voulez
bien vous occuper de ça ? Ce sont les
femmes qui gèrent ce genre de choses,
la literie, la distribution des lits...

"Dis donc, c'est une méchante toux
que tu as là ! dit Charles en tapotant le
dos voûté de Sean... et Sean de hocher
la tête, et de tousser encore. Pour ma
part, poursuit Charles en s'adressant aux
autres, je n'aurai pas besoin de lit. Je
sens les premiers frissons d'un poème...
Je vais aller me terrer dans la cuisine
pour voir s'il acceptera de se coucher
gentiment sur la page d'ici demain
matin... ce qui ne doit plus être bien
loin, du reste. Quelle heure est-il ?

— Trois heures et demie, dit Patrizia. Encore cinq bonnes heures, tout de
même, avant le lever du soleil. Tu es
sûr que ton poème va frissonner pendant cinq heures ?

— Oh, dit Charles, je peux m'endormir n'importe où." (C'est vrai : adolescent, il avait appris à dormir les yeux
ouverts pendant les sermons à l'église ;
et, plus tard, chaque fois que petite
Toni avait de la fièvre, il s'endormait
dans sa chambre, le front appuyé contre
le rebord métallique de son lit.)

"Laisse-moi au moins te dégager un
coin de table", dit Patrizia. (Sa *nonna*,
jadis, lui dégageait toujours un coin de

la table pour faire ses devoirs, près de
l'endroit où elle hachait les oignons et
les tomates pour le repas du soir.)

"Ce n'est pas la peine, dit Charles en
se dirigeant vers la cuisine. Je vais faire
un peu de vaisselle moi-même, ça m'ai-
dera à mettre de l'ordre dans mes idées."
Et il disparaît.

Déçue, Patrizia le suit du regard.
Moi, j'adore qu'on me chouchoute, se
dit-elle. Pourquoi plus personne n'a
envie d'être chouchouté ?

Katie s'efforce de surmonter la con-
fusion de ses pensées pour organiser la
transformation en dortoir de la maison
de Sean. "La chambre d'amis, c'est
pour vous deux, dit-elle à Hal et
Chloé. Ça va de soi, puisque le petit
s'y trouve déjà.

— Nous on peut dormir par terre,
dit Beth, à la consternation de Brian. Il
suffit d'étaler quelques couvertures sur
le parquet. Ça nous rappellera notre
jeunesse baba cool.

— Moi, je n'ai besoin de rien, dit
Aron. Du moment que personne ne
vole mon fauteuil à bascule pendant
que j'ai le dos tourné..." Et il se dirige
vers les toilettes pour une dernière
confrontation avec le démon Diarrhée.

"Ce canapé-là s'ouvre en lit", dit Sean,
ayant enfin repris son souffle, et il se
lève en vacillant.

"Prenez-le, vous, dit Rachel à Katie et Leonid.

— Non, prenez-le, vous, dit Katie à Rachel et Derek.

— Non, vous, insiste Rachel. C'est plus confortable que les lits jumeaux dans le bureau de Sean, et Leo a mal au dos.

— Comment sais-tu que j'ai mal au dos ? demande Leonid, indigné.

— Difficile de ne pas le savoir, vu ton air penché depuis le début de la soirée, dit Rachel, taquine.

— Et moi, ça me laisse où ?" demande Patrizia, qui s'est déchaussée à nouveau parce que son oignon lui fait mal. Ma *nonna* avait un oignon, elle aussi, se dit-elle.

"Ça vous laisse, ma chère, dit Sean, très précisément à votre place, à savoir dans mes bras.

— Oh Sean ! c'est ce que j'espérais t'entendre dire !" Ravie, Patrizia lui saute au cou. "Je serai sage, je te le promets.

— Non, dit Sean. *Moi*, je serai sage."

Bonne nuit bonne nuit bonne nuit bonne nuit bonne nuit…

Et c'est ainsi. Six des convives grimpent l'escalier, les six autres restent au rez-de-chaussée, et tous entament des préparatifs minimaux pour le sommeil. Les ceintures sont défaites, les soutiens-gorge dégrafés, les chaussures et les lunettes ôtées ; des nez sont mouchés, des médicaments avalés, des pieds massés et des vessies vidées, mais le maquillage et les sous-vêtements demeurent en place, les dents vraies et fausses se passent de brossage, aucune prière n'est prononcée.

"Je rêve de ça depuis le début de la soirée, dit Sean, embrassant longuement et tour à tour les os iliaques de Patrizia sous la soie blanche de sa combinaison. Il se peut que tes seins aient changé légèrement de forme, ces dernières années, mais tes os iliaques sont immuables.

— Tu es sûr, pour les seins ?" dit Patrizia d'une voix somnolente, et, posant les mains de part et d'autre de la tête de Sean, elle le tire doucement vers le haut et pose un baiser sur son crâne dégarni. Il tourne le visage vers la gauche, vers la droite, mordille ses bouts de seins à travers le tissu, et se met à tousser. "Je t'ai apporté un verre d'eau, au cas où", murmure Patrizia. Tendant le bras, elle attrape le verre sur la table de chevet et le lui donne.

"Merci."

Sean avale une gorgée d'eau, puis il éteint la lampe et se couche en chien de fusil, tournant le dos à Patrizia. Elle se colle contre lui et glisse une jambe entre ses deux jambes, comme elle le faisait jadis, quand ils étaient amants. En l'espace de quelques secondes elle se trouve derrière sa mère en train de gravir l'escalier de l'opéra, et, l'instant d'après, c'est le contraire, c'est elle qui monte l'escalier la première, et sa mère la suit ; mais ni dans un cas ni dans l'autre sa mère ne la voit, comme d'habitude elle est pressée, affolée, au bord de l'hystérie, le spectacle va commencer, non il a déjà commencé, et elles entendent par bribes la voix gutturale d'une contralto, *calvo dentello, calvo dentello*, chante la voix. Comme c'est beau ! se dit Patrizia, ça veut dire une cape de dentelle, non ? *Och*, se dit Sean, si l'eau pouvait m'aider. S'il suffisait d'un verre d'eau. La traversée. De l'eau... des étendues sans fin d'eau grise agitée houleuse... d'abord ton p'pa meurt et ensuite tu le quittes, peut-être que si tu ne l'avais pas quitté il ne serait pas mort, comment as-tu pu faire une chose pareille, mettre des étendues sans fin d'eau grise agitée houleuse entre toi et ton p'pa, il tombait des cordes le jour de son enterrement, la pluie se déversait dans la tombe ouverte et transformait la terre en boue, dans le cortège funèbre les gouttes de pluie glissaient sur les chapeaux des dames et le long du nez des messieurs,

comment savoir s'ils pleuraient ou non
puisque tout était mouillé, les chaussures détrempées, la terre brune et molle
comme de la merde, schloc, schloc, les
pelletées de boue sur le cercueil comme
les pelletées de fumier que soulève le
père de Leonid à Choudiany, ah qu'il a
les biceps puissants ! que sa moustache est épaisse et broussailleuse ! En
fin de journée il est trempé de sueur, il
a le visage et la nuque cramoisis à
force de travailler aux champs en plein
soleil, alors la mère de Leonid le fait
asseoir sur le perron, elle apporte une
bassine d'eau et y plonge un torchon,
puis se met à lui tapoter doucement la
nuque et le front brûlants avec le torchon, l'eau dégouline sur son torse
nu... Elle rit, oui, la mère de Léonid rit
aux éclats, tout en lavant son mari
après sa journée de labeur, il fait une
chaleur torride, la Terre tourne autour
de son axe, il fait un froid glacial et la
neige tourbillonne encore dans l'air,
elle enveloppe la maison, elle est
montée jusqu'aux premiers carreaux
des fenêtres et Charles, depuis sa place
à la table de la cuisine, la contemple
distraitement, la voyant sans la voir,
puis il se penche à nouveau sur sa
page, oh mais j'avais envie de revoir la
strophe suivante, oui, "Le silence d'un

homme qui dort / Dans le jour mourant un chevreuil filera / à travers la
forêt ravagée comme un visage"… Ne
sais-tu pas que je t'aime Myrna, ne le
comprends-tu pas, cherches-tu vraiment
la mort du Maure ? "Affreuse amie !
Que mon âme soit damnée /Mais je
t'aime pour vrai, et quand ne t'aimerais
pas, le Chaos serait de retour." "Une
branche craquera toute seule / balançant ses griffes dans les congères",
c'est pas trop mal ça, les griffes donnent vie à la branche en quelque sorte,
la transforment en animal, "et les traces
des hommes et des loups / se croise-
ront comme autre chose". Non, "autre
chose" est faible, surtout comme chute.
Faut que je trouve… autre chose. Ha
ha ha. "Veines des fossés, jaillissements
de neige", ça c'est bien, ça peut rester,
mais "qui flottent tels des cheveux
dans le vent" j'en suis moins sûr, c'est
une métaphore pauvre et indigente,
aux mains vides. "Si on ne peut pas le
voir, on ne va pas le croire", comme je
dis toujours à mes étudiants… Du reste,
à qui sont-ils, ces cheveux qui flottent
dans le vent ? Pas à moi. Même au beau
milieu d'une tornade du Kansas, les
miens ne décollent pas. Dans les écoles
d'Afrique du Sud, c'est ce qui permettait
de trancher entre Noirs et Blancs : le

test du crayon. On prenait une mèche de cheveux au-dessus de l'oreille du gosse et on l'enroulait fermement autour d'un crayon : si le crayon tombait par terre l'enfant était blanc; s'il restait accroché dans les cheveux il était noir. Un jour, se rappelle Aron en se balançant doucement près du feu mourant, Anna était rentrée en larmes de l'école parce que sa meilleure amie Hetty venait d'être renvoyée ; jusque-là personne ne s'était douté qu'elle était noire mais la maîtresse boer lui avait fait passer le test du crayon, une première fois devant la classe et une deuxième fois, triomphalement, devant les parents de Hetty, le directeur de l'école et un comité de fonctionnaires municipaux… et voilà, c'était indéniable, le crayon restait emprisonné dans la mèche de Hetty, ce qui impliquait que sa mère avait commis un crime répugnant et que son père n'était pas son père, c'était en quelle année ça ? se demande Aron. En 1957 je crois : Anna devait avoir huit ans, peut-être est-ce ce jour-là qu'ont été semées les premières graines de sa révolte, graines qui fleuriraient plus tard en clichés marxistes, hérissés de pointes… Car sa petite Anna était devenue une militante, une révolutionnaire, un personnage intraitable et

intolérant, cuirassé de vérités dogma-
tiques, aussi rigide et impitoyable que
les hommes qui avaient poussé les
parents d'Aron à fuir Odessa un demi-
siècle plus tôt, c'étaient les mêmes mots,
les mêmes concepts haineux, les mêmes
punitions et les mêmes contraintes pour
votre bien, oui, pour le bien de ce pays,
du peuple, du mouvement de libération, des raclées au *sjambok*, des tor-
tures, des assassinats, des camps de
concentration gérés par l'ANC, ça ne s'ar-
rêtera jamais, se dit Aron en se balançant doucement, tandis que les flocons
tourbillonnent encore au-delà des
vitres : le cycle d'espoir et de désespoir, de destruction systématique et de
reconstruction volontariste, mon Dieu
que se passe-t-il ici ? Il est dans un village palestinien aux rues jonchées de
décombres et de débris ; des soldats
israéliens munis d'Uzzis et de lunettes
noires arrêtent les gens pour vérifier
leurs papiers, il fait une chaleur écrasante et il y a des barrages partout, des
sacs de sable, du fil de fer barbelé, des
éclats de verre, pour avancer il faut
grimper par-dessus des monceaux de
gravats, ce n'est pas facile, se dit Aron,
pas facile à mon âge, comment vais-je
faire pour passer, le grincement régulier
du fauteuil d'Aron empêche Beth de

dormir, elle l'écoute malgré elle, c'est un remonte-pente qui la hisse sur une colline à la pente absurdement raide, comment peut-elle être aussi raide, presque à la verticale, Beth a la tête rejetée en arrière et ses skis fendent l'air au-dessus de son corps, arrivée en haut il y a une pause terrible, interminable, et puis elle est jetée dans la descente, elle plonge en avant, tête la première, comment fait-on pour ralentir ? Vaut-il mieux plier les jambes ou les garder droites ? Elle ne sait plus, elle s'agrippe convulsivement au bras de Brian qui, se retournant dans son sommeil, met un bras autour de sa femme et l'attire contre lui, oh la chair, la bonne chaleur de cette chair si familière, il a déjà le dos tout courbaturé à cause de la dureté du sol, ils ne sont plus des hippies en train de rouler leur bosse à travers le Mexique et de vivre de bière et de marie-jeanne, capables de crécher n'importe où, plage ou forêt, *zócalo* ou jardin public, tribunal public : "Mesdames et messieurs du jury... Dans un premier temps, si vous me le permettez, je voudrais m'adresser directement au juge." Il se tourne vers le juge et voit, ahuri, qu'il s'agit de son propre père, immense et impérieux dans sa robe noire. Comment ne l'ai-je pas reconnu ? se dit Brian. "Allez-y ! rugit son père, en le fusillant du regard. Qu'as-tu à dire pour ta défense ?" Terrorisé, Brian se met à fouiller dans la liasse de papiers qu'il tient à la main, à la recherche de son argument. Où a-t-il bien pu passer ? se demande-t-il, de plus en plus affolé. Comment plaider mon cas, si je ne trouve pas mon argument ? "Alors ! répète son père en frappant la table du marteau. C'est pour aujourd'hui ou pour demain ?" Puis le tribunal s'évanouit, et ils sont dans le jardin de leur maison à Los Angeles : Brian essaie d'installer le barbecue, la liasse des papiers est devenue le livret d'instructions mais il manque plusieurs pièces métalliques et il n'arrive pas à comprendre comment ça marche. "Pour l'amour du ciel, siffle son père, fou d'impatience. Tu ne sais vraiment *rien* faire comme il faut ? Allez, un peu de nerf !" Là-dessus, Brian se met à pleurer et son père lui saute dessus : "Fils à sa maman ! fils à sa maman ! Poule mouillée ! Tapette ! Pleurnichard !..." Plus Brian pleure, plus son père s'acharne sur lui, sadique et furieux : il danse autour de lui et le tape avec le coin mouillé d'un torchon, il le frappe, le pince, le tourne en bourrique... "Pauvre bébé ! Il n'arrive pas à monter le barbecue, hein ?

C'est trop compliqué pour lui ! Espèce
de cornichon ! Bon à rien !" Enfin, saisissant Brian par les épaules, il le
pousse de toutes ses forces, l'envoyant
valdinguer dans le barbecue à demi
monté qui s'écroule sur la pelouse dans
un fracas de métal. Mais ce n'est que la
casserole que Charles, voulant se faire
du thé, cherche à extraire de la pile de
vaisselle dans l'égouttoir. Il n'est pas
mécontent des progrès de son poème
jusque-là, mais "le silence d'un homme
qui dort" est assez plat. Trop évident.
Il faut trouver le moyen de faire
entendre le silence du paysage hivernal. Le rythme est bon, par contre : "le
si-LEN-ce d'un HOM-me qui DORT". Les
mots s'animent dans son cerveau,
prennent vie, assument une clarté et
une réalité extrêmes, comme à chaque
fois qu'il parvient à s'immerger ainsi
dans le travail, au cœur de la nuit, à la
cuisine, pendant que Myrna et les
enfants dorment près de lui ; "le
silence" (ce *en* qui s'étend devant vous
tel un chemin, avant d'aller se perdre à
l'horizon), "d'un" (syllabe aussi rassurante que le teuf-teuf d'un train),
"homme" (la main tendue, paume vers
le haut), "qui dort" (la main refermée en
un poing), Patrizia tape du poing sur la
table : "Je n'en peux plus ! s'écrie-t-elle,

et Gino et Tomas lèvent vers elle des yeux remplis de peur. Pourquoi vous avez dessiné sur le sol ?" "C'est parce que le bleu turquoise était si joli", dit Gino d'une voix tremblante. "Ne t'inquiète pas, maman, dit Tomas. Ce n'est que du lino, ça partira." Une petite fille est là aussi, dans l'arrière-fond ; mais Patrizia ne peut la voir que du coin de l'œil. "Pourquoi tu ne me vois jamais ?" demande la fillette. "Mais bien sûr que je te vois, ma chérie !" dit Patrizia, bouleversée. "Non, insiste l'enfant. Même maintenant, tu refuses de me regarder !" Patrizia s'effondre en sanglots sur la table, la tête sur les bras, et Gino et Tomas se précipitent pour la consoler. "Tout va bien, maman, tout va bien", disent-ils en lui caressant la tête et les épaules, mais leurs mots dégénèrent en gazouillements et en pépiements, leurs mains deviennent des oiseaux qui volettent et palpitent autour des épaules de leur mère. Tous les oiseaux dorment, ils dorment profondément et la tempête s'est apaisée, les flocons de neige tombent plus lentement maintenant et de façon intermittente, comme s'ils étaient fatigués, il règne un silence de mort mais en fait la maison est vivante, toute bourdonnante des rêves de ses occupants, Hal Junior lâche un jet d'urine

et se délecte de la sensation de chaud
mouillé, dans son cerveau se chevauchent des images sans suite, couleurs
et intensités, pointes de plaisir, syllabes
éparses, *ma, ma, Hal, ba, bo*, douces
possibilités fragmentaires de la langue
anglaise, aussi concrètes et sensuelles
pour lui que du jus de pomme ou de
la bouillie d'avoine. Droite et raide et
réveillée, Rachel est allongée dans son
lit étroit... comme Mrs Dalloway, se
dit-elle. Se redressant sur un coude,
elle avale un deuxième somnifère et
son esprit se détend enfin, se laisse
aller, les griffes de l'angoisse relâchent
provisoirement leur prise sur son âme...
mais elle a un cours à donner et il est
tard, comment peut-il être aussi tard,
elle se précipite vers l'université, mais
partout il y a des congères glissantes et
traîtresses qui l'empêchent d'avancer,
elle les escalade en s'aidant des pieds
et des mains mais comme elle porte
une jupe étroite, des bas nylon et des
talons aiguilles, elle ne cesse de glisser
et de s'écorcher les genoux sur la
glace, elle est à bout de nerfs, au bord
des larmes : Jamais je ne pourrai donner mon cours dans l'état où je suis !
se dit-elle, et, prenant un tube de tran-
quillisants dans son sac, elle en avale
toute une poignée... Non c'est trop, ça

m'assommera, me transformera en
zombie... je n'arriverai pas à organiser
mes idées... alors elle se met à régur-
giter les comprimés... à les recracher
dans la neige en essayant de calculer
combien de comprimés il faudrait garder
pour être calme sans être hébétée...
Son angoisse est si forte qu'elle réveille
Derek, dans son lit étroit et inconfor-
table de l'autre côté de la pièce. Aux
aguets, il tend l'oreille, scrute les
ténèbres... Y a-t-il quelque chose... ?
Non, apparemment tout est tranquille...
mais il ne se sent pas bien du tout.
Tête lourde. Douleur cuisante à l'abdomen. N'aurais pas dû boire tout ce
champagne, surtout après le vin, sans
parler du punch. Oh mon Dieu, pas la
moindre envie de passer sur le billard
une deuxième fois... "De quoi te
plains-tu ? dit sa mère Violet. Ton père
est mort, ça t'a fait tellement d'effet
que tu n'es même pas venu lui dire
adieu, ta mère a une phlébite et des
rhumatismes, de l'hypertension et la
goutte, et toi tu pleurniches pour un
petit mal de ventre ? Vieux, mon œil,
tu ne sais même pas de quoi tu parles.
Reviens me voir quand tu auras
soixante-quinze ans et on en reparlera,
du vieillissement." "C'est impossible",
lui dit Derek. "Pourquoi ?" demande sa

mère, et il n'ose lui dire que quand il aura soixante-quinze ans, elle sera morte. "Ne t'en fais pas, Violet, lui dit-il. Tout ira bien, je viendrai te voir dès que je pourrai, il faut juste que je termine cet article et puis je te téléphone, c'est promis." Il commence à se diriger vers la maison où il travaille. "Promis, mon œil. Je les connais, moi, tes promesses !" lui susurre la voix hargneuse de sa mère tandis qu'il gravit péniblement une colline dans cette ville à la fois familière et étrangère, aux rues pavées et aux vieilles maisons délabrées en brique. Katie aussi est dans une ville étrangère, mais elle n'a aucune idée de comment elle est arrivée là : elle avait pris le bus n° 79 avec sa fille Alice, mais le bus s'est arrêté dans un quartier qu'elle n'avait jamais vu et le chauffeur est allé tranquillement s'asseoir à une terrasse de café : "Ça me convient très bien ici", a-t-il dit en guise d'explication. De fait, l'endroit est d'une beauté à couper le souffle... et de plus, une espèce de carnaval s'y déroule ! Le chauffeur a raison, se dit Katie, pourquoi voudrait-on aller plus loin ? Elle est ravie de pouvoir partager cela avec Alice : bras dessus, bras dessous, elles avancent vers un campement de gitans... et... ô miracle... la *mère* de

Katie est là ! "Maman ! exulte Katie. Je
te croyais morte !" "Mais non, dit sa
mère, en riant aux éclats. Je n'avais pas
envie de te gêner, c'est tout. C'est merveilleux ici, n'est-ce pas ?" Katie sourit
dans son sommeil, et son sourire flotte
doucement à travers la pièce jusqu'à
l'endroit où le corps de Beth, à même
le sol, est enlacé à celui de Brian. Le
sourire reste suspendu un instant au-
dessus de la tête de Beth, sans parve-
nir à défaire le nœud d'inquiétude qui
lui plisse le front parce que, derrière
cette coquille d'os, dans son cerveau
endormi et cependant actif, Beth subit
une importante intervention chirurgi-
cale. Elle est à la fois la patiente, étendue sans connaissance sur le bloc
opératoire, et la chirurgienne qui réclame
aux infirmières les instruments dont
elle a besoin au fur et à mesure. Elle a
le ventre béant et il y a quelque chose
à l'intérieur ; elle essaie de voir ce que
c'est mais les nombreux bras du corps
médical l'empêchent de l'identifier ;
c'est assez volumineux… lové entre l'estomac et le foie… et ça frétille… Qu'est-
ce que ça peut bien être ? Un poisson.
Il faut absolument qu'ils arrivent à le
sortir. Un poisson qui frétille, là… sous
la surface étincelante de la rivière Pripiat… Oui ! Ça y est ! Leonid l'a attrapé !

Fou de joie, il se redresse sur la pierre
et, debout derrière lui, son père lui
tient les hanches pour le caler pendant
qu'il remonte la truite... bon Dieu, elle
est *énorme* !... Elle se débat, fouettant
l'eau de sa queue... C'est une sensation fantastique, les mouvements paniqués du poisson transmis à la ligne, à la
canne puis aux bras maigrichons de
Leonid... Oui, c'est bon ! Il l'a ramenée !
Ça alors ! Ça alors ! Le soleil commence
à se coucher, la journée touche à sa fin
mais l'instant est tellement parfait qu'il
redoute d'entendre son père lui dire
qu'il est l'heure de rentrer. "Dans le
jour mourant", écrit Charles. Bon, ça
c'est bien ; de ça, au moins, je suis sûr.
"Le jour mourant"... cette assonance,
cet écho du *our* comme un sombre pré-
sage, c'est magnifique... "un chevreuil
filera / à travers la forêt ravagée comme
un visage". Peut-on "voir" un chevreuil
filer comme si c'était un visage ? Pourtant, je sais ce que je veux dire. Quand
on surprend un chevreuil en pleine
forêt... cet échange de regards, cette
reconnaissance soudaine, on retient
son souffle et puis... ah ! parti. Seulement, le mot "ravagé" a tendance à
vibrer avec le mot "visage" : on parle plus
volontiers d'un visage ravagé que d'une
forêt ravagée. Peut-être "un chevreuil

filera / comme un visage à travers la
forêt ravagée"... Oui, c'est mieux. Bon
Dieu, il tousse trop, ce pauvre Sean. Je
pourrai peut-être lui monter une tasse
de thé ? Mais je ne veux pas gâcher
sa nuit avec Patrizia. Mignonne, la
Patrizia. Extrêmement sympathique.
A l'étage au-dessus, tirée momentanément de son sommeil, Patrizia glisse
une main sous le T-shirt bleu marine de
Sean et lui caresse le dos. "Dis donc,
lui chuchote-t-elle entre deux quintes,
elle m'inquiète cette toux. Tu ne veux
pas aller voir un médecin ?" Son rêve
de l'opéra lui revient soudain : *calvo
dentello*, la cape de dentelle... mais
non, se dit-elle, *calvo* ne veut pas dire
cape, ça veut dire chauve. Dentelle
chauve... n'importe quoi. "C'est fait",
dit Sean. "Il ne t'a pas donné de médicaments ?" Mais la réponse de Sean est
engloutie par une nouvelle éruption vol-
canique de toux et, à mesure que Patrizia se laisse glisser dans le sommeil, la
toux se transforme en aboiement de
chien. Elle s'approche de la cathédrale
de son enfance, ou plutôt, quatre murs
autour d'un beau jardin où des hommes
et des femmes, habillés pour la messe,
pelles à la main, s'attaquent joyeusement à une série de monticules. "Que
faites-vous ?" leur demande Patrizia,

pendant que le chien aboie sans dis-
continuer. "Ce sont les tombes de nos
ancêtres, lui expliquent-ils. Il faut que
ce cimetière redevienne un lieu de
culte." Et, en effet, elle voit que sur
l'un des murs, un homme trace rapidement les branches de la rosace qui s'y
trouvait jadis. "C'est génial !" s'exclame-
t-elle, en proie à l'euphorie. Levant les
yeux, elle voit que les chérubins sculp-
tés sur les chapiteaux sont vivants,
qu'ils bougent lentement et s'entrela-
cent les uns aux autres, que des vrilles
de fleurs de pierre leur glissent à travers la tête et le corps. "C'est génial !"
répète Patrizia, extatique, et le chien
aboie toujours et la neige a cessé de
tomber et du reste, dans l'esprit de
Chloé, dans la chambre d'amis à l'autre
bout du couloir, c'est l'été. Oui : une
journée ensoleillée, aux éclats brillants
et menaçants comme un couteau, et elle
est venue avec Hal Junior voir quelqu'un à Los Angeles. Elle a posé le
couffin sur la pelouse – l'enfant est
plus petit que dans la réalité, excessi-
vement menu et fragile ; peu à peu, le
couffin se retourne et le bébé roule sur
l'herbe… et puis, sans qu'il y ait eu le
moindre coup de feu, deux énormes
corbeaux noirs tombent du ciel : morts,
saignants, le corps criblé de balles : l'un

sur le perron et l'autre... sur l'enfant.
L'oiseau mort sur le bébé vivant. Chloé
se réveille en sursaut et regarde autour
d'elle, éperdue : où suis-je où suis-je
où suis-je ? Elle ne voit que des murs
de livres... Ah mais oui, nous sommes
chez Sean Farrell, pourquoi ils ont
besoin de tant de livres ces gens, ils
croient que les livres peuvent les protéger du monde mais c'est faux, hein
Col ? Il n'y a pas de protection, pas de
secours, les livres voudraient transformer la vie en histoires mais c'est des
conneries tout ça... Tu te rappelles les
tortues, Col ? Où est-ce qu'on a bien
pu les dégoter, je ne sais plus... Tu te
rappelles comme c'était bizarre de les
tenir par le bord de leur carapace et de
sentir leurs petites pattes faire des
moulinets sous nos doigts comme pour
dire : "Hé ! Où est passé le sol ?!" Et les
jolis motifs brun et jaune qu'elles
avaient sur le ventre... une surprise
quand on les retournait, après le gris
terne de leur dessus... On leur faisait
faire des courses, tu te rappelles ? On
prenait chacun une tortue, on la tenait
au bord de la pelouse – "A vos marques, prêts, partez !" – et on les relâchait.
Mais, au lieu de filer en ligne droite
pour gagner la course, elles se met-
taient à errer sur la pelouse au hasard.

C'est ça la vie, hein, Col ? Les gens font comme si c'était une course, comme si, en allant tout droit, on pouvait arriver quelque part, mais en fait on n'est qu'une bande de tortues débiles. On ne sait pas où on va, on ne sait pas où est la ligne d'arrivée, et, si jamais on la trouvait, il n'y aurait pas de prix pour le gagnant. Tu ne sais toujours pas ça, Hal ? A quoi elles te servent, toutes tes années d'études, si tu ne sais même pas ça ? Se retournant dans le lit, elle tire sur la couette pour mieux se recouvrir, de sorte que le grand corps de Hal se trouve soudain exposé à l'air frais de la chambre (afin d'économiser sur le chauffage, Sean a réglé le thermostat pour chuter automatiquement de vingt à quinze degrés pendant la nuit). Grelottant, Hal s'embarque aussitôt dans un rêve que, plus tard, il intégrera à son roman sur le Klondike : un rêve dans lequel plusieurs Esquimaux découvrent un orpailleur mort de froid, le décongèlent, le débitent en morceaux et en font un ragoût. J'espère que les Esquimaux n'en prendront pas ombrage, se dit Hal quand le froid le réveille de nouveau. Il note le rêve dans le calepin qu'il garde toujours près de son lit, s'éclairant avec une torche électrique miniature pour ne pas perturber le

sommeil de son épouse et de son fils.
Les Inuits, je veux dire. J'espère que
les Inuits n'en prendront pas ombrage.
S'ils protestent, je leur dirai que ce
n'était qu'un rêve : dans l'esprit du
Blanc moyen en 1890, tous les non-
Blancs étaient des sauvages et des can-
nibales. C'est le cauchemar d'un raciste,
voilà, et pas du tout le point de vue
personnel de l'auteur. Bon Dieu, on se
les caille ici. Il se retourne vers Chloé
et tire doucement sur la couette, jusqu'à ce qu'elle le recouvre à nouveau.
"Et les empreintes des hommes et des
loups", répète Charles à voix basse
pour la soixante-quinzième fois depuis
une demi-heure mais les mots finissent
par se dissoudre devant ses yeux et,
posant la tête sur la page griffonnée et
raturée en tous sens, il s'endort. Entre-
temps, le feu s'est éteint dans l'âtre
près du fauteuil à bascule, Aron a les
mains et les pieds engourdis par le
froid et sa mère les frotte énergiquement, tout en lui récitant *Le Pèlerin* de
Pouchkine ; quand elle arrive au vers
qui parle du feu – *"Nash gorod plameni i vetrom obrechën"* – elle lui
souffle sur les mains pour les réchauffer,
puis les glisse sous ses aisselles, où
elles lui frôlent les seins : Aron est parcouru par un violent frisson de plaisir

et de dégoût. Ensuite sa mère lui met
ses pieds entre les jambes et resserre
les cuisses tout en lui disant : "Tu es
mon prisonnier !" et en éclatant de rire.
Il veut à tout prix lui échapper mais,
plus il se débat pour s'arracher à l'em-
prise de sa mère, plus elle le retient avec
fermeté, et enfin – apeuré, geignant,
tirant de toutes ses forces – il parvient
à se libérer. Sa mère le relâche si
abruptement qu'il est projeté en arrière
et se réveille, pantelant, dans son fauteuil à bascule ; ce sont les ronflements
tranquilles et réguliers de Leonid sur le
canapé, Brian par terre et Charles à la
cuisine qui le ramènent au réel... Bien,
bien. Glissant les mains entre ses propres
cuisses, il les frotte l'une contre l'autre
pour se réchauffer, puis repart vers un
autre rêve.

C'est le matin, c'est très tôt le matin et
tous les amis dorment, ils ont les paupières closes mais cela n'empêche pas
leur vie d'avancer ni la Terre de tourner autour de son axe et bientôt, très
bientôt, la partie du continent nord-
américain qui renferme cette petite maison sera exposée aux rayons obliques
et incolores du soleil hivernal ; la neige
a cessé de tomber et les nuages sont

devenus épars, fins, évaporés, l'aube commence à poindre, c'est le matin d'un jour appelé vendredi dans un mois appelé novembre dans une année qui est affublée, elle aussi, d'un numéro pour l'identifier... mais les amis dorment et aucun d'entre eux ne verra le sublime chariot d'Apollon franchir l'horizon au nord-est dans un éclat d'or.

Ouvrant les yeux un peu plus tard, Katie voit filtrer par les rideaux du salon une lumière pâle et incertaine. Le bras lourd de Leonid lui pèse sur la poitrine, l'immobilisant. Elle tourne la tête vers le visage de son mari endormi et l'étudie, dans la pénombre qui blanchit lentement, jusqu'à ce que les traits se distinguent : le grand nez d'abord, puis les lèvres lourdes, les bajoues affaissées, la blanche broussaille des sourcils... Elle sent le picotement de la chaleur lui incendier le visage et se rappelle, émue, ce jour d'il y a treize ans où, se réveillant chez Ioulia à Choudiany le lendemain des funérailles de Grigori, ils avaient fait l'amour sur le canapé du salon... Elle avait senti son homme venir sur elle puis en elle, et, tout en le serrant et en le berçant avec le moins de bruit possible pendant la longue montée de leur désir puis son débordement,

elle avait pleuré de joie à l'idée de recevoir sa semence : oui *toi, ici,* mon amour,
dans ta patrie enfin, ton pays d'origine,
la terre de tes ancêtres, le lieu où sont
morts tes parents et où vivent ta sœur
et ta nièce, oh, je te remercie d'exister
Leo, je remercie cette terre de t'avoir
porté, je t'aime Leo et je voudrais tant
te prolonger, dans et par mon corps...
Ce n'était pas, oh pas du tout, le désir de
concevoir un autre enfant ; c'était, plutôt, la perception aiguë, ce matin-là, de
leur accouplement comme d'un accord
joué dans la musique des générations,
un accord qui les reliait, par chance et
par choix, à ceux qui les avaient précé-
dés et à ceux qui viendraient après...
alors qu'à Choudiany, même si personne n'avait encore pris pleinement
la pleine mesure du désastre, la chaîne
était rompue à tout jamais... Et nous
voilà ce matin chez Sean, se dit-elle,
essuyant la sueur qui lui perle au front
et tournant à nouveau la tête vers le
ciel, devenu entre-temps bleu pâle :
nous voilà en vie, avec notre cœur animal battant sous la peau tiède de notre
corps usé, dans le silence d'une maison solitaire ensevelie sous la neige,
dans la clameur d'une culture frénétique,
sur ce continent, au tournant d'un nouveau millénaire...

A l'étage au-dessus, un deuxième cerveau vient de surnager aux abords de
la conscience : celui de Hal Junior.
Aucune phrase n'y est encore inscrite ;
aucun souvenir n'y est gravé de manière
indélébile ; son esprit est une vaste
étendue d'intelligence générale sur
laquelle les images et les sensations
s'impriment et se dissipent, s'assemblent et s'éparpillent. Se réveillant dans
ce lieu inconnu, l'enfant regarde autour
de lui, de plus en plus surpris et inquiet.
Il est sur le point de pousser un cri
d'alarme quand l'odeur de ses parents,
flottant jusqu'à ses narines, le rassure.
Sans bruit, il ramène les genoux sous
le ventre, se met maladroitement debout
et empoigne les draps du grand lit.
Enfin, après force coups de pied dans
le vide et balancements de son volumineux arrière-train alourdi par une
couche mouillée, il parvient à se hisser
sur le lit. Eurêka ! Les voilà tous les
deux ! Il est sur le point de se jeter sur
eux, pour les réveiller et être serré
dans leurs bras, caressé et nourri dans
l'odeur âcre de leur chair matinale et
les chaudes vibrations de leurs voix,
l'une sable, l'autre velours, quand soudain... son regard est happé par une
lumière éblouissante.

Il tourne la tête... et là, au-delà de
la vitre... *Oh là... quoi ?* Rampant

par-dessus ces monceaux à la respiration lourde que sont les corps de ses
parents, il saisit des deux mains le
rebord de la fenêtre et se redresse pour
regarder dehors… *Oh là… quoi ?* tout ce
blanc… *quoi ?* blanc, *quoi*, oh, blanc,
oh !… une *telle* blancheur une *telle*
beauté… écarquillant les yeux, ouvrant
grande sa bouche baveuse et presque
sans dents, il regarde regarde et regarde
encore, stupéfait, le monde qui depuis
la dernière fois qu'il l'a vu a été intégralement et inexplicablement transfi-
guré et qui, là… *oh là, quoi ?…* n'est
rien d'autre que de la blancheur somp-
tueuse, du blanc à perte de vue… pur,
éblouissant, aveuglant… *oui, là…* étincelant en silence sous le soleil… page
blanche… intouchée… parfaite… neuve.

Lux fit.

THANKSGIVING

Je dois le titre de ce livre à mon ami sculpteur Pucci De Rossi qui, même s'il pense s'en servir lui-même un jour pour un recueil de nouvelles, a généreusement accepté de le partager avec moi.

L'idée d'un livre intitulé *Noir sur blanc* (sur les conflits raciaux aux Etats-Unis) appartient au dramaturge et poète haïtien Jacques Rey Charlier.

Les passages sur Tchernobyl sont inspirés par le livre de reportage de Svetlana Alexievitch, *La Supplication*.

L'état d'esprit de Hal Hetherington après ses attaques cérébrales doit beaucoup au livre de May Sarton, *After the Stroke*.

La citation de Gertrude Stein vient de *Trois Vies*.

La nouvelle de I. B. Singer à laquelle il est fait allusion est "Mes voisins", in *Le Beau Monsieur de Cracovie*, trad. fr. Marie-Pierre Bay, Stock, 1985.

Le film pornographique auquel assiste Chloé est *Star 80*.

L'histoire de la neige au visage m'a été racontée par l'écrivain allemand Peter Schneider.

Les réflexions de Ionesco sur la mort ont été publiées dans *Le Figaro littéraire* d'octobre 1993.

Le Temps des fleurs (Those Were the Days) de
Gene Raskin, paroles françaises d'Eddy Mar-
nay, © 1962 et 1968 par Essex Music, Inc., New
York.

La scène du fleuve Sa Thây est racontée
(d'un autre point de vue) dans le roman de Bao
Ninh, *Le Chagrin de la guerre.*

Le poème récité par la mère d'Aron est *Le
Pèlerin* de Pouchkine (1835).

A ceux-là et à bien d'autres, à tous ceux qui
ont partagé leurs histoires avec moi au long des
années, du fond du cœur, merci.

TABLE

OUVRAGE RÉALISÉ
PAR L'ATELIER GRAPHIQUE ACTES SUD
REPRODUIT ET ACHEVÉ D'IMPRIMER
SUR ROTO-PAGE
EN JANVIER 2001
PAR L'IMPRIMERIE FLOCH
A MAYENNE
SUR PAPIER DES
PAPETERIES DE JEAND'HEURS
POUR LE COMPTE DES ÉDITIONS
ACTES SUD
LE MÉJAN
PLACE NINA-BERBEROVA
13200 ARLES

DÉPÔT LÉGAL
1re ÉDITION : MARS 2001
N° impr. : 50681
(Imprimé en France)